W9-CGT-732

Largo Monterroio Mascarenhas, n.º 1, 8.º piso
1099-081 Lisboa
Telf: 21 001 58 00
ffms@ffms.pt

Maio de 2015

Director de Publicações: António Araújo

Título: Valores, Qualidade Institucional e Desenvolvimento em Portugal

Autores: Alejandro Portes (dir.),
M. Margarida Marques (dir.),
Mário Contumélias,
Ana Maria Evans,
Miguel de Pompeia,
Roselane Gomes Bezerra,
Nuno Vaz da Silva
e Sónia Pires

Colaboração de: Jean Nava e Carmen Maciel

Revisão de texto: Isabel Branco

Design: Inês Sena
Paginação: Guidesign

Impressão e acabamentos: Guide - Artes Gráficas, Lda.

ISBN: 978-989-8819-06-2
Depósito Legal 393 231/15

Com a excepção da autora Roselane Gomes Bezerra, que utiliza a grafia do português do Brasil, todos os outros autores optaram por não seguir o novo Acordo Ortográfico.

VALORES, QUALIDADE INSTITUCIONAL E DESENVOLVIMENTO EM PORTUGAL

VALORES, QUALIDADE INSTITUCIONAL E DESENVOLVIMENTO EM PORTUGAL

Alejandro Portes
M. Margarida Marques
(direcção)

Mário Contumélias

Ana Maria Evans

Miguel de Pompeia

Roselane Gomes Bezerra

Nuno Vaz da Silva

Sónia Pires

Colaboradores

Jean Nava e Carmen Maciel

ÍNDICE

Valores, Qualidade Institucional e Desenvolvimento em Portugal

Introdução

Este estudo visou realizar uma avaliação fidedigna do funcionamento e da qualidade das instituições portuguesas, através de uma análise intensiva de organizações e agências consideradas emblemáticas no quadro institucional do país. Para atingir este objectivo, o projecto apoiou-se em elaboração teórica prévia, visando uma definição rigorosa e mensurável do conceito de "instituição", e em investigação empírica anterior, para a qual se desenvolveu uma metodologia que permitisse analisar instituições concretas existentes e averiguar a sua influência no progresso social e económico de cada país. Perante a impossibilidade de investigar a totalidade das instituições portuguesas, selecionou-se para o estudo uma amostra de organizações de âmbito nacional, públicas e privadas, que fossem não apenas importantes de *per si*, como ainda susceptíveis de lançar alguma luz sobre o universo mais amplo das instituições do país.

Esta obra baseia-se nos resultados de estudos realizados em seis instituições, levados a cabo em simultâneo, seguindo uma metodologia comum, e que duraram um ano. A metodologia encontra-se descrita na secção seguinte. Aos pesquisadores membros da equipa de investigação foi solicitado, por um lado, que traçassem um enquadramento histórico e realizassem uma análise pormenorizada da estrutura interna e do modo de funcionamento de cada organização e, por outro, que as classificassem de acordo com dimensões estratégicas de qualidade institucional elaboradas a partir da bibliografia económica e sociológica existente. As dimensões são igualmente descritas mais abaixo. Este acervo de novo conhecimento permite-nos ultrapassar caracterizações estereotipadas ou "classificações" de reputação das instituições portuguesas, e chegar a um conhecimento em profundidade das dinâmicas e dos constrangimentos enfrentados pelos líderes e funcionários de cada agência. Os capítulos que se seguem descrevem as origens, a evolução e o estado actual das seis instituições incluídas no estudo.

No cômputo geral e antecipando as conclusões finais, pode afirmar-se que os resultados desta investigação foram positivos. Não obstante a existência de sérios constrangimentos, resultantes, em parte, da ampla crise económica que afectou o país nos últimos anos, as organizações foram capazes de respeitar os seus manuais institucionais e cumprir os objectivos para os quais foram criadas. Os seus contributos para a boa governança e o desenvolvimento, nas respectivas esferas de actividade, se bem que geralmente positivos, variaram em termos de eficácia e alcance, dependendo do carácter da liderança institucional e das alterações das políticas do Estado às quais se encontravam sujeitas. Ao aprofundar os resultados dos estudos individuais, estes constrangimentos vão tornar-se claros.

Contexto: a "Viragem" Institucional

Nos últimos anos, tem-se assistido a uma convergência inesperada entre a Economia e a Sociologia, nas abordagens respectivas ao desenvolvimento dos países. O conceito de "instituição", responsável por essa convergência, é um termo familiar na Sociologia e na Antropologia; mas na Economia, que tem sido dominada pelo paradigma neo-clássico, é algo revolucionário. Foi necessária a influência de dois laureados com o Prémio Nobel da economia, Douglas North e Joseph Stiglitz, para que esta decisiva viragem conceptual se realizasse. Quando North (1990) declarou que "as instituições importam", estas começaram de facto a ser consideradas. Stiglitz acompanhou esta viragem ao afirmar que "o desenvolvimento já não é percepcionado como um processo de acumulação de capital, mas como um processo de mudança organizacional" (Hoff e Stiglitz, 2001: 389).

Esta inovação teórica significativa foi acompanhada, infelizmente, por muita confusão quanto ao significado do conceito de "instituição" e por publicações de natureza empírica que, por falta de referencial teórico claro, resvalaram para raciocínios tautológicos. North (1990: 3) definiu instituição como sendo "toda a forma de constrangimento concebida pelos seres humanos com vista a moldar as interacções humanas". Trata-se de uma definição vaga, que abrange tudo, desde as normas apreendidas durante o processo de socialização, à própria força física. Não é pois de surpreender que nas publicações de natureza empírica que se seguiram se confundam "instituições" com valores, normas, leis de propriedade e até com agências concretas, como por exemplo os bancos centrais (Haggard, 2004; Williamson, 1985). Esta bibliografia empírica acabou por se contentar com as classificações de reputação compiladas por organizações internacionais, como o Banco Mundial ou as agências de "notação de risco", para as quais a totalidade do quadro institucional de um dado país se pode resumir a um único valor (Knack e Keefer, 1995; Jutting, 2003).

Definição Conceptual

A investigação recorreu a trabalho anteriormente realizado, alicerçado na Sociologia teórica clássica, para ultrapassar a confusão teórica que rodeia o uso do conceito central do estudo. Aí se estabeleceram os elementos distintos de cultura e de estrutura social, organizando-os numa hierarquia causal, abrangendo desde forças "profundas", como os "valores", do lado da cultura, e o "poder", na dimensão da estrutura social, aos elementos mais visíveis da vida social. Essa análise, que está publicada (Portes, 2006; Portes e Smith, 2012), permitiu gizar o esquema conceptual reproduzido na Figura 1. De acordo com esta análise conceptual, as instituições representam os *manuais simbólicos das organizações*: são o conjunto de regras, escritas ou informais, que regulam as relações entre os indivíduos que desempenham diferentes papéis nas organizações sociais – sejam estas a família, as escolas, as empresas, ou todas as outras grandes áreas da vida organizacional, como a economia, a política, a religião, a comunicação e a informação e o lazer (Maclver e Page, 1961; Merton, 1968a; Hollingsworth, 2002; Portes 2010: Cap. 4).

Figura 1 Elementos da vida social e posicionamento do conceito

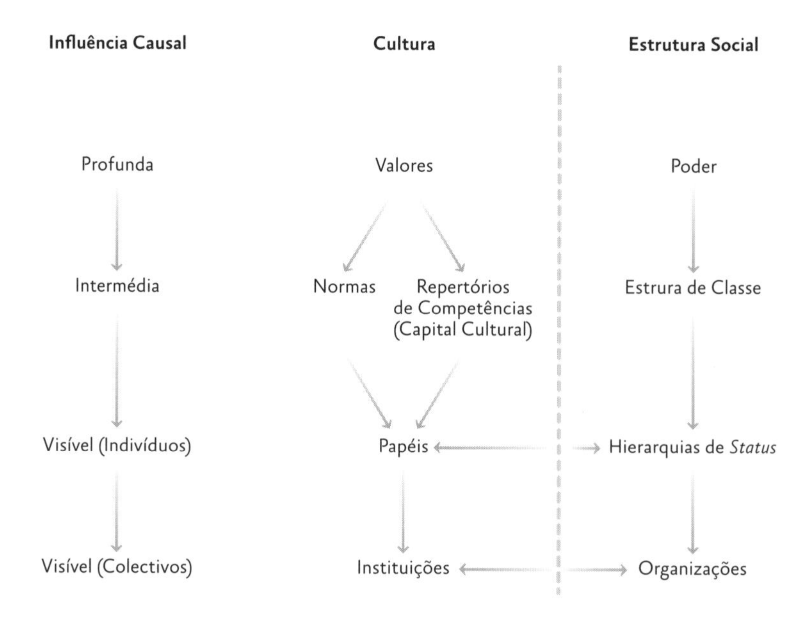

Esta definição de instituição está de acordo com o uso comum do termo, quando, por exemplo, nos referimos a "manuais institucionais". No entanto, não é esta sobreposição que determina a sua validade, mas antes a sua utilidade analítica. Os conceitos são construções mentais, cuja utilidade advém da sua capacidade de guiar a nossa compreensão dos fenómenos sociais. A definição aqui proposta limita, deliberadamente, o âmbito do conceito, ao mesmo tempo que o relaciona sistematicamente com outros elementos da vida social. Obtém-se deste modo o efeito necessário para apreender fenómenos que, de outra forma, ficariam na penumbra.

Por exemplo, a distinção entre organização e a instituição que lhe subjaz consegue o efeito que é necessário para analisar a forma como os eventos realmente ocorrem na vida social. Com efeito, não é pelo facto de os papéis institucionais estarem definidos que os agentes que os desempenham os executam cegamente. Pelo contrário, eles modificam esses papéis na sua aplicação diária, substituindo-os, ou até contornando-os. Assim, a relação entre regras institucionais e organizações reais não é simples. Saber até que ponto os modelos institucionais e as organizações se sobrepõem é uma questão empírica e, como se verá, representa um dos aspectos fundamentais da análise institucional.

Revisão da Bibliografia

As declarações de North acerca do papel das instituições no desenvolvimento foram seguidas por uma vaga de estudos, em perspectiva histórica e contemporânea, sobre o papel das diferentes forças sociais, agregadas em bruto numa única designação abrangente. O estudo de Acemoglu, Johnson e Robinson (2000), que incide sobre os efeitos de longa duração dos quadros legais criados pelos colonizadores europeus nas áreas em que se concentraram (*path dependence*), é dos mais influentes. Nas colónias onde os europeus se estabeleceram de forma permanente, desenvolveram-se quadros institucionais consistentes, plasmados nos modelos dos países de origem, com base nos quais se criaram as bases para um desenvolvimento económico sustentado. Conscientes do problema da causalidade recíproca na relação entre instituições e desenvolvimento, Acemoglu *et al.* operacionalizaram a sua determinante principal – a concentração de colonos europeus – a partir das taxas de mortalidade dos primeiros colonizadores, dos soldados e até dos bispos, recolhidas em estudos anteriores. Partiram do princípio de que as áreas onde se registaram altas taxas de mortalidade entre os primeiros colonos devido à malária e à febre-amarela foram relegadas para funções exclusivamente extractivas e que somente as áreas mais saudáveis foram eleitas para assentamento concentrado dos europeus.

À semelhança da maioria dos estudos neste campo de investigação, Acemoglu *et al.* basearam-se nos índices de reputação, que atribuem a cada país um valor único, para medir a qualidade institucional. Recorreram aos serviços da empresa Political Risk Services para obter uma medida de "protecção média contra a expropriação", complementada por uma medida de "constrangimentos ao poder executivo", proveniente da base de dados do Polity III de Gurr. Na economia, o padrão nesta área é aparentemente o Guia Internacional do Risco por País (The International Country Risk Guide), reunido por Knack e Keefer (1995). Outra medida importante é o Índice do Estado de Direito (Rule of Law Index), que foi utilizado, entre outros, no trabalho importante de Dollar e Kraay (2002). Jutting (2003:19) observa na sua revisão da bibliografia que: "Quase todos os estudos usam, como aproximação às 'instituições', variáveis que medem a qualidade e a actuação das instituições, mas não a própria instituição". Essas mensurações de reputação correm o risco de resvalar para uma forma de circularidade analítica, porquanto as opiniões reunidas sobre a "qualidade institucional" podem ser influenciadas pelo nível já alcançado de desenvolvimento económico dos diferentes países.

Nee e Opper (2009) avançam com uma abordagem mais matizada, sociológica, ao papel que as instituições têm no desenvolvimento. Tendo construído cuidadosamente um tipo ideal de burocracia, de inspiração weberiana, os autores sustentam que é precisamente a qualidade deste dispositivo, não as protecções formais e legais de que gozam os accionistas, que fomenta o desenvolvimento capitalista de longo prazo.

> "Quanto menor a qualidade burocrática, maior o nível de incerteza enfrentado pelos actores económicos e menor a previsiblidade no planeamento de curto e longo prazo." (Nee e Oper, 2009: 299).

Com vista a sustentar este seu entendimento, estes autores recorreram, também, a uma medida: o índice de "eficácia governamental", produzido pelo Banco Mundial (Kaufman *et al.*, 2005). Admite-se que este índice, que usa numerosos indicadores e inclui medidas objectivas, possa exprimir "o sinal menos poluído da noção básica de qualidade burocrática" (Nee e Opper, 2009: 301). Como seria de esperar, os países de África, como a Nigéria, por exemplo, estão classificados no fundo da escala, enquanto a Holanda e os países Escandinavos se encontram nos lugares de topo. De maneira previsível, o índice tem um forte "efeito positivo" sobre o desenvolvimento capitalista.

Ao rever esta bibliografia, emerge muito claramente a ideia de que são necessários estudos de maior proximidade, atentos ao pormenor e que permitam evitar os raciocínios tautológicos. É muito improvável que, na Nigéria, não haja nenhuma agência governamental nem nenhuma outra instituição com mérito; do mesmo modo que nem todas as agências e instituições na Holanda ou nos países escandinavos são necessariamente modelos de excelência. Com vista a ir para além desta bibliografia, baseámo-nos na análise teórica sintetizada na Figura 1, que serviu de ponto de partida para conduzir um estudo de proximidade de instituições reais. Seleccionou-se uma amostra de organizações portuguesas, de âmbito nacional, que fossem suficientemente importantes para, simultaneamente, permitir identificar o que há de específico no quadro institucional do país e colocar em evidência possíveis diferenças padronizadas no seu seio.

Plano de Trabalho

Com este propósito em mente, e dada a impossibilidade de abranger o universo total das instituições nacionais, considerou-se neste estudo uma amostra de seis organizações, dos sectores público e privado, que fossem importantes de *per si* e reflectissem, simultaneamente, tendências mais amplas do universo institucional do país.

As instituições seleccionadas foram as seguintes:

- EDP – Energias de Portugal. É um dos maiores grupos empresariais do país, que tem a missão crucial de gerar e distribuir electricidade no território nacional. Sendo na origem uma entidade estatal, a EDP foi integralmente privatizada, atingindo actualmente uma capitalização próxima de dez mil milhões de euros e uma capacidade de produção de mais de 4600 MW, gerados por mais de cinquenta unidades termoeléctricas, hidráulicas e eólicas.
- Autoridade de Segurança Alimentar e Económica – ASAE. Criada no Ministério da Economia, a missão da ASAE consiste em avaliar os riscos na cadeia alimentar do país, fiscalizar e sancionar as infracções na produção e comercialização de bens, e proteger e informar o público consumidor. Tem o papel fundamental de assegurar o cumprimento, por parte de hotéis, supermercados e restaurantes portugueses, das normas e dos níveis de higiene regulados pela União Europeia.
- Correios de Portugal – CTT. É uma das instituições públicas mais antigas e mais centrais, levando o Estado aos cantos mais recônditos do país[1]. Com uma história longa de quinhentos anos, a agência de correios portuguesa foi-se expandindo ao longo do tempo, formando, hoje, um conglomerado de dez empresas de serviços, diversificadas, e que empregam mais de 14.000 pessoas e abrangem desde a tradicional distribuição de correio, até serviços financeiros de diversos tipos, passando por transferências e comunicações electrónicas. Os CTT cobrem hoje a totalidade do território nacional, gerindo uma cadeia de distribuição de 200.000 quilómetros, e entregam diariamente cerca de cinco milhões de cartas e pacotes.

1 A investigação foi feita em 2012-2013, quando os CTT ainda estavam sob tutela pública. Em 2013, iniciou-se a privatização da empresa.

• Serviço Nacional de Saúde – SNS (Hospital de Santa Maria). O sistema público de saúde expressa de forma clara as correntes ideológicas e políticas do país (Pires, 2013a: 3). Perante a vastidão do sistema em Portugal, optou-se por estudá-lo através de um hospital público de grande envergadura, o Hospital de Santa Maria (HSM), que é uma unidade basilar do Centro Hospitalar Lisboa-Norte. O HSM providencia cuidados de saúde a uma população de cerca de 400.000 pessoas e funciona, simultaneamente, como hospital universitário e como unidade de "fim-de-linha" para o tratamento de doenças raras e complexas. Ademais, o HSM emprega perto de 7000 trabalhadores especializados, incluindo mais de 1100 médicos, sendo actualmente uma das maiores unidades do sistema de saúde público hospitalar.

• Bolsa de Lisboa (New York Stock Exchange – Euronext Lisbon[2]). As bolsas de valores desempenham um papel central nas economias capitalistas como fontes de financiamento para as empresas nacionais e como promotoras de desenvolvimento económico. Para conseguirem alcançar estes objectivos, as bolsas de valores dependem da idoneidade e transparência que conseguem transmitir e da capacidade de atrair empresas para, através da bolsa, complementarem ou substituírem outras fontes de financiamento. A Bolsa de Valores de Lisboa é parte integrante da Euronext, que juntou as bolsas de Amesterdão, Bruxelas e Paris e foi subsequentemente integrada na New York Stock Exchange (NYSE). Actualmente, os diferentes mercados agrupados na NYSE Euronext de Lisboa processam mais de 250.000 ordens por segundo e são capazes de fornecer mais de 1.500.000 cotações de mercado por segundo. Estima-se que a capitalização do mercado bolsista foi de 99,6% do Produto Interno Bruto (PIB), em 2011, dividida em: 38 por cento em obrigações, 60 por cento em acções e 2 por cento em outros instrumentos e certificados (Pompeia, 2013b).

• Autoridade Tributária e Aduaneira – AT. A Autoridade Tributária faz parte do aparelho central do Estado porquanto tem como missão financiá-lo. Como sublinhado por Velasco (2008), o orçamento é realmente o esqueleto basilar do Estado, independentemente de qualquer pretexto. Para as autoridades tributárias lograrem a sua missão têm de

2. A investigação foi feita em 2012-13, quando ainda existia o grupo NYSE-Euronext.

ser capazes de fazer respeitar as normas e de persuadir os cidadãos a pagarem, no cumprimento das suas obrigações cívicas. Tanto o respeito das normas como o cumprimento das obrigações dependem, por sua vez, da qualidade das organizações. Em Portugal, a cobrança de impostos é responsabilidade da AT, uma agência de grandes dimensões, criada em 2011 na sequência da fusão da Direcção-Geral de Contribuições e Impostos (DGCI), da Direcção-Geral das Alfândegas e dos Impostos Especiais sobre o Consumo (DGAIEC) e da Direcção-Geral de Informática e Apoio aos Serviços Tributários e Aduaneiros (DGITA) (Evans, 2013).

O plano de trabalho adoptado para este estudo inspirou-se directamente num projecto comparativo análogo, que produziu informação pormenorizada sobre vinte e três instituições em cinco países da América Latina (Portes e Smith , 2012; Portes, 2009). A mesma metodologia de recolha e análise de dados foi replicada com sucesso nos estudos de caso seleccionados em Portugal. Várias organizações e agências estudadas na América Latina, no projecto anterior – incluindo bolsas de valores, sistemas postais e autoridades tributárias – fazem, de igual modo, parte da amostra do presente estudo realizado em Portugal, permitindo algumas possibilidades de comparação directa.

A metodologia desenvolvida no estudo anterior e aqui replicada consistiu no recrutamento de pesquisadores locais, altamente treinados, aos quais foi atribuída a tarefa de, individualmente, conduzirem uma investigação em profundidade, durante um ano, de uma instituição concreta. Enquanto durou a pesquisa, realizaram-se várias reuniões de trabalho, juntando os membros da equipa e os investigadores responsáveis do projecto, que permitiram fazer o acompanhamento dos progressos do trabalho de campo e resolver as dificuldades e dúvidas que fossem surgindo. Cada pesquisador produziu um relatório intercalar e um relatório final, contendo informação detalhada sobre a história e a actuação da organização que tinha a seu cargo, assim como duas classificações: uma com base numa escala binária e a outra, numa escala contínua. Estas escalas visavam aferir os critérios de qualidade institucional discutidos abaixo.

A recolha de dados para cada estudo de caso incluía os seguintes elementos:

- Compilação das leis e do enquadramento legal que estiveram na origem da organização e que definem a sua missão e as respectivas actividades
- Recolha de todos os relatórios e avaliações internos
- Recolha de estudos académicos e artigos de imprensa relevantes
- Entrevistas com gestores de topo e gestores intermédios da organização[3]
- Entrevistas com técnicos e outros funcionários
- Entrevistas com informadores externos
- Entrevistas com usuários estratégicos dos serviços prestados pelas organizações em estudo (por exemplo, fundos de pensão que investem na bolsa; empresas que usam o serviço postal para fazer publicidade em larga escala; representantes dos utentes hospitalares; grupos de pressão e comités de acompanhamento e controlo organizados por contribuintes)

Através da triangulação destas diferentes fontes de dados, e após um ano de trabalho de campo, os pesquisadores conseguiram chegar a avaliações bem fundamentadas sobre a estrutura interna e o modo de funcionamento de cada organização, bem assim como acerca do grau de cumprimento dos objectivos institucionais que deram origem à sua criação. A comparação pormenorizada entre instituições e a conclusão geral baseiam-se nestas avaliações e nas respectivas classificações. Na Tabela 1 apresenta-se de modo resumido a investigação empírica levada a cabo nos estudos de caso.

3 Não foi possível realizar as entrevistas na Autoridade Tributária devido à não participação das chefias no estudo. Perante estas condições, a investigadora responsável pela AT apoiou-se em entrevistas com informantes externos e especialistas na área, bem assim como em relatórios, artigos de imprensa e outro tipo de fontes secundárias disponíveis.

Table 1 Entrevistas e Dados Secundários Compilação realizada para cada Estudo Institucional

Instituições	Entrevistas com gestores de topo e intermédios	Entrevistas com outros funcionários	Entrevistas com informantes externos	Entrevistas com utilizadores estratégicos	Compilação de textos legais e relatórios internos	Compilação de estudos académicos e artigos de imprensa
	#	#	#	#		
EDP Energias de Portugal	5	3	2	2	Completo	Completo
ASAE Autoridade Alimentar e Económica	16	21	2	6	Completo	Completo
CTT Correios de Portugal	12	3	4	0[1]	Completo	Completo
HSM-SNS Hospital Santa Maria	14	10	4	1	Completo	Completo
LSE NYSE Euronext	4	0	2	2	Completo	Completo
AT Autoridade Tributária	1	0	8	14	Completo	Completo

1) Os gestores indicaram que a informação relativa aos utilizadores "estratégicos" do sistema postal era confidencial. Para a elaboração do relatório, a pesquisadora responsável por esta etnografia recorreu a dados fornecidos por informantes e informação secundária relevante proveniente de outras fontes.

No projecto realizado em Portugal, lançou-se, adicionalmente, um inquérito por questionário aos trabalhadores das organizações seleccionadas, tendo em vista avaliar as suas orientações e os seus valores, em geral, bem assim como as suas atitudes perante a própria organização; esta componente não constou dos estudos previamente levados a cabo na América Latina. As respostas aos questionários eram anónimas, sendo garantida a total confidencialidade das mesmas. Os funcionários de cinco das seis instituições escolhidas responderam ao questionário; os pormenores relativos ao inquérito e aos resultados obtidos surgem descritos mais abaixo nesta publicação.

Hipóteses

A partir da análise da bibliografia científica, identificaram-se seis factores que foram associados, no passado, a qualidade burocrática e processos efectivos de desenvolvimento. Os factores em questão não têm que ver com forças históricas de longo prazo; estão, outrossim, associados a características directamente relacionadas com qualidade institucional. No estudo que aqui se apresenta, definiu-se *desenvolvimento* como um compósito envolvendo crescimento económico, equidade social e direitos humanos (Sen, 1999; Portes, 1997). Em termos mais gerais, o conceito pode ser equiparado a melhoria sustentada no bem-estar da população de um país.

Solicitou-se aos investigadores que aferissem até que ponto cada organização contribuía, *dentro da respectiva esfera institucional*, para essa finalidade. Não se pode com efeito esperar que o sistema postal melhore a educação universitária ou que a agência da aviação civil aumente a produtividade agrícola. Cada agência foi avaliada como "promotora de desenvolvimento" desde que cumprisse a sua missão e, adicionalmente, procurasse melhorar a qualidade dos seus serviços e estendê-los a todos os sectores do país.

Os factores que admitimos, hipoteticamente, que poderiam conduzir a esse resultado podem ser divididos em duas categorias: os factores internos à organização e os factores que a afectam a partir do exterior. O trabalho teórico de Evans (1979, 1995, 2004) identifica duas condições internas necessárias para que as instituições promovam o desenvolvimento:

a) Recrutamento e promoção meritocráticos

b) Imunidade à corrupção e à "captura" por interesses particulares

A investigação mais recente sobre experiências organizacionais concretas na Ásia e na América Latina (Gereffi, 1989; Nee, 2000; Macleod, 2004) revela que há um terceiro factor interno que é determinante:

c) Ausência de "ilhas de poder" enraizadas capazes de subverter as regras institucionais para os seus próprios fins.

O recrutamento e a promoção feitos com base em relações familiares ou outros laços personalistas são o oposto da condição *A*. Uma burocracia mal remunerada ou de alguma forma desmoralizada, que "se vende" a aliciamentos externos, é a alternativa da condição *B*. Cliques gestionárias poderosas e burocracias sindicais movidas por interesses egoístas negam a condição *C*. As três condições internas estão relacionadas, mas não são idênticas: um recrutamento e uma promoção inicial meritocráticos podem ser subsequentemente corrompidos por interesses externos. As "ilhas de poder" enraizadas podem estar imunes à corrupção externa, desde que consigam canalizar recursos internos da organização para os seus próprios fins.

O trabalho de Evans é de novo fonte de inspiração para o primeiro determinante externo:

d) Pro-actividade, ou a capacidade que a organização tem de se envolver com clientes, usuários e outros actores relevantes no seu meio institucional.

As determinantes externas restantes derivam do trabalho de John Meyer e colaboradores (Meyer, Boli, Thomas e Ramirez, 1997; Meyer e Hannan, 1979), sobre a difusão global de formas institucionais, e do trabalho de Cardoso e Faletto (1979), O' Donnell (1994), Zeitlin (1984) e Portes e Hoffman (2003), sobre as estruturas de classe na América Latina e o seu papel na perpetuação das desigualdades sócio-económicas:

e) Flexibilidade tecnológica e abertura à inovação externa

f) Poder, da própria organização ou dos seus aliados externos, para impedir o controlo por interesses particulares.

A condição *D* é negada por instituições fechadas sobre si próprias, que procuram defender os seus próprios interesses e a sua coesão interna, e que não ligam a clientes, usuários, nem a potenciais oportunidades. A rigidez institucional, assente em tradições enraizadas – "a forma como as coisas sempre foram feitas" –, que prevalece sobre oportunidades de inovação, é o oposto da condição *E*. Reflectindo as hierarquias do poder representadas na Figura 1, uma instituição, por mais bem desenhada que seja, tem fortes probabilidades de vir a ser dominada por interesses enraizados ou de se deparar com uma "barreira de classe", vendo a sua missão frustrada, se não tiver apoios entre os membros de topo da administração do Estado ou das elites influentes. As experiências de numerosos programas de reforma agrária falhados em países em desenvolvimento e o sobejamente estudado insucesso do programa de privatizações mexicano, que se confrontou com uma forte resistência de classe, mostram objectivamente como o poder pode subverter os planos institucionais, mesmo os mais bem desenhados (MacLeod, 2004).

Os investigadores organizaram as suas pesquisas a partir destas seis hipóteses de trabalho e classificaram a organização cujo estudo estava a seu cargo em cada um dos indicadores. O questionário aplicado nas instituições aos trabalhadores (Anexo A) inclui *items* que medem as atitudes, em relação a cada um dos seis determinantes. Os resultados são discutidos nos capítulos seguintes e resumidos na Conclusão.

Os seis capítulos que se seguem são versões resumidas dos estudos institucionais previamente descritos. Cada capítulo apresenta uma breve história da organização, uma caracterização da sua estrutura actual e a descrição das suas relações com actores fundamentais na esfera de actividade respectiva. Os autores recorreram aos seis critérios que admitimos estarem hipoteticamente relacionados com a adequação institucional e o contributo para o desenvolvimento, para organizar as suas respectivas narrativas e classificar cada um desses critérios nas duas escalas, binária e contínua, descritas anteriormente. Em cada capítulo não se analisam em pormenor os resultados das sondagens por questionário às instituições, essa exploração é remetida para a Conclusão; mas citam-se alguns dados, selecionados, para sustentar e ilustrar determinados aspectos da narrativa.

No capítulo conclusivo resumem-se os seis estudos institucionais, apresentam-se os resultados das análises comparativas qualitativas (ACQ), realizadas com base nas pontuações atribuídas, e descrevem-se de modo detalhado os resultados dos inquéritos por questionário realizados aos funcionários das instituições. Estes resultados dizem respeito, em primeiro lugar, à avaliação que os inquiridos fazem da organização em que trabalham, a partir da classificação dos seis critérios já referidos, e, em segundo lugar, às suas orientações de valor. Esta última análise assenta na escala de valores humanos desenvolvida pelo sociólogo Shalom Schwarzt (2003), sendo utilizada para comparar as organizações entre si e com a população portuguesa em geral, cujos resultados estão disponíveis na base de dados do Inquérito Social Europeu (European Social Survey – ESS).

Importa sublinhar que nenhum estudo comparativo semelhante de instituições concretas foi efectuado até à data na Europa. Os resultados que se apresentam nos capítulos que se seguem proporcionam um rico manancial de informações sobre as entidades inquiridas e os seus funcionários. Proporcionam, além disso, um ponto de partida para uma reflexão sobre a qualidade do quadro institucional português e para discutir até que ponto o mesmo oferece uma base fiável e estável para o futuro desenvolvimento social e económico do país.

Referências

ACEMOGLU, Daron, Simon Johnson e James A. Robinson. 2000. "The Colonial Origins of Comparative Development: An Empirical Investigation". *National Bureau of Economic Research* (w7771).

CARDOSO, Fernando H. E Enzo Faletto. 1979. *Dependency and Development in Latin America.* Traduzido por M. M. Urquidi. Berkeley: University of California Press. [2010. *Dependência e desenvolvimento na América Latina. Ensaio de interpretação sociológica.* Rio de Janeiro: Civilização Brasileira, 9.ª edição.]

DOLLAR, David e Aart Kraay. 2002. "Institutions, Trade, and Growth". Documento preparado para a Colecção Carnegie-Rochester sobre Políticas Públicas.

EVANS, Ana Maria. 2013. "Relatório Intercalar: Estudo sobre a Autoridade Tributária e Aduaneira." Relatório intercalar para o Projecto VALID, Universidade de Princeton e Universidade Nova de Lisboa.

EVANS, Peter. 1979. *Dependent Development: The Alliance of Multinational, State, and Local Capital in Brazil.* Princeton: Princeton University Press.

______. 1995. *Embedded Autonomy: States and Industrial Transformation.* Princeton: Princeton University Press.

______. 2004. "The Challenges of the 'Institutional Turn': Interdisciplinary Opportunities in Development Theory" in V. Nee e R. Swedberg (org.). *The Economic Sociology of Capitalism,* Princeton: Princeton University Press, pp. 90-116.

GEREFFI, Gary. 1989. "Rethinking Development Theory: Insights from East Asia and Latin America". *Sociological Forum.* 4, pp. 505-33.

HAGGARD, Stephan. 2004. "Institutions and Growth in East Asia". *Studies in Comparative International Development.* 38, pp. 53-81.

HOFF, Karla e Joseph Stiglitz. 2001. "Modern Economic Theory and Development." in G. Neier e J. Stiglitz (org.). *Frontiers of Development Economics,* Nova York: Oxford University Press, pp. 389-460.

HOLLINGSWORTH, J. Rogers. 2002. "On Institutional Embeddedness." in J. R. Hollingsworht, K. H. Muller e E. J. Hollingsworth (org.). *Advancing Socio-economics: An Institutionalist Perspective,* Lanham, MD: Rowman and Littlefield, pp. 87-107.

JUTTING, Johannes. 2003. "Institutions and Development: A Critical Review". Working Paper 210. OECD Development Centre.

KAUFMAN, Daniel, Aart Kraay e Massimo Mastruzzi. 2005. "Governance Matters IV: Governance Indicators for 1996–2004", WPS3630. Banco Mundial: Washington D.C

KNACK, Steve e Philip Keefer. 1995. "Institutions and Economic Performance: Cross-Country Tests Using Alternative Institutional Measures". *Economics and Politics* 7, pp. 207- 27.

MACIVER, Robert. H. E Charles H. Page. [1949] 1961. *Sociologia*. Traduzido do inglês por J. Cazorla Perez. Madrid: Tecnos Editores.

MACLEOD, Dag. 2004. *Downsizing the State: Privatization and the Limits of Neoliberal Reform in Mexico*. University Park, PA: Pennsylvania State University Press.

MERTON, Robert K. 1968a. "Social Structure and Anomie." in R. K. Merton (org.). *Social Theory and Social Structure*, New York: Free Press, pp. 175-214. [1970. "Estrutura social e anomia" in R. K. Merton (org.). *Sociologia. Teoria e Estrutura*, Traduzido do inglês por Miguel Maillet. São Paulo: Editora Mestre Jou, pp. 203-234.]

MEYER, John e Michael T. Hannan. 1979. *National Development and the World System: Educational, Economic, and Political Change, 1950-1970*. Chicago: University of Chicago Press.

MEYER, John, John Boli, George Thomas e Francisco Ramirez. 1997. "World Society and the Nation State". *American Journal of Sociology* 103, pp. 144-81.

NEE, Victor. 2000. "The Role of the State in Making a Market Economy". *Journal of Institutional and Theoretical Economics* 156, pp. 64-88.

NEE, Victor e Sonja Opper. 2009. "Bureaucracy and Financial Markets". *Journal of Institutional and Theoretical Economics* 156, pp. 64-88.

NORTH, Douglass C. 1990. *Institutions, Institutional Change, and Economic Performance*. Cambridge: Cambridge University Press.

O'DONNELL, Guillermo. 1994. "The State, Democratization, and Some Conceptual Problems." in W. C. Smith, C. H. Acuña, e E. A. Gamarra (org.). *Latin American Political Economy in the Age of Neoliberal Reform*, New Brunswick, NJ: Transaction, pp. 157-179.

PIRES, Sónia. 2013a. "Relatório Intercalar: Estudo de caso do Hospital de Santa Maria, EPE - Lisboa." Relatório interno para o Projecto VALID, Universidade de Princeton e Universidade Nova de Lisboa.

POMPEIA, Miguel de. 2013b. "NYSE Euronext Lisbon." Relatório final para o Projecto VALID, Universidade de Princeton e Universidade Nova de Lisboa.

PORTES, Alejandro. 1997. "Neoliberalism and the Sociology of Development: Emerging Trends and Unanticipated Facts". *Population and Development Review* 23, pp. 229-59.

_____. 2006. "Institutions and Development: A Conceptual Re-Analysis". *Population and Development Review* 32, pp. 233-262.

_____. 2009. *Las Instituciones en el Desarrollo Latinoamericano*. Cidade do México: Siglo XXI Editores.

_____. 2010. *Economic Sociology: A Systematic Inquiry*. Princeton: Princeton University Press.

PORTES, Alejandro e Kelly Hoffman. 2003. "Latin American Class Structures: Their Composition and Change during the Neoliberal Era". *Latin American Research Review* 38, pp. 41-81.

PORTES, Alejandro e Lori D. Smith. 2012. *Institutions Count: Their Role and Significance in Latin American Development*, Berkeley, CA: University of California Press, Capítulo 1.

SCHWARTZ, Shalom H. 2003. "Basic Human Values: Their Content and Structure across Countries." in A. Tamayo e J. Porto (org.). *Valores e Trabalho*. Brasília: Editora Universidade de Brasília.

SEN, Amartya. 1999. *Development as Freedom*. New York: Knopf. [2003. *O Desenvolvimento como Liberdade*. Lisboa: Gradiva.]

WILLIAMSON, Oliver. 1985. *The Economic Institutions of Capitalism*. Nova York: The Free Press.

ZEITLIN, Maurice. 1984. *The Civil Wars in Chile*. Princeton, NJ: Princeton University Press.

Nota: As etnografias institucionais foram realizadas entre 2012 e 2013, pelo que as análises contidas nos capítulos que se seguem podem ter, aqui e ali, a marca do tempo histórico particular em que foi realizada a observação, e as informações podem padecer de alguma desactualização – assinalada e corrigida sempre que possível.

Capítulo 1

Autoridade de Segurança Alimentar e Económica

Mário Contumélias

Introdução

Neste capítulo faz-se uma avaliação objectiva da Autoridade de Segurança Alimentar e Económica (ASAE), no que respeita à sua adequação institucional, logo no que refere ao cumprimento dos objectivos para os quais foi criada, bem como à contribuição para o desenvolvimento do país na sua esfera de actuação.

Ao longo do trabalho de campo, o investigador foi estruturando relações na *aldeia* da ASAE, entre Dezembro de 2011 e Janeiro de 2013. Primeiro com uma entrevista introdutória com o hierarca da instituição, o Inspector-Geral, a que se seguiram várias reuniões com a *informante privilegiada*, por ele designada, precisamente a Chefe do Gabinete de Estudos e Organização e do Gabinete de Inspecção e Assuntos Internos. Esses primeiros encontros, formais, permitiram definir o estatuto do investigador na organização e os modos da sua interacção com ela; possibilitaram também a preparação das conversas, quanto possível informais[1], em que, um a um, se foram ouvindo os *indígenas*[2].

Tudo o que aqui se escreve resulta dos dados recolhidos e da consequente reflexão analítica, numa perspectiva etno-sociológica. O texto está organizado em sete secções. Na primeira faz-se a introdução, com uma breve referência aos objectivos, ao método seguido e à organização do texto. Na segunda descreve-se

1 Tendo presente que "as indagações impõem a sua linguagem e a sua economia às respostas" (Augé, 1999).

2 O investigador ouviu informantes representativos da diversidade de culturas e profissões existentes na ASAE, bem como de diferentes classes etárias e de ambos os géneros, masculino e feminino.

como nasceu, e com que finalidades, a Autoridade de Segurança Alimentar e Económica; tal como se acompanham as transformações estruturais da ASAE, nos primeiros sete anos de vida. Na terceira secção analisam-se os impactos da organização, desde o que aqui se entende como uma estratégia inicial de produção de identidade, internamente e para o exterior, até aos resultados da sua acção, obtidos no final de 2012, último ano completo de exercício de actividade analisado com detalhe; igualmente se aborda a forma como a ASAE esteve no *centro do jogo*, no campo propriamente político (e até no campo jurídico), bem como a sua interacção com os principais agentes do seu mercado.

Na quarta secção observam-se os recursos de que a ASAE dispõe – humanos, financeiros, equipamentos e tecnologias – para atingir os objectivos propostos na *missão* que lhe é atribuída. A seguir, aborda-se o ponto fulcral do estudo realizado, mais precisamente a análise do desempenho institucional da Autoridade de Segurança Alimentar e Económica, quer no que refere aos factores endógenos, quer aos factores exógenos. Na sexta secção, aponta-se um conjunto de factos que permitem especular sociologicamente em torno do início de uma mudança de ciclo na ASAE; finalmente, na última parte, desenham-se as conclusões.

Sobre a ASAE

A Autoridade de Segurança Alimentar e Económica, conhecida pela sigla ASAE, criada em Dezembro de 2005, pelo Decreto-Lei n.º 237/2005, nasce verdadeiramente em 1 de Janeiro de 2006, com o objectivo geral de "assegurar uma actuação credível ao nível da avaliação e comunicação dos riscos na cadeia alimentar, procurando restringir a ocorrência de danos sociais nas áreas da saúde, da economia e da defesa dos consumidores"[3]. A decisão é do Conselho de Ministros, de 3 de Novembro de 2005, mas segue de perto o preconizado pela União Europeia[4], quando determina os princípios e normas gerais da legislação alimentar, cria a Autoridade Europeia para a Segurança dos Alimentos (EFSA), estabelece procedimentos em matéria de segurança dos

3 Decreto-Lei n.º 237/2005 de 30 de Dezembro de 2005, DR 250 – Série I – A, emitido pelo Ministério da Economia e da Inovação.

4 Regulamento (CE) N.º 178/2002 do Parlamento Europeu e do Conselho da União Europeia, de 28 de Janeiro de 2002.

géneros alimentícios, e exorta os Estados-Membros a aproximar "conceitos, princípios e procedimentos", que "constituam uma base comum para as medidas que regem os géneros alimentícios e os alimentos para animais tomadas a nível dos Estados-Membros e da Comunidade", impedindo a criação de "condições de desigualdade da concorrência", que possam "afectar directamente o funcionamento do mercado interno"[5]. A concepção da ASAE configura também uma vontade reformadora do Governo socialista. "A experiência veio demonstrar que a existência de cerca de quatro dezenas de serviços e organismos públicos, a maioria dos quais integrados no Ministério da Agricultura, do Desenvolvimento Rural e das Pescas, com atribuições e competências na área do controlo oficial dos géneros alimentícios, inviabiliza a eficácia desejável na actuação da prevenção e da repressão de comportamentos que ponham em risco a cadeia alimentar"[6].

Por isso, "a fim de aumentar a confiança dos consumidores, deve estabelecer-se um modelo que congregue num único organismo a quase totalidade dos serviços relacionados com a fiscalização e com a avaliação e comunicação dos riscos na cadeia alimentar, por forma a reforçar a relação entre avaliadores e gestores dos riscos (...) assegurando a cooperação com a Autoridade Europeia para a Segurança dos Alimentos, no âmbito das suas atribuições"[7]. Uma ideia-chave do Governo é a de dotar o país de "uma estrutura orgânica que permita, com significativos ganhos de eficiência e maior eficácia, proceder a uma avaliação científica independente dos riscos na cadeia alimentar e fiscalizar as actividades económicas a partir da produção e em estabelecimentos industriais ou comerciais, tirando partido do 'saber fazer', anteriormente disperso por vários serviços e organismos e agora concentrado numa única entidade"[8].

Um *melting pot*...

Com efeito, a ASAE resulta da extinção da Direcção-Geral do Controlo e Fiscalização da Qualidade Alimentar (DGCFQA); da Agência Portuguesa

5 Idem. O regulamento dá, contudo, aos Estados-Membros "um prazo suficiente para a adaptação de quaisquer disposições que entrem em conflito na legislação vigente, a nível tanto nacional como comunitário".
6 Decreto-Lei n.º 237/2005 de 30 de Dezembro de 2005, DR 250 – Série I – A, emitido pelo Ministério da Economia e da Inovação.
7 Idem
8 Idem

de Segurança Alimentar, I. P. (APSA); da Inspecção-Geral das Actividades Económicas (IGAE), cujas competências funde com as oriundas das Direcções Regionais de Agricultura, da Direcção-Geral de Veterinária, do Instituto do Vinho e da Vinha, da Direcção-Geral de Protecção de Culturas e da Direcção-Geral das Pescas. Congrega-se num único organismo a quase totalidade dos serviços relacionados com a fiscalização e com a avaliação e comunicação dos riscos na cadeia alimentar, até então disseminadas pelos Ministérios da Agricultura, do Desenvolvimento Rural e das Pescas, e da Economia e da Inovação. Mas a reforma não fica por aqui...

O Decreto-Lei n.° 237/2005 faz transitar para o quadro de pessoal da nova instituição, de acordo com as regras estabelecidas[9], os funcionários do quadro de pessoal da IGAE; do quadro de pessoal da DGCFQA[10]; do quadro de pessoal da APSA; das Divisões de Fiscalização dos Produtos de Origem Vegetal e Animal das DRA; da Divisão de Alimentação Animal e da Divisão de Saúde Pública Veterinária da Direcção Geral de Veterinária; das Divisões de Fiscalização Vitivinícola I, II e III, e do Laboratório do Instituto da Vinha e do Vinho; do Instituto dos Vinhos do Douro e Porto; da Direcção-Geral das Pescas e Aquicultura; da Agência de Controlo das Ajudas Comunitárias ao Sector do Azeite.

Para além da "reforma estrutural"[11] de um sector da Administração do Estado, a criação da ASAE insere-se também na "orientação geral do Governo" quanto à redução da despesa pública, "traduzida, neste caso, na concentração de funções e de serviços, com acréscimo de eficácia e racionalização de meios materiais e humanos"[12]. A ASAE nasce assim de uma confluência de objectivos: conformar a orientação da União Europeia, reformar parte da administração pública, reduzir despesas do Estado. Mas emergiu com um problema – juntava-se, numa mesma nova instituição as mais *desvairadas gentes*, com diferentes idades, distintas formações e graus escolares, diversas culturas organizacionais.

9 Decreto-Lei n.° 193/2002, de 25 de Setembro, do XV Governo Constitucional que estabelece "a mobilidade dos funcionários e agentes da Administração Pública com vista ao pleno aproveitamento das suas capacidades e aptidões".

10 Excepção feita ao pessoal das unidades orgânicas a que se refere o n.° 4 do artigo 38.°, que transita para os quadros da DGV.

11 Decreto-Lei n.° 237/2005 de 30 de Dezembro de 2005, DR 250 – Série I – A.

12 Idem

Dez meses depois do nascimento, o Decreto-Lei n.º. 208/2006, de 27 de Outubro, estabelecia a nova Lei Orgânica do Ministério da Economia e da Inovação, confirmando a tutela sobre a ASAE e os objectivos com que fora criada, bem como a sua condição de autoridade nacional de coordenação do controlo oficial dos géneros alimentícios, e organismo nacional de ligação com outros Estados membros"[13]. No N.º3 desse artigo altera-se o número e a denominação dos dirigentes da ASAE; em vez de dirigida por um presidente, coadjuvado por quatro vice-presidentes, a instituição passa a ser dirigida por um inspector-geral, coadjuvado por três subinspectores-gerais. Para além da racionalização de recursos humanos, acentua-se a função inspectiva, policial da ASAE. Isso mesmo seria confirmado menos de um ano depois.

O ano de 2007 é, do ponto de vista legislativo, muito importante para a ASAE, alvo de dois Decretos-lei e de duas Portarias. O Decreto-Lei n.º 274/2007 de 30 de Julho[14] revoga o Decreto-Lei n.º 237/2005, de 30 de Dezembro, com excepção dos artigos 32.º, 35.º e 36.º[15] e define a instituição, pela primeira vez, como "Órgão de polícia criminal"[16]; trata-se de um passo importante para clarificar a natureza de uma instituição, que nascera como uma espécie de manta de retalhos de funções e identidades profissionais. Claras ficam, também, com este Diploma, a jurisdição territorial, a missão e atribuições, o tipo de organização interna, os órgãos e as unidades orgânicas, o regime de pessoal, o estatuto remuneratório, as receitas e despesas próprias da nova polícia, o direito a uso e porte de arma, e obrigação de respeitar o segredo de Justiça.

A ASAE que, enquanto entidade nacional responsável pela avaliação e comunicação dos riscos na cadeia alimentar e autoridade coordenadora do controlo oficial dos géneros alimentícios, tem âmbito nacional[17], dispõe de cinco unidades orgânicas desconcentradas, de âmbito regional, as direcções regionais do Norte, do Centro, de Lisboa e Vale do Tejo, do Alentejo,

13 Decreto-Lei n.º. 208/2006, de 27 de Outubro.

14 Decreto-Lei n.º 274/2007 de 30 de Julho, Diário da República, 1.ª série — N.º 145.

15 Os três artigos não revogados referem-se às condições de trabalho do quadro da ASAE – Regime de Duração de Trabalho (art.º 32), Mobilidade Geográfica (art.º 35) e Subsídio de deslocação e residência (art.º 36).

16 Cita-se do Diploma legal – "A ASAE detém poderes de autoridade e é órgão de polícia criminal".

17 O Decreto-Lei n.º 274/2007, de 30 de Julho, estabelece que, enquanto entidade fiscalizadora das actividades económicas, a ASAE exerce a sua actividade apenas em todo o território do Continente, excepção feita à fiscalização da circulação e comércio de uvas destinadas à produção de vinho, e produtos vínicos e ao desenvolvimento de acções de natureza preventiva e repressiva em matéria de jogo ilícito, em que a jurisdição abrange todo o território nacional.

e do Algarve. Dispõe igualmente de um conselho científico, e de Comissões técnicas especializadas, "de apoio ao conselho científico". Tudo isto é governado, no topo da hierarquia, por um inspector-geral, coadjuvado por três subinspectores-gerais, um dos quais com as funções de director científico; as Direcções-regionais são dirigidas por chefes de Divisão. O regime de pessoal aplicável estabelece duas grandes categorias: os integrados nas carreiras de inspecção, sujeitos ao regime jurídico da função pública e todos os restantes, regidos pelas normas aplicáveis ao contrato individual de trabalho; a ASAE é um órgão de polícia criminal em que nem todos são polícias.

Logo no dia seguinte, o Decreto-Lei n.º 276/2007 estabelece "um regime jurídico comum a toda a actividade de inspecção que, sem prejuízo da necessidade de acautelar regimes específicos (...) permita racionalizar e uniformizar um acervo de regras comuns a toda a actividade, designadamente em matérias relacionadas com os deveres de cooperação e colaboração com outras entidades, os procedimentos de inspecção, as garantias da actividade de inspecção, o regime de incompatibilidades e impedimentos do pessoal que exerce funções de inspecção e com a organização interna dos serviços de inspecção"[18].

A ASAE é um dos 16 serviços de inspecção a quem o decreto, produzido, como os anteriores, "no quadro das orientações definidas pelo Programa de Reestruturação da Administração Central do Estado (PRACE)[19], se aplica. No mesmo dia é publicada a Portaria n.º 821/2007[20] que estabelece a estrutura nuclear dos serviços e as competências das unidades orgânicas. Uma outra Portaria (Portaria n.º 824/2007) publicada na mesma data, vem "determinar o número máximo de unidades flexíveis, bem como a dotação máxima de chefes de equipas multidisciplinares" da ASAE. Assim, "o número máximo de unidades orgânicas flexíveis da Autoridade de Segurança Alimentar e Económica é fixado em 30", enquanto a "dotação máxima de chefes de equipas multidisciplinares é fixada em 40". O legislador confere à ASAE os instrumentos jurídicos para prosseguir os objectivos, exercendo as competências atribuídas.

18 Decreto-Lei n.º 276/2007 de 31 de Julho, Diário da República, 1.ª série — N.º 146.
19 Programa criado pelo Conselho de Ministros do XVII Governo Constitucional, resolução n.º124/2005, de 4 de Agosto de 2005, cujo objectivo específico é "melhorar a qualidade dos serviços públicos, com ganhos de eficiência que permitam a diminuição do número de serviços e dos recursos a eles afectos".
20 Portaria n.º 821/2007, publicada no Diário da República, 1.ª série — N.º 146.

Estrutura flexível, INETI e impasse...

É na sequência dos citados Decreto-Lei e Portaria[21] que o dirigente da ASAE publica, em 4 de Setembro do mesmo ano, o Despacho n.º 20 143/2007[22], em que cria "as unidades flexíveis e equipas multidisciplinares, correspondentes às indispensabilidades do momento para o funcionamento estruturado do organismo". Um ano depois, 23 de Setembro de 2008, o mesmo dirigente publica um novo Despacho[23], no qual procede ao reajustamento da estrutura flexível da ASAE, determina a extinção de todas as Equipas Multidisciplinares, e cria Núcleos Funcionais que progressivamente darão origem a novas Equipas Multidisciplinares[24]. E, cumprindo o prometido por Despacho[25], em Novembro seguinte, transforma os Núcleos, criados ao abrigo do Despacho n.º 23912/2008, em Equipas Multidisciplinares; são assim criadas 16 dessas equipas, distribuídas por 5 áreas de actuação. A estas junta-se uma equipa de Intervenção Técnica.

Nos dois anos seguintes, 2009 e 2010, o legislador quase não foca a ASAE mas, ainda assim, transfere para ela, competências do extinto INETI[26]. Em sequência, o Inspector-geral publica um Despacho[27] em que determina a integração do pessoal do INETI afecto à unidade orgânica, cujas atribuições foram transferidas para a ASAE. E logo a seguir, num outro Despacho[28], procede, por virtude da mesma transferência de competências, a um reajustamento na estrutura flexível central da ASAE— "no Laboratório de Segurança Alimentar (...) é criada a unidade orgânica denominada Laboratório de Análises Tecnológicas e de Controlo, com as atribuições de proceder à realização de análises laboratoriais identificadas com o sector alimentar (...), proceder à

21 Decreto-Lei 274/2907 e Portaria n.º 821/2007.

22 Publicado no Diário da República, 2.ª Série, de 4 de Setembro de 2007.

23 Despacho n.º 23912/2008, Diário da República, 2.ª série — N.º 184, 23 de Setembro de 2008.

24 "O presente reajustamento na estrutura orgânica flexível da ASAE, determina a extinção de todas as Equipas Multidisciplinares, cuja necessidade será reequacionada em função das novas atribuições a prosseguir bem como aos meios humanos que for possível vir a afectar a cada uma delas. Em sua substituição são criados, desde já, núcleos funcionais que progressivamente e reunidos os pressupostos supra referenciados, darão origem a Equipas Multidisciplinares", conforme Despacho n.º 23912/2008, Diário da República, 2.ª série — N.º 184, 23 de Setembro de 2008.

25 Despacho n.º 29097/2008, Diário da República, 2.ª série — N.º 220 — 12 de Novembro de 2008.

26 Instituto Nacional de Engenharia, Tecnologia e Inovação, Decreto-Lei n.º 139/2008, Diário da República, 1.ª série — N.º 139 — 21 de Julho de 2008. O Governo transfere do INETI para a ASAE as competências do Departamento das Tecnologias das Indústrias Químicas (DTIQ), com excepção das desenvolvidas pelo Laboratório Análises Ambientais e de Controlo de Qualidade (LAACQ) e Unidade das Tecnologias da Cortiça (UTC).

27 Despacho n.º 14214/2009, Diário da República, 2.ª série — N.º 120 — 24 de Junho de 2009.

28 Despacho n.º 14719/2009, Diário da República, 2.ª série — N.º 125 — 1 de Julho de 2009.

execução de ensaios laboratoriais a produtos e materiais na área não alimentar, com vista a garantir a protecção e saúde dos consumidores". Tudo somado, a ASAE tem agora mais competências, ao mesmo tempo que anexa quinze funcionários que não escolheu, vindos, de novo, de outra cultura organizacional. Em 2010, outro Despacho[29] implementa um novo "reajustamento da estrutura flexível da ASAE", com vista a "assegurar a permanente adequação do serviço às necessidades de funcionamento e de optimização de recursos, tendo em conta uma criteriosa programação de resultados".

Depois destas alterações que, como era exigido "não envolvem aumento da despesa pública", a estrutura flexível da ASAE está revista e aumentada. Na "Estrutura Central" dispõe de um Gabinete Técnico de Apoio, de um Gabinete de Inspecção e Assuntos Internos, de um Gabinete de Segurança, de um Gabinete de Estudos e Organização; de uma forma ou de outra, todos estes Gabinetes têm uma função de apoio ao inspector-geral e, em alguns casos, também aos subinspectores-gerais. Toda a restante organização da ASAE (desde a Direcção de Avaliação e Comunicação dos Riscos na Cadeia Alimentar, à Direcção de Serviços Administrativos; da Direcção de Serviços Técnicos, ao Laboratório de Segurança Alimentar[30]; da Direcção de Serviços de Planeamento e Controlo Operacional, às Direcções Regionais) está agora fixada e consta de um anexo ao Despacho n.º 9012/2010. Passo a passo, a ASAE procura adequar-se, com os meios disponíveis, aos objectivos para que foi criada. Porém...

A queda do Governo socialista, imediatamente após a assinatura do Memorando de Entendimento das Autoridades Portuguesas com a CE, o BCE e o FMI[31], e o processo eleitoral que se lhe segue, leva à tomada de posse, em 21 de Junho de 2011, de um novo Governo[32], que substitui o já aqui referido PRACE pelo Plano de Redução e Melhoria da Administração Central

29 Despacho n.º 9012/2010, Diário da República, 2.ª série — N.º 102 — 26 de Maio de 2010.

30 Sublinha-se a utilidade do Laboratório de Segurança Alimentar – LSA para uma instituição que tem a responsabilidade da avaliação e comunicação dos riscos na cadeia alimentar. Faz-se notar, também, a sua polivalência já que sob a designação genérica de LSA, organismo acreditado pelo IPAC (segundo a norma NP EN ISO/IEC 17025:2005), se abrigam não um mas quatro laboratórios: Microbiologia, Físico-Química, Bebidas e Produtos Vitivinícolas, Análises Tecnológicas e de Controlo.
Sublinha-se também a sua especificidade funcional e sua distância em relação à sede da ASAE (a sede está na Av. Conde de Valbom e o LAS no Campus do Lumiar), o que justifica algum afastamento identitário em relação à ASAE.

31 http://economico.sapo.pt/public/uploads/memorandotroika_04-05-2011.pdf.

32 Chefiado pelo líder do Partido Social Democrata.

(PREMAC)[33], definido como "um alicerce para a promoção da melhoria organizacional da Administração Central e para o ajustamento do peso do Estado aos limites financeiros do País", no âmbito da "urgência de reduzir os custos do Estado e procurar modelos mais eficientes de funcionamento"[34]. É à luz deste PREMAC que o Governo conta com um Ministério da Economia e do Emprego, que sucede e engloba organizações e competências dos ex-Ministério da Economia, da Inovação e do Desenvolvimento, e ex-Ministério das Obras Públicas, Transportes e Comunicações, constantes da orgânica do Governo anterior[35]; a ASAE é incluída na tutela deste novo Ministério com uma alteração significativa – para além de continuar a instruir os processos de contra-ordenação em matéria económica", passa também a "aplicar coimas e sanções acessórias". Esta nova competência ocorre na sequência da extinção da Comissão de Aplicação de Coimas em Matéria Económica e de Publicidade (CACMEP), consumada no citado Decreto-Lei n.º 126-C/2011. É uma decisão que levanta controvérsia; ao jornal *Público*[36], um advogado, especialista em Direito Contra-Ordenacional, diz que "a doutrina tem vindo a defender que deve haver separação entre quem detecta a infracção e recolhe a prova, e quem aplica a coima". E acrescenta: "Ao concentrar tudo no mesmo organismo, deixa de haver uma triagem e é normal que aumente o recurso aos tribunais, para obter uma avaliação independente". Outro jurista, professor da Faculdade de Direito da Universidade do Porto, diz, ao mesmo jornal, na mesma notícia que, se as multas forem aplicadas pela ASAE, se perde a independência que a CACMEP garantia". Seja como for, o certo é que a ASAE "herda" funcionários, maneiras de fazer[37], e 29.311 processos pendentes. E as mexidas na Autoridade de Segurança Alimentar e Económica não vão ficar por aqui...

33 Portal do XIX Governo Constitucional, http://www.portugal.gov.pt/media/150566/premac_apres.pdf, consultado em 02/01/2013.
34 Idem.
35 Decreto-Lei n.º 126-C/2011 Diário da República, 1.ª série — N.º 249 — 29 de Dezembro de 2011.
36 Jornal *Público*, Rosa Soares e Mariana Oliveira, 6 de Outubro de 2011.
37 A CACMEP passou a constituir a Divisão de Gestão de Contra-ordenações da ASAE, integrada no Departamento de Assuntos Jurídicos e Contra-ordenações, conforme o ponto 7 do Despacho n.º 2032/2013, publicado no DR, II Série, de 4 de Fevereiro; transitam da CACMEP para a ASAE, 17 funcionários. Quanto a maneiras de fazer, na CACMEP é tudo feito à mão, o processo de laboração, em Julho de 2013, continua por informatizar.

Com efeito, o Conselho de Ministros aprova, em 23 de Agosto de 2012, uma nova Lei Orgânica para a ASAE[38]. Mas à nova Lei Orgânica não se segue a respectiva Portaria, que estabeleça a estrutura nuclear da organização, o que impede, durante meses, a produção de Despacho do inspector-geral com as novas Unidades Flexíveis da ASAE, e configura um paradoxo ou, pelo menos, uma incómoda situação de transição – a Lei Orgânica ao abrigo da qual existe o Despacho 9012/2010[39] já não está em vigor, mas a nova Lei Orgânica carece ainda de legislação complementar. É preciso esperar até 30 de Janeiro de 2013 para que a Portaria n.º 35/213[40] seja publicada. O documento vem definir "a estrutura nuclear" da ASAE e "estabelecer o número máximo de unidades flexíveis e matriciais do serviço e as competências das respectivas unidades orgânicas nucleares". A Autoridade de Segurança Alimentar e Económica fica com cinco unidades nucleares[41], "dirigidas por directores de serviço"; e três unidades regionais[42], "dirigidas por inspectores-directores"; o "número máximo de unidades orgânicas flexíveis é fixado em 30. O dirigente máximo da ASAE desde a sua fundação[43] mantem-se em funções.

A ASAE e a União Europeia...

A ASAE é uma instituição que deve ser vista não apenas no plano nacional mas também no plano internacional e, sobretudo, europeu. É o membro português do *Advisory Forum* da EFSA[44], na qualidade de autoridade nacional responsável pela avaliação e comunicação dos riscos na cadeia alimentar. É a essa mesma EFSA que a ASAE vai buscar os "princípios da independência científica,

38 Decreto-Lei n.º 194/2012 de 23 de Agosto, Diário da República, 1.ª série — N.º 163 — 23 de Agosto de 2012.

39 Despacho do Inspector-geral da ASAE, que implementa a actual Estrutura Flexível da organização.

40 Diário da República, 1.ª Série – N.º 21-30 de Janeiro de 2013.

41 Departamento de Riscos Alimentares e Laboratórios, Unidade Nacional de Operações, Unidade Nacional de Informações e Investigação Criminal, Departamento de Administração e Logística, Departamento de Assuntos Jurídicos e Contra-ordenações.

42 Unidade Regional do Norte, Unidade Regional do Centro e Unidade Regional do Sul.

43 Esta permanência do mesmo inspector-geral à frente da ASAE não é despicienda. Ainda que se entenda que as explicações sociológicas não podem ser individualistas, não é menos verdade que rejeitar explicações deste tipo não implica afirmar que são irrelevantes como parte da explicação do social. Por isso, este tema será retomado mais adiante.

44 A EFSA – "European Food Safety Authority", foi criada em Janeiro de 2002, conforme o Regulamento (CE) N.º 178/2002 do Parlamento Europeu e do Conselho da União Europeia, de 28 de Janeiro de 2002, já aqui referido.

da precaução, da credibilidade e transparência, e da confidencialidade", que a orientam; como é à EFSA que deve a importância dada à análise de riscos[45].

O pano de fundo de tudo isto reside no facto de a Comunidade se afirmar como "um actor de primeiro plano no comércio mundial no sector alimentar e no sector dos alimentos para animais"[46], que visa "a realização da livre circulação na Comunidade, de géneros alimentícios e de alimentos para animais"[47], o que implica "assegurar o equilíbrio entre a necessidade de recorrer a organismos nacionais para levar a cabo tarefas por conta da Autoridade e a exigência de garantir, para efeitos de coerência global, que essas tarefas sejam efectuadas em conformidade com os critérios para elas estabelecidos"[48]. Para tanto, "os Estados-Membros porão em vigor a legislação alimentar e procederão ao controlo e à verificação da observância dos requisitos relevantes dessa legislação"[49]. Esta segunda tarefa, de "rastreabilidade", de "controlo e verificação" em Portugal cabe à ASAE, sempre sob o olhar atento da EFSA.

Mas, na Europa da "European Food Safety Authority", a ASAE é um caso singular. É a única que reúne, num só organismo, as condições de autoridade administrativa; de órgão de polícia criminal; de responsável pela avaliação e comunicação de riscos na área alimentar; pela fiscalização das actividades económicas em geral e pela "sã concorrência"; pelo controlo oficial do mercado, e pela instrução e aplicação de sanções em processos de contra-ordenação. É ainda responsável por grande parte das análises em que baseia a sua actividade, através de laboratórios científicos próprios. Nenhuma outra organização congénere soma, no universo da EFSA, tantas responsabilidades, tantas vertentes de actuação; são muitas. São provavelmente demasiadas, o que não impedirá que, no futuro, novas competências se juntem a estas.

45 Considerando (16) Regulamento (CE) N.° 178/2002 – "As medidas adoptadas pelos Estados-Membros e pela Comunidade para reger os géneros alimentícios e os alimentos para animais devem basear-se numa análise dos riscos" (...) Segundo o considerando (17) do mesmo Regulamento, a "avaliação, gestão e comunicação dos riscos – constituem uma metodologia sistemática". E "para que exista confiança na base científica da legislação alimentar, as avaliações dos riscos devem ser efectuadas de forma independente, objectiva e transparente e baseadas nas informações e nos dados científicos disponíveis", considerando (18).

46 Regulamento (CE) N.° 178/2002.

47 Idem

48 Idem

49 Idem

Sobre as interacções da ASAE

Como já se escreveu na *Parte II* deste artigo, a Autoridade de Segurança Alimentar e Económica nasce reunindo, numa mesma organização, funcionários de 13 instituições diferentes, com identidades profissionais e organizacionais diversas. Esta circunstância determinou uma opção estratégica da Direcção da ASAE por uma intervenção no terreno, *musculada*[50] e mediatizada, com vista a produzir, endógena e exogenamente, uma identidade dominante da organização, capaz de se sobrepor à heterogeneidade identitária profissional dos seus membros[51] e de a afirmar no mundo exterior com uma imagem forte[52]. "Face ao *caldo de culturas* que era esta casa, entendemos que devíamos dar um sinal para fora e também para dentro", diz, em Novembro de 2012, um alto dirigente da ASAE, olhando para o passado recente. E explica: "andámos com a comunicação social atrás porque era preciso afirmar uma marca" e fizemo-lo sem gastar um cêntimo em publicidade[53]. Esta opção conduziu a uma polémica política e até jurídica, em torno da ASAE. Mas vamos por partes.

Mediatização...

Os primeiros anos de acção (2006-2008), marcados por essa estratégia, "unir os serviços", fazendo "publicitar as operações da ASAE"[54], são os mais controversos; da Autoridade de Segurança Alimentar e Económica diz-se muito e quase sempre o pior: que a nova polícia "ataca" em feiras, em festas populares, em restaurantes, em mercados, em hipermercados, em escolas, em bares, em discotecas, em cantinas... Diz-se que é inimiga das colheres de pau, dos galheteiros, das bolas de Berlim que se vendem na praia, dos bolos-rei com brinde,

50 A "intervenção musculada em regra apenas aconteceu no Norte do país, onde é preciso impor respeito, por exemplo nas feiras quando se trata de apreensões de gado porque não queremos pôr em perigo nem os inspectores nem as pessoas que estão à volta", diz um dirigente, em entrevista registada em Novembro de 2012.

51 Apesar desta estratégia seguida nos primeiros anos, com vista a "pintar todos da mesma cor, embora respeitando as diferentes idiossincrasias", em Novembro de 2012, o inspector-geral reconhecia que ainda permanecem "alguns resquícios das culturas organizacionais de origem dos funcionários da ASAE".

52 A comunicação mediatizada também é uma forma de produzir poder simbólico, transformando os poderes jurídico e administrativo em autoridade.

53 A este respeito, Tatiana Vaz (2008) escreve no *Diário de Notícias*: "Actuando em público para servir de exemplo no cumprimento das legislações aplicáveis às actividades económicas e alimentares, a ASAE chegou a fazer-se acompanhar por equipas de reportagem de televisões nacionais para dar notoriedade às suas acções de fiscalização".

54 Afirmações de um responsável de operações da ASAE, em entrevista, em Novembro de 2002.

dos copos de plástico, dos artesãos; a ponto de a própria ASAE vir esclarecer publicamente sobre estas matérias[55]. Boa parte destas afirmações podem ser entendidas como consequências não pretendidas da mediatização – há realmente uma "lei dos galheteiros"[56] que obriga a utilizar "embalagens munidas de um sistema de abertura que perca a sua integridade após a primeira utilização e que não sejam passíveis de reutilização"; com as bolas de Berlim o que está em causa é o processo de fabrico e não a venda na praia; a utilização de colheres de pau não é proibida, desde que estejam em perfeito estado de conservação[57]; não existe qualquer proibição do uso de copos de plástico; o bolo-rei pode ter brinde sempre que este se distinga do alimento, por forma a não causar riscos "à saúde ou segurança do consumidor"... Contudo, o coro de protestos contra a ASAE faz-se ouvir. Muitos dos operadores económicos não estavam habituados a ter de cumprir uma legislação complexa e variada, como agora lhes é exigido[58]; empresários e associações queixam-se: o presidente da Associação de discotecas, discorda da "forma rude, brutal e exagerada" (S/A 2008f), como a ASAE vistoriava os estabelecimentos da Associação a que presidia; o presidente da Confederação das Instituições de Solidariedade Social sustenta que a ASAE revela "demasiada concentração de poderes numa instituição que aparece como polícia, como juiz e como executante da pena", para além de sofrer de falta de "bom senso" e de "excesso de zelo" (I.D.B. 2008). A um outro nível, o director da Escola de Biotecnologia da Universidade Católica, afina pelo mesmo diapasão e acusa a ASAE de actuar com "excesso de zelo", já que, na maior parte dos casos, os portugueses não têm razões para estar preocupados quanto à segurança alimentar[59].

Os fazedores de opinião não têm uma melhor ideia da ASAE. Em Janeiro de 2008, no *Diário de Notícias*, um escritor e político acusa a ASAE de "zelo

55 Esclarecimentos sobre a ASAE, www.ASAE.pt, 19 de Dezembro de 2007, consultado em http://www.asae.pt/pagina.aspx?back=1&codigono=59895990AAAAAAAAAAAAAA

56 Portaria N.°24/2005, publicada em Diário da República, I série-B — N.° 7 — 11 de Janeiro 2005.

57 Claro que o que se entende por "perfeito estado de conservação" pode suscitar entendimentos diferentes.

58 Foi "uma fase em que o país teve de se adaptar à regulamentação europeia", diz em entrevista ao investigador, registada em Novembro de 2002, um operacional em comissão de serviço na Unidade Central de Investigação e Fiscalização da ASAE, UCIF que se encarrega de toda a investigação mais complexa bem como das intervenções mais "musculadas".

59 Talvez não seja tanto assim. Ainda no mês de Junho de 2013, escreve-se no *Diário de Notícias*: "Carne com salmonela, bolachas com edulcorante (adoçante) à margem da lei e vinhos e bebidas espirituosas, que não cumprem os requisitos legais ou estão mal rotuladas (...) são os problemas mais frequentes da segurança alimentar nacional". Mas também há "moluscos bivalves (como mexilhão ou ameijoa) com E. coli, queijos com Listeria monocytogenes, ou hortícolas com nitratos" (Simões, 2013).

executório", que "deveria ser temperado pelo bom senso", e de "fundamentalismo de sinal totalitário", com "tanto de delirante como de missão impossível" (Graça Moura, 2008). No *Público*, um sociólogo fala de "Misérias Domésticas" e inclui nelas a acção da ASAE (Barreto, 2007); outros comentadores, no *Diário de Notícias*, também criticam a ASAE.

E o certo é que a nova polícia parecia *pôr-se a jeito*, ao mandar fechar estabelecimentos com forte tradição; encerrar restaurantes em Fátima; fechar um hipermercado, e até o refeitório da Assembleia da República, ao mesmo tempo que "entupia"[60] os tribunais com cerca de seis mil processos-crime e processos de contra-ordenação. Compreende-se como, já que em 2006, primeiro ano de actividade, a ASAE fiscalizou 20 mil operadores e encerrou 560 estabelecimentos, balanço que deixava satisfeito o então secretário de Estado com a tutela da ASAE. Em entrevista à revista "Segurança e Qualidade Alimentar", em Maio de 2007, o governante afirmava: "Em cerca de ano e meio de actividade a acção realizada é significativa". E garantia: "A segurança alimentar passou a ser exigida pelos consumidores graças a uma maior informação dos seus direitos (...) Do lado dos operadores é também notória a vontade de se adaptarem às regras em vigor". E invocava "estudos que têm sido efectuados" sobre a acção da ASAE, que "revelam que mais de 80% dos portugueses apreciam o seu trabalho de fiscalização e, inclusive, consideram que deveria haver ainda mais operações de inspecção" (Serrasqueiro, 2007). Contudo, esta visão positiva não reunia o consenso no campo político, e na Assembleia da República a ASAE estava no *centro do jogo*.

Politização da ASAE...

Em Janeiro de 2008, de visita à Feira do Fumeiro e do Presunto do Barroso, o líder do partido democrata-cristão anuncia que vai usar o direito de agendamento potestativo, para obrigar o inspector-geral da ASAE a ir explicar-se à Assembleia. Quer que ele responda a quatro questões "relacionadas com o que é regulamento e aplicação da lei e o que é abuso e espectacularidade"; igualmente pretende saber se "estão ou não a destruir-se algumas economias familiares por excesso de zelo". E garante que "não gostaria que em Portugal,

60 O termo é apropriado dos *media*, que por esta altura escreviam; veja-se o exemplo de Aguiar (2008b).

que é um país livre e com largas tradições, houvesse uma espécie de polícia do gosto" (PLI s/d).

Ainda no mesmo mês, o hierarca da ASAE, perante a Comissão de Assuntos Económicos da Assembleia da República, admite: "como entidade jovem que somos é natural que tenhamos cometido erros". Porém, garante que os princípios orientadores da acção dos inspectores são "urbanidade com os operadores económicos e a aplicação da legislação com proporcionalidade" e, nesse sentido, os homens da ASAE no terreno fazem "um esforço enormíssimo para serem rigorosos com os operadores" (S/A, 2008e). Não convenceu o partido democrata-cristão que manteve, no parlamento, as acusações à ASAE: "falta de bom senso, desproporcionalidade e excesso face à lei" (Aguiar, 2008a). Por esses dias, o Presidente da República, de visita ao Mosteiro de Arouca, perguntava bem-humorado, enquanto provava uns doces: "então e a ASAE, ainda não veio cá"?

Sem o bom humor do Presidente, o líder do partido social-democrata na região do Algarve afirmava, em 26 de Janeiro de 2008: "Salazar tinha a PIDE, agora temos uma ASAE, uma polícia que persegue os cidadãos". No dia seguinte, em Ovar, era a vez do líder nacional do mesmo partido dizer que "o país sabe dos excessos da ASAE, parecendo o FBI a actuar em feiras, perante pessoas que não são *gangsters* de Chicago". E garantia: "os portugueses brincam por causa do fundamentalismo e do exagero quase caricato da ASAE e até o Presidente da República brinca. Só o primeiro-ministro leva a sério" (S/A, 2008c).

No mesmo dia, o primeiro-ministro respondeu: "É absolutamente lamentável, os outros partidos enganarem-se (...) e atacarem de forma radical uma instituição do Estado como a ASAE, que está a ser atacada como um partido político". Sem razão, já que "com a ASAE o país e os consumidores estão mais defendidos"; por isso, este "é o momento para defender a ASAE", tanto mais que, não obstante "qualquer exagero que se tenha cometido", a "ASAE veio para ficar" (S/A, 2008d).

Nem por isso, os partidos social-democrata e democrata-cristão deixaram de apresentar, cada um, o seu projecto de resolução no Parlamento, propondo ao Governo alterações à legislação que regula a da ASAE. No cerne das propostas estava a ideia de "prevenir excessos" e levar a que a actuação da Autoridade fosse mais pedagógica e preventiva, e não apenas fiscalizadora e repressiva. Como era de esperar, a 7 de Março de 2008, a maioria socialista chumbou os dois projectos.

Mas havia críticas dos outros partidos com assento parlamentar: "A ASAE faz inspecções e leva as televisões atrás", dizia um deputado de direita na Assembleia; por sua vez uma deputada da extrema esquerda acentuava a mesma tónica para criticar as "operações mediáticas" da ASAE, as "declarações bombásticas" do inspector-geral e o "excesso de zelo". Um deputado comunista glosava idênticos argumentos: a ASAE intervinha "sem conta, peso e medida e marcada pelo excesso de zelo e excesso de mediatização". A acção da ASAE suscitava o consenso da oposição na Assembleia; e até o partido socialista no poder, reconhecia a existência de excessos (S/A, 2008b). No final de Março, nas "Jornadas AHRESP 2008"[61], eurodeputados portugueses desciam o tom das críticas – a culpa passava a ser da Comissão Europeia e do próprio Parlamento Europeu, que legislavam em excesso, sem ter em conta as especificidades de cada país, assim como hábitos seculares; o Governo português era visto como partilhando as culpas por não criar as necessárias normas internas. Mas o indicador mais claro de que alguma coisa começava a mudar na forma como, em Portugal, se olhava a ASAE foi dada pelo coordenador das "Jornadas" que, queixando-se da legislação europeia, pedia para não "diabolizar" a ASAE e garantia que "hoje, o restaurante português é dos mais seguros da Europa".

Porém, uma notícia sobre um documento elaborado pela Direcção de Planeamento e Controlo da ASAE e enviado às direcções regionais, que alegadamente fixava objectivos de resultados para os inspectores para 2008, veio reacender a contenda. O líder do partido democrata-cristão, afirmou que cada inspector daquela direcção da ASAE "tem que detectar 124 infracções, levantar 61 processos de contra-ordenação, que vão terminar em coimas, abrir oito processos-crime e fechar ou suspender o funcionamento de pelo menos seis estabelecimentos"; face a "tanta falta de pudor e tanto descaramento", o líder partidário exige a demissão do hierarca da ASAE[62]. O inspector-geral responde que "nunca foram transmitidos aos inspectores objectivos que não fossem os aprovados, como sejam o número de agentes económicos a fiscalizar ou o número de processos a concluir". Disse que, no caso, se tratava de um

61 A AHRESP, Associação da Hotelaria, Restauração e Similares de Portugal, é a maior Associação Empresarial do País.

62 ASAE: Paulo Portas exige demissão de António Nunes, *Notícias Sapo/Lusa*, 10 de Maio de 2008 http://noticias.sapo.pt/lusa/artigo/0cde01b0a85a2df729c0d1.html

"documento de trabalho (...) não validado", com "resultados previsíveis" (S/A, 2008a).

Dias depois, em Maio de 2008, a responsável pela Direcção Regional do Norte da ASAE, vinha a público para condenar algumas inspecções que obrigaram instituições de solidariedade social a deitar comida fora, ao mesmo tempo que pedia aos colegas inspectores que fossem suficientemente sábios, de forma a compatibilizarem gastronomia tradicional com segurança alimentar. O inspector-geral respondeu concordar com o essencial dessas declarações, e apenas contestar algumas expressões utilizadas (S/A 2008g), no mesmo dia em que esteve reunido com a Confederação das Instituições de Solidariedade Social, para abordar a questão criticada.

Entretanto, o debate político sobre a ASAE depressa se estendeu ao campo jurídico. Constitucionalistas prestigiados duvidavam da constitucionalidade da ASAE; no que eram acompanhados por uma juíza do Tribunal da Relação de Lisboa, em artigo publicado, em 2008, no *Diário Económico*.

Um ano depois, em 25 de Junho de 2009 (em resposta a Recurso apresentado pela proprietária de um café da Trafaria, detida sob a acusação de "exploração ilícita de jogo de fortuna ou azar", e posteriormente julgada e condenada), o Tribunal da Relação de Lisboa (TRL) aprovava por unanimidade um Acórdão que julgava procedente o citado Recurso, com base na inconstitucionalidade dos arts. 3.º/aa e 15.º do DL 274/207, por entender que "não podia deixar de considerar-se" a ASAE "incluída no conceito constitucional de «forças de segurança». A ser assim, o Governo carecia de autorização legislativa da Assembleia para transformar a Autoridade da Segurança Alimentar e Económica em órgão de polícia criminal, o que não se verificara; a ASAE era pois, inconstitucional.

Foi preciso esperar quase um ano, até 3 de Março de 2010, para ver o acórdão N.º 84/10 do Tribunal Constitucional pôr fim à contenda; a ASAE, apesar de ser uma polícia, não pode incluir-se "no regime geral das forças de segurança", o que "afastava o vício de inconstitucionalidade orgânica". Igualmente, "o uso e porte de arma" por parte dos inspectores da ASAE é considerado lícito, por ser um "direito especial", reconhecido até a funcionários não policiais. A ASAE saía reforçada da contenda e, por esta altura, tinha já uma imagem positiva junto da maior parte dos operadores económicos, com cujas associações representativas mantinha fluentes relações de cooperação.

O mercado da ASAE...

A Secretária-Geral Adjunta da AHRESP – Associação da Hotelaria, Restauração e Similares de Portugal, a maior associação empresarial do país, afirma em resposta a uma pergunta do investigador: "Se é certo que no início da actividade da ASAE, a AHRESP não esteve de acordo com o modo como esta entidade exercia a sua autoridade (...) é hoje um dado adquirido para todos, que a existência da ASAE trouxe largas vantagens para construir uma imagem ainda mais credível e de maior confiança nos nossos sectores. Hoje, é a própria ASAE a admitir que, por exemplo, a nossa restauração está ao nível do melhor que se faz na Europa"[63]. E dizia mais: "Pensamos que todas aquelas questões que no início geraram alguma perturbação nestes sectores, estão hoje completamente ultrapassadas e a ASAE tem agora resultados mais eficazes" (...) "e tem desenvolvido um trabalho que consideramos positivo[64].

A ANCIPA – Associação Nacional de Comerciantes e Industriais de Produtos Alimentares, "a maior associação do sector alimentar", refere-se a uma actuação "mais agressiva" da ASAE na fase inicial; mas entende igualmente que isso "levou muitos operadores a melhorar, porque estão sempre à espera que a ASAE lhes entre pela porta". Hoje não têm dúvidas, "a ASAE tem uma actuação positiva, mesmo para as pequenas empresas porque gerou um grande progresso em relação à realidade do passado. Há uma evolução muito grande, para melhor, no funcionamento e serviço dos estabelecimentos, graças à ASAE" (...) "E mesmo quando mandam encerrar um estabelecimento, dão-lhe condições para reabrir rapidamente"[65]. Na APED – Associação Portuguesa de Empresas de Distribuição, (engloba as empresas que desenvolvem uma actividade retalhista alimentar e/ou não alimentar, de venda de produtos de grande consumo), a responsável pela Comissão de Produtos Alimentares e Segurança Alimentar e pela Comissão de Produtos de Saúde e Bem-Estar[66] classifica os primeiros tempos de actuação da ASAE como de "acção muito intensa e muito mediática". Hoje, considera que, por vezes, a acção da ASAE não é a mais adequada porque "há alguma morosidade" no processo de devolução dos alimentos confiscados por razões que não são de saúde, mas exclusivamente

63 Entrevista, por escrito, com a Secretária-Geral Adjunta da AHRESP, em 22-01-2013.
64 Idem
65 Entrevista com o coordenador e com o assessor jurídico da ANCIPA, em 29/11/2012.
66 Entrevista realizada em13/12/2012.

técnicas, por exemplo "rotulagem", e pede "maior celeridade" de resposta nestes casos. Mas reconhece que entre a APED e a ASAE "há uma relação institucional que funciona bem".

Na ANIL - Associação Nacional dos Industriais de Lacticínios, que reúne empresas muito heterogéneas mas todas produtoras de produtos lácteos, o presidente e director-geral em acumulação de funções, entende a acção da ASAE como "positiva", mas considera que a Autoridade de Segurança Alimentar e Económica "deve realizar um trabalho de continuidade", ao invés de funcionar só "com base em denúncias". É que, diz o presidente da ANIL, "sistematicamente, as grandes empresas de distribuição prejudicam os seus parceiros comerciais com menor peso, e estes não reagem 'porque têm medo de sofrer represálias'; a ASAE não acompanha devidamente estas situações"[67].

Esta visão maioritariamente positiva por parte das associações que englobam os *stakeholders* da ASAE é contrariada, aqui e ali, por operadores individuais, cuja interacção com a ASAE foi problemática, como é o caso do administrador da *LandsHause- Bungalows*. Em 8 de Agosto de 2012, a ASAE (na sequência de uma operação conjunta com o SEF, a GNR, a Protecção Civil e a Câmara Municipal de Alcobaça) decidiu a suspensão provisória da actividade do complexo turístico (Soares, 2012). Seis dias depois, em 14 de Agosto de 2012, o presidente da Câmara de Alcobaça (no final de uma reunião que mediara, entre o inspector-geral da ASAE e o gestor do *LandsHause Bungalows*) informava que as instalações iam permanecer abertas, com base em compromissos assumidos pela autarquia e pelo administrador do complexo turístico (S/A 2012c); na ocasião, este último sublinhava ter prevalecido o bom senso. Contudo, num e-mail de 17 de Dezembro de 2012, em resposta a uma solicitação do investigador, o empresário acusava a ASAE "apenas serve para destruir a economia, e perseguir quem trabalha". Outro queixoso foi o dono de um restaurante de luxo, detido pela ASAE por desobediência qualificada. Absolvido pelo Primeiro Juízo do Tribunal de Pequena Instância Criminal de Lisboa, em 18 de Dezembro de 2012, disse que "se fez justiça" e que estava a ser alvo de "grave perseguição" (Otão, 2011). Estas são queixas avulso, num universo de 900 mil empresas que a ASAE deve fiscalizar, para fazer cumprir 1244 diplomas legais, o que dá à Autoridade de Segurança Alimentar e Económica uma "responsabilidade muito ampla" ou, dito de forma mais popular, "muita

67 Entrevista realizada pelo telefone, no dia 14 de Janeiro de 2013.

sarna para se coçar"[68]. E o certo é que a ASAE não consegue fiscalizar mais de 40 mil empresas/ano e não é capaz de dar resposta às 120 mil reclamações, mais as 20 mil denúncias que anualmente recebe[69]; neste quadro, muitas das empresas nunca foram e algumas, provavelmente, nunca serão fiscalizadas...

E os consumidores, os cidadãos cuja segurança a ASAE deve proteger, o que pensam eles? A DECO – Associação Portuguesa para a Defesa do Consumidor, com cerca de 400.000 associados, pela voz do secretário-geral, não hesita[70]: A ASAE "nasceu no sítio certo" e o resultado foi "muito positivo". E deu-se logo uma alteração substancial na prevenção e no comportamento dos agentes económicos; "nunca antes houve tantas obras em matadouros e cozinhas de restaurantes, como nos primeiros tempos da ASAE". E concludentemente: a acção da ASAE é "muito eficaz" e melhorou substancialmente a situação; "e mesmo aquela actuação pública inicial mais mediática foi positiva porque constituiu um aviso à navegação".

Confirmando esta avaliação, um estudo realizado para a ASAE[71] evidencia que 94,2% do universo inquirido conhece a ASAE, enquanto 60,8% fazem da sua actuação na Área da Segurança Alimentar uma avaliação positiva (5,7% têm uma avaliação negativa, 25,2% acham que ela é "assim-assim", e 8,3% não têm opinião). O mesmo estudo mostra que, em Fevereiro de 2012, 53,1% entendem que as acções de fiscalização da ASAE devem aumentar.

Ou seja, face aos indicadores disponíveis tudo aponta para que a ASAE continue a ser "uma organização bem conhecida dos cidadãos", mantendo em "níveis francamente elevados" a sua "notoriedade institucional" junto de consumidores, que querem que ela "intensifique o nível de fiscalização actual, quer na área alimentar, quer na não-alimentar". A este propósito, em relatório, faz-se notar que "a intensidade da fiscalização da ASAE não diminuiu (...) o que diminuiu foi a notoriedade da actuação da organização", agora menos mediática mas com aquilo a que se costuma chamar "boa imprensa" (RAAA, 2012); os jornais, que não regateiam cobertura à acção da ASAE e, sobretudo, para os números dos seus balanços de actividade.

68 Como diz o presidente da Associação Nacional dos Industriais de Lacticínios-ANIL, em entrevista, em 14 de Janeiro de 2013.

69 São números aproximados, revelados pelo Inspector-geral, em entrevista realizada em 19 de Dezembro de 2011.

70 Entrevista com o investigador, em 17 de Dezembro de 2012.

71 "Estudo sobre a Opinião dos Consumidores e Avaliação de Riscos Alimentares", realizado pela Aximage, em Fevereiro 2012.

Os números da ASAE...

Em Novembro de 2012, a Autoridade de Segurança Alimentar e Económica comemorou o "Dia da ASAE". À beira de completar sete anos de existência[72], a organização leva a cabo mais uma iniciativa produtora de identidade organizacional, em que exalta, *em família*, o sétimo aniversário e, sobretudo, o trabalho feito. "Os 7 anos de vida da ASAE deram-nos, tal como as organizações que a precederam, tanto lições como razões de saudável orgulho. A ASAE é hoje uma organização conhecida e reconhecida por todos", escreve o inspector-geral na "Edição Especial 2012" do boletim informativo *ASAEnews*.

E, de facto, se olharmos para os números da acção da ASAE num plano diacrónico, veremos que desde os 19.333 agentes económicos fiscalizados em 2006, até aos 46.489 fiscalizados em 2012, a nova polícia fiscalizou, nestes sete anos, 287.047 operadores[73]; instaurou 13.108 processos-crime e 68.013 processos de contra-ordenação; deteve 6.257 pessoas e apreendeu 149.476.523 milhões de euros em mercadorias. Claro que "há operadores que nunca foram fiscalizados, mas os grandes operadores, os mercados, as lotas, os hospitais, as grandes superfícies, sempre foram e continuam a ser fiscalizados"[74]; igualmente, os operadores económicos de Freguesias com mais de 1.500 habitantes, continuam a ser um alvo da ASAE. Estes números ajudam a perceber a afirmação do líder da ASAE, "os políticos não percebem, mas o combate à economia paralela está aqui, na ASAE"[75].

Porém, se a atenção dada às estatísticas da actividade desenvolvida resulta, desde logo, da aplicação obrigatória do Sistema Integrado de Gestão e Avaliação do Desempenho na Administração Pública (SIADAP), assente num Quadro de Avaliação e Responsabilização (QUAR), também é entendida pela ASF/ASAE, como uma espécie de quantofrenia – "Acho que há muitos anos que não estamos a fazer o nosso trabalho como deve ser. Mas era preciso ter uma demonstração em números do que a ASAE estava a produzir". Ora, "hoje o que interessa não é a estatística. Temos *know-how* e competência para poder actuar bem"[76]. E tem a ASAE recursos suficientes para essa actuação?

72 A ASAE fez sete anos em 1 de Janeiro de 2013.

73 Em 2007, foram fiscalizados 45.027 operadores; em 2008, 45.624; em 2009, 43.797; em 2010, 49.239; em 2011, 48.334.

74 Afirmação do responsável de operações da ASAE, em entrevista, em Novembro de 2012.

75 Entrevista realizada em 28 Novembro 2012.

76 Entrevista com o presidente da Associação Sindical dos Funcionários da ASAE (ASF-ASAE), realizada em 18 Janeiro 2013.

Sobre os recursos da ASAE

No já referido "Dia da ASAE", o inspector-geral, tendo em conta as restrições orçamentais impostas pela política do Governo, afirmava: "Não estou desanimado. As dificuldades são patentes, não as vamos escamotear, mas temos de olhar para elas como desafios". As actividades da ASAE vão ter de ser reequacionadas mas "os recursos são suficientes para garantir segurança à população"; apenas será necessário "um esforço maior ao nível do planeamento e da organização interna" (S/A, 2012b). É assim tão simples?

Recursos humanos

Os recursos humanos da ASAE são maioritariamente compostos "por pessoal integrado na carreira de inspecção", actividade que é vista como o seu "core business"[77]; no final de 2012 eram 290, num universo de 503 pessoas, menos 92 elementos do que o organismo dispunha quando iniciou actividade, em 2006. E, até ao final de 2013, esperava-se a reforma de 71 efectivos, resultado de pedidos de aposentação entrados em 2011 e 2012 e ainda à espera de decisão; destes, 37 pertencem aos serviços de inspecção.

É certo que a ASAE tem vindo a recrutar novos inspectores, porém, os constrangimentos à contratação na Função Pública limitam as possibilidades: hoje para concorrer à ASAE é preciso "ser detentor de relação jurídica de emprego público por tempo indeterminado, previamente estabelecida ou encontrar-se em situação de mobilidade especial"; e o que acontece é que há poucos jovens disponíveis na administração pública e os mais velhos não justificam o investimento: "fazer um inspector leva tempo e é muito caro, portanto os novos inspectores devem ser jovens"[78]. Para resolver o problema, a ASAE espera que os futuros concursos sejam abertos à administração local.

No que diz respeito aos inspectores, os problemas não remetem apenas para a renovação de quadros mas, também, para a falta de um Estatuto do Inspector. "A ASAE começou em 2006 sem que os inspectores tivessem um estatuto e a situação mantém-se, sete anos depois; como não há estatuto, regemo-nos pela lei geral[79] mas na ausência de estatuto não pode haver

77 Balanço Social da ASAE de 2012.
78 Conversa informal com um dirigente da ASAE, em Junho de 2013.
79 No caso a Lei 12/A de 2008, que estabelece os regimes de vinculação, de carreiras e de remunerações dos trabalhadores que exercem funções públicas.

progressão na carreira e, a nível estrutural, é extremamente difícil viver sem regras"[80]. Em luta pela criação deste estatuto, a ASF/ASAE está em greve às horas extraordinárias desde 27 de Dezembro de 2007, até hoje. Por outro lado, por força das leis em vigor[81], também não há progressão na categoria remuneratória, nem por via de classificações obtidas na avaliação de desempenho, nem por decisão de gestão; como não há atribuição de prémios de desempenho.

Ora a ASAE tem três categorias de inspectores: inspector-superior (86 elementos no total, sendo 17 deles dirigentes, e 11 chefes de equipas multidisciplinares), inspector-técnico (29 elementos no total, sendo 3 deles chefes de equipas multidisciplinares), inspector-adjunto (157 elementos no total, sendo 1 deles chefe de equipa multidisciplinar)[82]; nesta última categoria encontram-se os mais jovens, menos qualificados e pior remunerados, com um vencimento de pouco mais de 800 euros. Mas "todos desempenham as mesmas funções; um inspector-adjunto faz o mesmo que um inspector-superior. Todos temos o mesmo nível de exigência, que é o nível de exigência de um técnico-superior"[83]. Tudo isto dificulta o trabalho. Com a greve às horas extraordinárias são os inspectores-adjuntos os mais disponíveis para trabalhar para lá do horário, porém "alguns deles, quando são escalados para acções fora de Lisboa, informam o chefe que não têm dinheiro para suportar refeições e dormida, até ao posterior recebimento das respectivas ajudas de custo. É verdade que é possível antecipar o recebimento das ajudas de custo, mas isso implica um conjunto de procedimentos burocráticos que demoram uma a duas semanas; portanto, a única maneira de assegurar a acção é substituir esses inspectores por outros"[84]. E há a questão da motivação...

Como motivar pessoas com salários baixos, impedidas de subir na carreira e de obter prémios de desempenho por mérito? Um responsável de operações da ASAE[85] responde com "o gosto que os inspectores têm pelo trabalho; são pessoas que gostam daquilo que fazem". Um operacional da UCIF[86] diz que, no que refere à Unidade de que faz parte, "é mesmo o amor à camisola" que os move mas, em conversa com o investigador, uma inspectora ilustra, de outra

80 Entrevista com o presidente da ASF/ASAE, já referida.
81 Lei n.º 55-A/2010 de 31 de Dezembro de 2010 e lei 64-B/2011 de 30 de Dezembro de 2011.
82 Números apurados em 30 de Julho de 2013.
83 Entrevista com o presidente da ASF/ASAE.
84 Entrevista com um técnico superior da ASAE, da área inspectiva, realizada em 18 de Janeiro de 2013.
85 Entrevista realizada em 13 Novembro 2012.
86 Unidade Central de investigação e fiscalização da ASAE, entrevista realizada em 13 Novembro 2012.

forma, o seu sentir e o de muitos colegas: "Isto é muito cansativo, muito desgastante. Trabalhamos de noite, ao sábado e ao domingo; em boîtes, em estradas, em feiras... É muito trabalho para poucos e ainda por cima extremamente mal pago". Neste quadro não é, de facto, fácil motivar. O inspector-geral[87] sustenta que "as motivações organizacionais fazem-se pelo sentimento de pertença e pelo facto de as pessoas sentirem que o seu trabalho é reconhecido e retribuído. Aqui, no plano material, nada podemos fazer; resta a forma imaterial, o reconhecimento público pelo trabalho desenvolvido. Talvez os inspectores da ASAE precisassem de um pouco mais de conforto e de reconhecimento, por parte dos poderes instituídos". "Conforto" e "reconhecimento" esses que, para muitos colaboradores da ASAE, não existem na prática. Hoje, "a ASAE é fundamental para o país. E o papel da ASAE devia ser entendido pelo Governo, o que não acontece. Nós temos uma importância estrutural para o país que este Governo não compreende", diz convictamente o presidente da Associação Sindical dos Funcionários da ASAE (ASF-ASAE)[88].

Mas, para lá da questão dos inspectores e da sua motivação, há outro problema mais difícil de resolver, precisamente "a necessidade urgente e imediata" de encontrar formas de contratar "técnicos superiores", entendidos como "o grupo de pessoal mais carenciado, considerando as vastas atribuições que lhes cumpre desenvolver"[89]; num universo de 503 pessoas, a ASAE dispõe apenas de 67 técnicos superiores. A esta questão somam-se dificuldades e impedimentos para contratar serviços em "*outsourcing*", o que fez com que, no final do ano de 2012, estivessem pendentes cerca de 120.000 reclamações[90]; o mesmo e por idêntica razão se passa com as denúncias, 3136 relativas a 2012 ficaram por tratar; e com os pedidos de informação, 1.058 dos quais não obtiveram resposta.

Quanto ao mais, no que diz respeito aos Recursos Humanos, a ASAE vive uma situação de maior equilíbrio. A média de idades é de 47 anos e no intervalo entre os 45-49 anos há 289 pessoas, a que se somam 96, no intervalo entre os 55-59 anos; isto significa um ténue rejuvenescimento dos diversos grupos de pessoal, sendo que a idade média do pessoal de inspecção ronda os

87 Entrevista realizada em 28 Novembro de 2012, que vem sendo referida.
88 Entrevista realizada em 18 Janeiro 2013.
89 Balanço Social da ASAE de 2012.
90 Ao longo dos sete anos que leva de actividade, a ASAE recebeu mais de 660 mil reclamações, e mais de 128 mil denúncias; respondeu a mais de 115.000 pedidos de informação (S/A 2012a).

44-45 anos, o que permite pensar na consolidação da actividade inspectiva. Há também um equilíbrio inter-geracional, tal como um equilíbrio de género: 271 homens, para 223 mulheres, equivalente a uma taxa de feminização de 46,12%[91]; igualmente, o nível de formação académica revela uma subida, uma vez que 51% dos colaboradores da ASAE têm formação superior e 25% possuem o 12.º ano[92]. E quanto aos recursos financeiros, como está a ASAE?

Recursos financeiros e equipamentos

Os recursos financeiros da ASAE estão definidos desde o Decreto-Lei 208 de 2006 e têm-se mantido estáveis no essencial das suas fontes. Segundo o Decreto-Lei n.º 194, de 23 Agosto de 2012, estes recursos são constituídos pelas dotações provenientes do Orçamento do Estado; pelo produto de serviços prestados no âmbito das suas atribuições; pelo produto da venda de publicações e trabalhos editados pela ASAE; pelo produto das coimas "que lhes esteja consignado"; pelo produto da cobrança das taxas relativas às bebidas vínicas e não vínicas; pelas verbas provenientes de transferências anuais efectuadas pelo Turismo de Portugal, I. P., e consignadas à actuação da ASAE na prossecução das acções de natureza preventiva e repressiva de práticas ilícitas em matéria de jogos de fortuna e azar, em articulação com o Serviço de Inspecção de Jogos do Turismo de Portugal, I. P.; pelos subsídios, subvenções, comparticipações, doações e legados de entidades públicas e privadas; além de quaisquer outras receitas que por lei, contrato ou a qualquer outro título lhe sejam atribuídas.

Resulta evidente que a maior fatia dos recursos financeiros da ASAE vem do Orçamento do Estado. Em 2011, o orçamento total disponível da ASAE foi 22.564.263 euros, sendo 5.907.316 euros resultantes de receitas próprias da Autoridade da Segurança Alimentar e Económica. Em 2012, o orçamento disponível desceu para o total de 20.418.630, quebra acompanhada pela verba das receitas próprias que caíram para 5.158.472. De 2011 para 2012 a quebra total orçamental é de 2. 145.633 euros.

91 As diferenças mais significativas remetem para os inspectores (199 homens e 72 mulheres), assistentes técnicos (18 homens e 79 mulheres), dirigentes superiores (3 homens e 0 mulheres). Pode pensar-se numa divisão sexual do trabalho que deixa aos homens as tarefas mais nobres (a inspecção, o *core business* da ASAE, e a direcção-superior), porém o quadro de dirigentes intermédios (14 homens e 24 mulheres) e de técnicos-superiores (24 homens e 43 mulheres) convida a uma análise mais pormenorizada, que não cabe neste estudo. A fonte dos números referidos é o Balanço Social da ASAE, relativo a 2012.

92 No final de 2011, 49% dos colaboradores da ASAE tinham formação superior e 23% possuíam o 12.º ano.

É certo que, como diz o presidente da ASF/ASAE, "a renovação de quadros tem sido feita com ganhos, porque o dinheiro que se pagava a um inspector-superior que se reformou dá para contratar três inspectores-adjuntos"; mas não são "ganhos" suficientes para compensar as perdas orçamentais[93], tanto mais que podem ocorrer impactos inesperados sobre o orçamento, como é o caso de 2013 em que, na sequência da decisão do Tribunal Constitucional sobre o Orçamento do Estado – que veio obrigar o Governo a pagar o subsídio de férias a funcionários públicos e pensionistas – o Ministério da tutela informou a ASAE que teria de pagar do seu bolso o citado subsídio aos funcionários, uma despesa não orçamentada de mais de um milhão de euros. Esta obrigação não prevista teve uma consequência imediata – a ferramenta informática de que a ex-CACMEP, integrada na ASAE, necessita para racionalizar e modernizar o seu trabalho, com um custo estimado em cerca de 150.000 euros, ficou adiada; outra consequência, no dizer de um alto dirigente, é que a ASAE mantém as condições financeiras necessárias para cumprir o plano de actividades previsto para 2013, mas "com menos intensidade".

A ASAE enfrenta "fortes contenções orçamentais" (RAA, 2011: 60) que se fazem notar na carência de meios materiais e tecnologias necessárias à actividade quotidiana da organização. Está neste caso o parque automóvel – são 193 carros, 137 dos quais com mais de 10 anos, com avarias frequentes; e carros parados na oficina fazem perder tempo e prejudicam a acção e, "às vezes, falta o dinheiro para a reparação de viaturas ou até para o gasóleo"[94]. E também os serviços laboratoriais da ASAE[95] sofrem de "uma progressiva escassez de recursos", o que fez com que o trabalho desenvolvido em 2012

93 Em 2011 reformaram-se 18 inspectores; em 2012 aposentaram-se 19; e em 2013 esperava-se a reforma de 37.

94 Em Abril de 2013, a decisão do ministro das Finanças de proibir gastos nas entidades públicas sem prévia autorização, obrigou a ASAE a deixar de abastecer carros, a evitar portagens, a suspender reparações de viaturas e a devolver 17 carros em regime de aluguer. Ver: Falcão e Rainho (2013).

95 O Decreto-Lei n.° 237-2005, de 30 de Dezembro, que funda a ASAE cria igualmente o Laboratório Central de Qualidade Alimentar (LCQA) que, na sequência da Portaria n.° 821/2007 de 31 de Julho, passou a designar-se por Laboratório de Segurança Alimentar (LSA), mantendo embora as competências atribuídas em 2005. Em 2009, o Despacho n.° 14720/2009 de 1 de Julho, cria o Laboratório de Análises Tecnológicas e de Controlo e integra-o no LSA. Finalmente, o Decreto-Lei n.° 194/2012 de 23 de Agosto, determina uma nova estrutura nuclear na ASAE, nomeadamente pela criação do Departamento de Riscos Alimentares e Laboratórios (DRAL), que substitui o LSA, do qual extingue uma das quatro Divisões, precisamente o Laboratório de Análises Tecnológicas e de Controlo. Actualmente, os Laboratórios do DRAL integram o Laboratório de Bebidas e Produtos Vitivinícolas (LBPV); o Laboratório de Físico-Química (LFQ); o Laboratório de Microbiologia (LM).

"fosse maioritariamente em serviço de fiscalização e em detrimento do serviço a particulares" (RAAA, 212), este último produtor de receitas próprias da ASAE. De facto, o parque informático e o científico espera por melhores dias e há quem afirme[96] que parte dos equipamentos disponíveis nos laboratórios "são obsoletos" ou que "há técnicas analíticas mais modernas a que não podemos recorrer por falta de tecnologia; são necessários equipamentos mais evoluídos"[97]. Em Novembro de 2012, o subinspector-geral da ASAE, número dois da hierarquia, dizia[98]: "há análises que não podemos fazer no nosso laboratório e temos de mandar fazer fora. A autorização para isso pode demorar três meses; isto em termos policiais não funciona".

Neste contexto, a confiança manifestada pelo inspector-geral no "Dia da ASAE", já aqui referida, parece ser contrariada pelos factos. De resto, o mesmo diz[99]: "o que temos é alguma dificuldade financeira para a renovação; por exemplo, não há condições para a renovação dos parques automóvel e informático. Esse é que é o problema e não a manutenção"... As dificuldades também atingem os recursos humanos: "Nós temos algumas brigadas especializadas mas não chegam... Precisava de mais meios para fazer um trabalho mais consistente; se quisermos que haja um maior acompanhamento das actividades económicas no país, sem uma intermitência tão grande sem deixar muitos pequenos operadores sem fiscalização, precisamos de mais meios". Mais directo, um responsável de operações, sintetiza as carências da Autoridade de Segurança Alimentar e Económica em poucas palavras: "temos falta de gente e temos falta de dinheiro".

Sobre o desempenho institucional da ASAE

O desempenho institucional da Autoridade de Segurança Alimentar e Económica deve ser visto no quadro da *natureza* da organização e da *missão*

96 A maioria das pessoas entrevistadas pelo investigador no Laboratório de Segurança Alimentar (LSA), em 8 de Outubro de 2012.

97 Isto, apesar de uma auditoria interna aos laboratórios da ASAE ter "evidenciado a elevada competência técnica de todos os colaboradores" e um sistema de gestão unificado, "transversal a todos os laboratórios e com políticas e metodologias implementadas" que lhe permitem cumprir as normas estabelecidas para a qualidade. Uma outra auditoria, esta do Instituto Português de Acreditação (IPAC) evidenciou "o elevado desempenho que desde há muito caracteriza o Laboratório da ASAE".

98 Entrevista com o investigador.

99 Entrevista com o investigador, em Novembro de 2012.

que lhe é atribuída; igualmente deve ter-se em conta uma certa instabilidade organizacional, provocada por sucessivas Leis orgânicas e respectivas Portarias reguladoras, com consequentes alterações estruturais, já atrás referidas.

Porém, no que concerne à *natureza* e *missão*, a estabilidade tem sido maior; a ASAE é definida pelo legislador, desde 2007[100], como "um órgão de polícia criminal", e essa é a sua *natureza*. Quanto à missão que lhe é atribuída, com uma ou outra redacção, permanece constante desde o início: avaliação e comunicação dos riscos na cadeia alimentar; fiscalização e prevenção do cumprimento da legislação reguladora do exercício das actividades económicas, nos sectores alimentar e não alimentar. Assim sendo, é a partir destas *natureza* e *missão* que aqui se olha para o desempenho institucional da ASAE, procurando aferir em que medida ela cumpre ou não os objectivos para que foi criada, e dá ou não um contributo para o desenvolvimento do país[101].

Determinantes do desempenho institucional – Factores endógenos

Consideram-se como factores endógenos determinantes do desempenho institucional da Autoridade de Segurança Alimentar e Económica, os seguintes: *meritocracia*, *Imunidade a subornos e a interesses especiais* e *Ausência de Ilhas de poder*[102]. Analisemos cada um deles...

Meritocracia

O propósito de avaliar a qualidade da meritocracia na ASAE está prejudicado à partida, uma vez que, para além da inexistência de um Estatuto do Inspector da ASAE, os prémios de desempenho estão suspensos, tal como está suspensa, na Função Pública, desde 2005[103], a progressão nas carreiras

100 Decreto-Lei n.º 274-2007, de 30 de Julho de 2007.

101 Entendendo desenvolvimento como a combinação de a) um crescimento sustentado da economia; b) uma distribuição igualitária da riqueza nacional; c) respeito pelos direitos humanos e democráticos, tal como é postulado nas premissas teóricas do projecto VALID, que regem este estudo.

102 Conceitos pré-definidos no projecto da seguinte forma: meritocracia: "recrutamento e promoções baseados num critério universal de qualificações e desempenho, sem olhar a laços pessoais"; imunidade a subornos e a interesses especiais: "baixa ou nenhuma probabilidade de 'comprar' as acções e/ou as decisões oficiais"; "baixa ou nenhuma probabilidade de laços pessoais e/ou familiares influenciarem as decisões oficiais"; ausência de ilhas de poder: "nenhuma evidência da existência de grupos informais de funcionários ou gestores, com o objectivo de canalizar recursos da organização para benefício próprio".

103 Lei n.º 43/2005 de 29 de Agosto Diário da República — I Série-A n.º 165 — 29 de Agosto de 2005.

por tempo de serviço. Essa suspensão tem vindo a ser mantida e abrange igualmente a progressão através de concursos abertos, já que estes concursos também permanecem suspensos; como a ASAE existe desde Janeiro de 2006, isso significa que viveu estes sete anos com um mesmo quadro legal, que impede a progressão na carreira.

A ASF-ASAE, pela voz do presidente[104], referindo-se ao conjunto dos funcionários e colaboradores da ASAE, diz que, actualmente, há três grandes categorias de pessoal: "os que vieram de outras instituições, que acabaram e das quais nasceu a ASAE, e que são a maioria; os que entraram na ASAE, já depois de criada; e os *paraquedistas*, que não vêm da origem, nem entraram por concurso". Porque "há inspectores que não foram a concurso, entraram por despacho". Efectivamente é assim, mas isso não reflecte qualquer favoritismo interno; o inspector-geral, agora reformado[105], foi Director-Geral de Viação e presidente do conselho administrativo da DGV entre 2001 e 2006, ano em que foi nomeado presidente da Autoridade de Segurança Alimentar e Económica[106], para onde levou alguns funcionários da DGV, seus colaboradores, dos quais parte ainda permanece, "facto que criou alguma retracção por parte dos inspectores da ASAE", como nos diz uma fonte com funções de direcção na organização.

Contudo, a renovação de quadros continua a ser feita com base em concursos, embora dentro dos constrangimentos em vigor para a Função pública. Não há, pois, elementos suficientes para quantificar o valor atribuído à meritocracia na ASAE e, nas entrevistas que ali realizou, o investigador não recolheu nenhuma afirmação em favor da ausência de meritocracia, antes obteve um consenso no sentido de considerar este indicador como um conjunto vazio.

Imunidade a subornos e a interesses especiais

Quanto à imunidade a subornos e a interesses especiais, em todos os seus sete anos de vida, não foi aberto na ASAE um único processo por corrupção; além disso, todos os entrevistados afirmam nunca terem sido alvo de tentativa de corrupção ou de qualquer espécie de pressão, interna ou externa, e bem assim desconhecerem qualquer caso em que isso tenha acontecido com um colega de trabalho. Por sua vez, o ex-inspector-geral da ASAE, afirmava em Novembro

104 Numa já citada entrevista, realizada pelo investigador em 18/01/2013.
105 Foi funcionário público entre 1973 e 2013.
106 Na altura era essa a designação do hierarca máximo da ASAE.

de 2012[107]: "a ASAE faz sete anos em Janeiro sem nenhum caso de corrupção conhecido, até hoje"; no mesmo mês, também o N.º2 da organização, afinava pelo mesmo diapasão: "creio que havia alguma corrupção, embora com a situação controlada, em organismos anteriores à ASAE; aqui não temos um único caso"[108]. Em Janeiro de 2013, o líder da ASF-ASAE confirmava ao investigador as afirmações do subinspector: "No antigo IGAE houve casos de corrupção, inspectores que tiveram processos, foram presos, julgados e condenados. Mas os tempos mudaram, a instituição é outra. Agora não há casos de corrupção, ficou o medo dos exemplos do passado". O Director Nacional de Operações da ASAE confirma[109]: "não conheço nenhum caso de corrupção e a verdade é que desde o início, em 2006, procurámos criar mecanismos que o impedissem".

De facto, a ASAE identificou, nos seus serviços, 12 áreas "com probabilidade de Risco de Corrupção" (ASAE 2012a), para as quais definiu como riscos, os seguintes: tráfico de influências; suborno; recebimento indevido de vantagem; corrupção; peculato; peculato de uso; participação económica em negócio; concussão; abuso de poder; denegação de justiça e prevaricação; violação de segredo; favorecimento. Para combater estes riscos usa como "medidas genéricas" um Código de Ética e Conduta (ASAE, 2012b); auditorias Internas; procedimentos disciplinares; formação e sensibilização para os riscos de corrupção; procedimentos escritos. E o Gabinete de Assuntos Internos da ASAE "está atento e vigilante", em estreita cooperação com o inspector-geral.

Estão também implementados processos de actuação dissuasores, senão impeditivos de casos de corrupção. O director nacional de Operações da ASAE explica como: "não há 'investigação selvagem' na ASAE; ninguém investiga o que quer[110], e a actuação de todas as brigadas de inspecção é acompanhada e controlada centralmente". As brigadas partem para o terreno para fiscalizar operadores que não escolheram, com uma ficha de fiscalização detalhada que, após a inspecção, é entregue ao superior hierárquico e registada no sistema informático. Por isso, "temos o registo histórico da acção de todos os inspectores ao longo dos anos: que inspecções fez, a que operadores económicos; que infracções detectou; quantos autos levantou; que materiais apreendeu. Este

107 Entrevista com o investigador.
108 Entrevista com o investigador.
109 Entrevista com o investigador.
110 Na ASAE, o planeamento é centralizado; os inspectores recebem a ordem de operações, que desconheciam até ao momento.

sistema de controlo se não inviabiliza a corrupção, torna-a quase impossível"[111]; para além disto, através do SIRESP[112], a ASAE dispõe de um sistema de localização de cada viatura, ao mesmo tempo que os rádios usados pelos inspectores têm um sistema de posicionamento global, popularmente conhecido por GPS, o que constitui outra forma de controlo.

Em consonância com o que vem sendo dito, 60% dos inquiridos no questionário realizado na ASAE, no âmbito do projecto VALID, consideram verdadeiro que "a maioria dos colaboradores da ASAE é imune ao suborno ou à corrupção", enquanto apenas 2% entendem esta proposição como falsa.

Ilhas de poder

Tal como acontece com a corrupção, também não se percepcionam *ilhas de poder* na ASAE. A hierarquia é vertical, conhecida e reconhecida internamente; como já se escreveu acima, o planeamento é centralizado e, embora a execução seja descentralizada, a hierarquia acompanha permanentemente tudo e todos. Nem mesmo o LSA, descentralizado da sede da organização e com funções científicas e técnicas específicas, pode ser visto dessa forma, como *ilha de poder*, face aos indicadores e às informações recolhidas.

Contudo, a uma pergunta do questionário já aqui referido[113] sobre se "existem grupos no seio da ASAE que agem de acordo com interesses próprios, mesmo que estes prejudiquem os objectivos mais amplos da organização", 32% dos inquiridos respondem afirmativamente e apenas 17% consideram falsa a afirmação; os restantes ou não sabem ou consideram que a proposição não é nem verdadeira, nem falsa. A análise do investigador leva-o a afirmar que, se existem grupos no seio da ASAE, não são visíveis como força capaz de influenciar o essencial das decisões e da actuação da organização.

Pode entender-se que a ASF/ASAE seja um grupo organizado que defende interesses particulares, mas são interesses sindicais: condições de carreira e de progressão salarial, essencialmente[114]. Pode igualmente pensar-se que os inspectores do ex-IGAE guardem ainda alguma identidade de grupo, dentro da

111 A informação recolhida durante o ano é introduzida no sistema de informação interno, GESTASAE.
112 Rede Nacional de Emergência e Segurança.
113 Questionário realizado na ASAE, no âmbito do projecto VALID.
114 A ASF-ASAE entende que é necessário dotar a Autoridade de Segurança Alimentar e Económica" de um estatuto profissional, que se encontra pendente desde a criação da ASAE, em 2006, e definir regras de acesso, progressão e reforma dos funcionários.

ASAE, mas o seu número vai diminuindo e não são um grupo de poder. Pode ainda, no limite, admitir-se que no Departamento de Riscos Alimentares e Laboratórios (DRAL)[115], pela sua especificidade e localização, vistam o uniforme da ASAE sem *sentirem muito a camisola*. Mas nem a ASF/ASAE, nem os inspectores que ainda restam dos que vieram da IGAE, nem sequer os laboratórios da DRAL podem ser entendidos como canalizando recursos da organização em favor do seu proveito particular. E ainda há outra coisa... O mesmo inspector-geral liderou a Autoridade de Segurança Alimentar e Económica durante os primeiros sete anos de vida da organização[116]. Foi sempre uma liderança forte; muitos foram os entrevistados da ASAE que afirmaram ao investigador o seu "papel muito positivo", entendendo alguns que a ASAE era obra dele. Isso mesmo confirmava o presidente da ASF-ASAE, em Janeiro de 2013[117]: a ASAE teve até agora "uma direcção muito personalizada, por parte do inspector-geral". A este propósito, basta ver o que dizia o próprio sobre a sua liderança: "A orientação global (da ASAE) é dada pela direcção da casa, é unipessoal, sou eu que a dou" (VAM/Lusa, 2008); ao investigador, o inspector-geral garante: "obrigo os meus inspectores superiores a irem para o terreno; já destitui aqui pessoas por não irem para o terreno"[118]. E, aos jornais, no final da sua permanência na ASAE, garante que o balanço que faz do seu trabalho é "altamente positivo", não só para a organização, mas "acima de tudo para a defesa dos consumidores e da saúde pública" (S/A, 2013f). Já depois de ter saído do cargo, numa participação num programa na "SIC Notícias"[119], afirma: "Fizemos erros? Fizemos! Com 300 mil operadores económicos fiscalizados, errámos de certeza absoluta. Agora, o benefício global que o país, os estabelecimentos e os consumidores tiveram é altamente positivo. Modernizaram-se, foram obrigados a aplicar as leis europeias que estavam absolutamente esquecidas". Ou seja, com este inspector-geral não havia espaço na organização para *ilhas de poder*.

115 O trabalho analítico efectuado pelos laboratórios da DRAL "incide fundamentalmente sobre as amostras enviadas pelas 5 Direcções Regionais da ASAE, resultantes das acções de fiscalização e de vigilância de mercado, no âmbito do controlo oficial dos géneros alimentícios. Outros organismos oficiais são clientes dos agora laboratórios da DRAL, bem como diversos particulares" in Pinto (2013: 37).

116 Desde o início (Janeiro de 2006) na ASAE, o inspector-geral viu "renovada a comissão de serviço" (por ter apresentado "resultados positivos" durante o primeiro mandato) por Despacho n.º 13605/2010, publicado no Diário da República – II Série, Número 165, de 25 de Agosto de 2010. Ocupou o cargo até 28 de Fevereiro de 2013, data em que saiu da ASAE e passou à reforma.

117 Entrevista com o investigador.

118 Entrevista com o investigador, já referenciada.

119 "Negócios da Semana", *SIC-Notícias*, 3 de Abril de 2013.

Determinantes do desempenho institucional – Factores exógenos

Consideram-se como factores exógenos determinantes do desempenho institucional da ASAE os seguintes: *flexibilidade tecnológica e abertura à inovação*; *proactividade*; *captura por interesses particulares das classes dominantes*[120]. Analisa-se abaixo cada um deles.

Flexibilidade tecnológica e abertura à inovação

No que diz respeito à *flexibilidade tecnológica e a abertura à inovação*, esta existe na ASAE, desde o início – "Quando chegámos aqui, ninguém tinha e-mail, ninguém tinha Internet; muitos funcionários nem sequer sabiam abrir um computador; por isso, criámos um centro de formação e, no primeiro ano, ensinámos os funcionários desta casa a usar os computadores". Hoje, "cada inspector tem um computador portátil, um telemóvel e um rádio com GPS, e todos sabem trabalhar com essas tecnologias"[121].

De resto, o Plano Estratégico da ASAE para 2010/2013 estabelece e fundamenta "Linhas de actuação" que, no "Objectivo 16", preconiza "maior operacionalidade, eficiência, e menores custos com Tecnologias de Informação e Comunicação; consagra a adaptação da rede e centrais telefónicas; a contratualização de serviços que assegurem o bom funcionamento dos Sistemas de Informação e Conhecimento; a contratualização de serviços que assegurem a melhor eficiência das comunicações móveis; medidas de rentabilização e de renovação do Parque Informático e dos periféricos; o acompanhamento do projecto SIRESP (Sistema Integrado de Redes de Emergência e Segurança de Portugal que a ASAE está a utilizar efectivamente desde finais de Dezembro de 2011); medidas de melhoria da funcionalidade e da coerência da informação das bases de dados operacionais". Na ASAE entende-se que apostar na modernização tecnológica traz mais-valias "imediatas e evidentes".

120 Conceitos pré-definidos no projecto VALID da seguinte forma: flexibilidade tecnológica e abertura à inovação: "Evidência substancial do uso de telecomunicações modernas e de outras tecnologias; evidência de actividade desenvolvida pelos gestores com vista a incorporar novas e melhores práticas para substituir as tradicionais"; proactividade: "Evidência substancial de actividades e campanhas desenvolvidas pela organização, visando melhorar seus serviços e obter a cooperação do público relevante"; captura por interesses particulares das classes dominantes: "A agência conta com apoio activo nos escalões superiores do governo ou entre elites corporativas? A quem pode a agência apelar quando suas acções são desafiadas por interesses poderosos?".

121 Declarações do Subinspector-Geral, na ASAE desde o início, recolhidas em entrevista realizada em 20 de Novembro de 2012.

Por outro lado, a ASAE possui um sistema de informação interno, o "GESTASAE", no qual toda a informação recolhida vai sendo tratada e armazenada; possui igualmente um *website*, de utilização *amigável*[122], com informação detalhada e esclarecedora para operadores económicos e consumidores, regularmente actualizado; a utilização deste *website*, com 309.668 acessos no ano de 2012 (RAAA, 2012)[123], tem como temas mais visitados a "Legislação" e as "Reclamações e Denúncias". Igualmente disponível através do *website*, está a publicação mensal *ASAEnews*. E há ainda uma *intranet*, em actualização constante, usada regularmente, como sugerem os 257.215 acessos registados durante 2012 (RAAA, 2012).

Na ASAE, a abertura à inovação e a flexibilidade tecnológica são também demonstradas, produzidas e reproduzidas, pelo "acompanhamento permanente das operações de fiscalização, designadamente pelo fornecimento de informação, consultas de base de dados e redireccionamento de comunicações" (RAAA, 2012), bem como pela constante atenção dada à formação dos recursos humanos, procurando mantê-los actualizados e proporcionar-lhes "competências acrescidas"; em 2012, a formação interna na organização atingiu as 25.558 horas e envolveu 442 participantes[124]. Os funcionários da ASAE têm uma visão maioritariamente positiva sobre estas questões; interrogados sobre se "a ASAE procura estar actualizada no que respeita ao uso de novas tecnologias e à actualização de procedimentos", dos 256 respondentes ao Questionário realizado na organização[125], 72% respondem positivamente à pergunta e apenas 14% discordam. Mas saindo da esfera interna, como são as relações da ASAE com o exterior?

Proactividade

Na ASAE não existem dúvidas quanto aos objectivos, pelo menos ao nível da direcção e das chefias; compete à organização, sobretudo, fiscalizar o cumprimento da legislação reguladora do exercício das actividades económicas, o que faz no uso de poderes de autoridade e órgão de polícia criminal[126]. Muito clara, quanto ao entendimento que a ASAE faz da sua missão, é a afirmação

122 http://www.asae.pt/

123 A *webpage* somou 1.564.122 visitas entre 2007 e 2012.

124 Conforme o Balanço Social da ASAE de 2012.

125 No âmbito do projecto VALID.

126 Decreto-Lei n.º 194-2012, Diário da República, 1.ª série — N.º 163, 23 Agosto de 2012.

de que "o papel atribuído a esta Autoridade na organização do Estado, e o seu *core business*, é a inspecção e, portanto, a vertente repressiva" (cf. RAAA, 2012). A sua função não é vista internamente como pedagógica, mas sim como fiscalizadora e punitiva[127]; o ex-inspector-geral dizia num programa de televisão[128]: "O que nós perseguimos é o cumprimento da Lei. Não interessa se é um grande se é um pequeno operador económico, todos têm de cumprir a Lei". Mas significa isto que a ASAE se fecha ao exterior, rejeita o diálogo e a cooperação com o seu próprio mercado e as outras instituições congéneres internacionais? De forma alguma.

Na sua *webpage*, a ASAE mantém informação permanente e actualizada, útil aos operadores, desde a legislação em vigor até à "ficha técnica de fiscalização", que permite, a quem é ou pode vir a ser inspeccionado, conhecer todos os requisitos de uma inspecção e assim preparar-se, adequando-se às exigências legais. Mas, se fosse só isto, a interacção da ASAE com o seu mercado seria passiva e não é. Como lhe compete como "ponto focal da *European Food Safety Authority* (EFSA), em Portugal, a ASAE divulga, pelos seus *stakeholders*, os *press release*, as *calls* e as *consultas* da EFSA; além disto, a "formação e informação pública dos operadores económicos e dos consumidores é uma área de trabalho que a ASAE não considera despicienda, numa óptica de responsabilidade social e de exercício de uma acção pedagógica junto desse público-alvo. Pretende-se promover o cumprimento e esclarecimento da diversa legislação (...) bem como divulgar a nossa acção e objectivo de actuação. Neste contexto, a ASAE marcou presença em mais de 500 acções deste tipo, tendo alcançado um público que ronda os 85.000 participantes" (S/A, 2012: 7). A ASAE não ignora pois a função pedagógica, num outro plano que não o inspectivo, e tem um comportamento que revela *proactividade*.

Esclarecedora sobre esta matéria é a forma como as associações, que reúnem os operadores económicos ou os consumidores, falam do seu relacionamento com a Autoridade de Segurança Alimentar e Económica: "Com a ASAE temos uma relação institucional que funciona bem; há cooperação. Não os sentimos naquela posição de que estão ali só para fiscalizar". Além disso, "há receptividade da ASAE para receber e ouvir a ANCIPA; somos recebidos

127 Nas sociedades modernas ocidentais, o papel das polícias pode ser definido, de forma geral, como fazer cumprir a lei de modo isento, em três momentos-chave: prevenção, detecção do crime, detenção do criminoso.

128 O já aqui referido "Negócios da Semana", *SIC-Notícias*, 3 de Abril de 2013.

e ouvidos ao mais alto nível da ASAE. As nossas posições são escutadas e, em muitos casos, seguidas". E mesmo em relação à discussão de "questões mais complexas, a experiência que temos tido é muito positiva"[129].

Mais exemplos: O contacto da APED[130] com a ASAE "é fácil", realiza-se "a tempo e horas", e as situações "resolvem-se em um ou dois dias". "Há uma relação institucional que funciona bem"; a ASAE já participou em dois fóruns/seminários da APED, "é uma maneira de nós conhecermos quem está do outro lado, e de a ASAE nos conhecer a nós". Outra associação, a ANIL[131] diz que, até há cerca de dois anos, as relações com a ASAE eram escassas, mas não havia conflitualidade. De então para cá, há uma "cooperação muito positiva com um *feedback* muito rápido da ASAE sobre os problemas que lhe colocamos".

Finalmente, a AHRESP[132] garante: "sempre defendemos uma estrutura de cooperação entre as duas instituições, o que rapidamente se veio a concretizar. Exemplo disso são as inúmeras acções de informação e sensibilização que realizámos em conjunto com a ASAE, um pouco por todo o país, bem como a elaboração das fichas técnicas de fiscalização, que permitem aos empresários conhecer e cumprir com rigor todas as normas de higiene e segurança alimentar, contribuindo para que o incumprimento nos sectores da hotelaria e da restauração e bebidas diminuísse gradualmente". Além disto, é claro para a AHRESP que a ASAE é uma entidade "fiscalizadora, o que significa que as suas competências compreendem a verificação da conformidade ou não, relativamente à legislação que existe em cada momento". O secretário-geral da AHRESP, presente com o ex-líder da ASAE no programa de televisão já aqui referido[133], afirmou que a sua associação teve razões de queixa nos primeiros tempos mas, ao fim de um ano de actividade da ASAE, "começámos e encontrar plataformas de entendimento em que a ASAE deixou de ser apenas repressiva".

129 Declarações obtidas em entrevista realizada em 29/11/2012 na ANCIPA.

130 Associação Portuguesa de Empresas de Distribuição (APED). Entrevista, em 13/12/2012, com a responsável pela Comissão de Produtos Alimentares e Segurança Alimentar e pela Comissão de Produtos de Saúde e Bem-Estar da APED.

131 Associação Nacional dos Industriais de Lacticínios (ANIL); entrevista realizada no dia 14 de Janeiro de 2013.

132 Associação da Hotelaria, Restauração e Similares de Portugal (AHRESP) a maior Associação Empresarial do País. Entrevista com a Secretária-Geral Adjunta da AHRESP, em Janeiro de 2013.

133 "Negócios da Semana", *SIC-Notícias*, 3 de Abril de 2013.

Também a DECO[134] mantém "contactos regulares" de cooperação com a ASAE, organização de que tem "uma boa imagem", embora percebendo que a instituição "enfrenta limitações (talvez de índole financeira) que prejudicam o seu desempenho".

Captura por interesses particulares das classes dominantes

E poder? Terá a ASAE poder decorrente da própria organização ou dos seus aliados, que impeça a sua *captura por interesses particulares das classes dominantes*? De um ponto de vista marxista, dir-se-ia já que não, na medida em que ela própria resulta da decisão dessas mesmas classes, como é a regra do *Estado burguês*. Mas numa visão menos ortodoxa, mais democrática, portuguesa e europeísta, a resposta é diferente.
A ASAE está inserida numa rede. É membro do *Advisory Forum* da EFSA, *locus* de ligação entre a *European Food Safety Authority* e as autoridades de segurança alimentar dos 27 Estados-Membros da União Europeia, em que participam como observadores a Comissão Europeia e alguns países associados, como a Noruega, a Islândia e a Suíça. Além disso, a ASAE, assinou em Haia, no dia 6 de Dezembro de 2007, o contrato que a nomeia como "Ponto Focal da EFSA" em questões técnicas e científicas[135]. A ASAE não está pois, sozinha. É um instrumento da política da União Europeia em dados sectores o que, se determina a sua actuação, lhe confere igualmente força simbólica. Para mais, o próprio Decreto-Lei que estabelece a sua personalidade jurídica define-a como um serviço central da administração directa do Estado, dotado de autonomia administrativa, detentor de poderes de autoridade e órgão de polícia criminal. Conta também com uma avaliação maioritariamente positiva (e com a cooperação) da generalidade das Associações e organizações congéneres dos sectores em que actua, e a sua acção é vista positivamente pelos seus funcionários e inspectores[136], como também é confirmado pelo já

134 Associação Portuguesa para a Defesa do Consumidor (DECO), com cerca de 400.000 associados. Entrevista com o, secretário-geral, em Dezembro de 2012.

135 O Ponto Focal actua como um centro de colaboração da EFSA em Portugal, com responsabilidade de coligir dados e transferir informação entre a EFSA e os organismos relevantes em Portugal, incluindo gestores de risco, autoridades nacionais, *stakeholders* e institutos de investigação que actuem nas áreas da avaliação de risco, da nutrição, da saúde e bem-estar animal, assim como na área da comunicação nestas áreas.

136 Pelo menos, avaliando pelo conjunto das entrevistas realizadas pelo investigador na ASAE.

várias vezes referido inquérito[137], em que 59% dos inquiridos concordam ou concordam em absoluto que a ASAE "faz tudo o que está ao seu alcance para prestar um serviço que satisfaça os seus utentes/clientes", sendo a discordância desta proposição afirmada por apenas 13% dos respondentes.

É claro que, como diz o então N.º 2 da hierarquia da ASAE, sendo "uma instituição pública não temos a capacidade total de conduzir os nossos destinos"; esses são determinados pelo poder político, e aqui, só 22% dos inquiridos no citado inquérito, entendem que existe uma "boa cooperação institucional entre a ASAE e os decisores de topo da administração pública e do Estado português". Mas nem por causa dessa dependência, ou dessa menos boa relação institucional, tem faltado força à ASAE para resistir a interesses particulares, venham eles de onde vierem. Por ser assim é que o Presidente da República portuguesa teve de mudar, no dia 19 de Abril de 2012, o local da recepção e do jantar que oferecia em honra do Presidente da República da Polónia, do Palácio Nacional da Ajuda, para o Palácio Nacional de Queluz. É que a ASAE visitou a cozinha do Palácio da Ajuda – onde habitualmente se realizam os banquetes oficiais – e considerou que ela não dispunha das condições exigidas por lei, e mandou encerrá-la (Botelho, 2012); como mandou fechar o refeitório da Assembleia da República, depois de ter visitado a cozinha, numa visita não autorizada pelo Parlamento; fechou também hipermercados, restaurantes de luxo e estabelecimentos tradicionais E são apenas alguns exemplos...[138]

A ASAE resistiu ao combate político que opôs maioria e oposição na Assembleia da República, e a acusações variadas de "excesso de zelo" e até de inconstitucionalidade. Tudo isto fica a dever-se à imposição da União Europeia na área da segurança alimentar, à vontade política do Governo português, à qualidade da intervenção da Autoridade de Segurança Alimentar e Económica, e à sua relação aberta e cooperante com os *stakeholders* mas também, seguramente, ao perfil de liderança do seu máximo hierarca durante sete anos. O "Sr. ASAE", como os media lhe chamaram algumas vezes, assumiu a direcção da nova organização no seu início, em Janeiro de 2006, e manteve sobre ela *mão forte*, durante sete anos. Por isso como diz a ANCIPA[139], o modelo da ASAE "confunde-se com o inspector-geral"...

137 Inquérito aos funcionários da ASAE, realizado no âmbito do projecto VALID.

138 Ainda recentemente, a ASAE ordenou a suspensão total do funcionamento do supermercado Pingo Doce, em Loulé (S/A 2013e).

139 João Garriapa e Estevão Martins na já citada entrevista com o investigador, em 29 Novembro 2012.

Avaliação dos determinantes do desempenho institucional da ASAE

Nos números anteriores fez-se uma análise qualitativa dos determinantes do desempenho institucional da ASAE. Faz-se agora, no quadro anexo, a sua correspondente abordagem quantitativa, utilizando duas escalas: uma escala binária em que 0 indica ausência e 1 indica presença; e uma escala com valores de um a cinco, em que 1 indica ausência absoluta e 5, presença absoluta.

Mudança de ciclo

Todo o exposto nas cinco *Partes* anteriores substantiva uma narrativa em que se aborda a ASAE utilizando uma perspectiva diacrónica no estudo dos seus primeiros sete anos de vida, mas sempre com o objectivo de convergir para uma análise do que é a organização no *presente etnográfico*, o exercício do ano de 2012. Procura-se agora, a partir de uma visão analítica, embora menos aprofundada, de 2013, um ano de mudanças, projectar um futuro possível para a ASAE.

Refundação

No ano de 2013, a Autoridade de Segurança Alimentar e Económica como que foi refundada. Viu sair de funções o inspector-geral, bem como o número dois da hierarquia, que dirigiram a organização durante sete anos; mudou de instalações[140], recebeu uma nova Lei Orgânica, uma nova Portaria reguladora, consequentemente uma nova estrutura orgânica. Paralelamente, chegou ao fim o Plano Estratégico trianual (2011-2013), ao mesmo tempo que aumentaram as competências e o volume de trabalho da ASAE que, no final do ano de 2013, passou a deter a responsabilidade da instrução dos processos de contra-ordenação, relativos a práticas individuais restritivas de comércio, até aqui a cargo da Autoridade da Concorrência[141]. A estas mudanças foram-se somando crescentes dificuldades orçamentais e de recrutamento, dados os

140 A ASAE saiu da Av. Conde de Valbom, 98 e passou para o edifício do IAPMEI, na Rua Rodrigo da Fonseca. Esta mudança de instalações significa uma poupança mensal de 10 mil euros, só em renda; na anterior sede a ASAE pagava 50 mil euros mensais.

141 Decreto-Lei N.º 166/2013, publicado no Diário da República, 1.ª série — N.º 251 — 27 de Dezembro de 2013, e que permite à ASAE aplicar coimas até 2,5 milhões de euros.

constrangimentos do funcionalismo público[142]. E mudou igualmente a direcção da ASF/ASAE, agora ocupada por um inspector de Coimbra. E, *last but not the least*, alterou-se duas vezes a tutela, primeiro entregue ao secretário de Estado do Turismo, e em Setembro de 2013, ao Secretário de Estado Adjunto e da Economia, ambos do partido democrata-cristão, a força política desde sempre mais crítica da ASAE.

São mudanças que significam; vejamos porquê. Em Novembro de 2007, no blog "A Arte da Fuga", escrevia-se: "O fascismo alimentar da ASAE já aí anda a produzir os seus perversos frutos (...) Os senhores autoritários da ASAE é que sabem o que devemos comer, como comer e onde comer (...) Ou seja, o absurdo e exagerado fascismo alimentar da ASAE conduziu a uma manifesta dificuldade de prestação de serviços alimentares assente em alimentos frescos e de qualidade" (AMN, 2007). O autor deste texto é precisamente aquele a quem foi entregue a tutela da ASAE, em Abril de 2013. Esta decisão, se eventualmente traduziu uma vitória do então ministro da Economia e do Emprego sobre o seu colega da Administração Interna[143], produziu igualmente inquietação: os jornais sublinharam que a ASAE era entregue ao partido que mais a criticou, e a um membro do Governo que "continua a ser muito crítico da actuação repressiva e excessivamente mediatizada daquela polícia, defendendo uma abordagem mais preventiva e amiga da economia" (S/A, 2013d). A mudança preocupou a DECO que veio dizer, em Abril de 2013, que o "objectivo da secretaria de Estado do Turismo é apoiar e desenvolver o turismo. Se à mesma entidade cabe também inspeccionar esse sector, há um óbvio conflito de interesses. Nestas situações, a experiência mostra que, quando há crises, a tendência é defender o sector económico que se apoia". E a pessoa do secretário de Estado também deixava a DECO apreensiva, por ter emitido "recentemente opiniões que mancham de forma grave a actividade e a imagem da ASAE"[144]. Estas preocupações "são agravadas pelos tempos de crise em que vivemos, com a redução de orçamentos, diminuindo meios e iniciativas, e a tentação para 'amolecer' a actividade de fiscalização e controlo"

142 A que se soma um obstáculo que também não é novo, a dificuldade em manter a motivação dos trabalhadores em níveis elevados, "situação que se mantém agudizada (...) face às restrições de carácter orçamental", conforme Balanço Social da ASAE de 2012.

143 Os meios de comunicação noticiavam nos primeiros meses de 2013 que o Ministro da Administração Interna queria integrar a ASAE, por ser uma força policial. Coisa de que o Ministro da Economia discordava em absoluto. Ver: Bastos e Galrão (2013).

144 A Deco refere-se ao *post* de AMN (2007).

(S/A, 2013c). A este respeito, em declarações ao jornal "SOL" (Pereira, 2013), o ex-inspector-geral considerava indiferente a tutela ministerial, desde que se mantivesse o carácter "fiscalizador" e "repressivo" da actuação da polícia que chefiou durante sete anos. Sublinhava que "o problema não era de organização, mas de atitude". "Não percebo quando se diz que a ASAE deve ser educativa ou formativa, em vez de ser repressiva. Quando estamos perante um crime, o que devemos fazer?"

Fosse ou não pelas críticas à nova tutela – substantivando o receio de uma ASAE despida do "excesso de zelo" de que tantas vezes foi acusada nos primeiros anos, e vestida eufemisticamente de "amiga da Economia"; uma ASAE domesticada por interesses particulares dominantes – o certo é que a tutela da ASAE mudou de mãos pela quarta vez[145], e foi entregue ao recém-empossado Secretário de Estado Adjunto e da Economia.

Entretanto, face a uma evidente desaceleração da actividade da ASAE, a mudança de tutela não descansou a DECO e, em 2 de Novembro de 2013, o secretário-geral da associação, em entrevista ao "Dinheiro Vivo" (S/A, 2013a), reitera a preocupação: "queremos que a ASAE continue a ser uma polícia com capacidade técnica e meios orçamentais e de pessoal para continuar a fazer o seu trabalho" (...) Mas, "temo que a ASAE esteja, neste momento, exclusivamente, a cumprir obrigações perante a Europa comunitária, ou seja, as pesquisas laboratoriais comprometidas com a Comissão Europeia, e para as quais recebe dinheiro, e que tudo o resto esteja a ser protelado"...

Protelada estava a ser, de facto, a nomeação do inspector-geral, uma vez que o anterior pedira passagem à reforma[146]. Ocupou o lugar, em regime de substituição, o então n.º 2 da hierarquia, enquanto eram abertas as candidaturas

145 A tutela da ASAE mudou quatro vezes de mãos. Esteve com Carlos Oliveira, ex-secretário de Estado do Empreendedorismo, Competitividade e Inovação; passou para Almeida Henriques, ex-secretário de Estado da Economia; quando este deixou o Governo foi entregue a Mesquita Nunes, secretário de Estado do Turismo; e finalmente a foi transferida para Leonardo Matias.

146 Em fim do segundo mandato à frente da organização, o líder da ASAE declarou-se "indisponível" para se sujeitar ao "desafio" das novas regras para a escolha de directores-gerais e inspectores-gerais. Por isso pediu passagem à reforma e saiu em 28 de Fevereiro de 2013. Além disso, quis tornar públicas as razões da sua saída da ASAE, em declarações a Natércia Simões, da Antena 1, em 10 de Janeiro de 2013. As declarações ecoaram noutros jornais como *Público, Correio da Manhã, Diário de Notícias,* RTP1 (http://www.rtp.pt/noticias/index.php?article=618314&tm=6&layout=123&visual=61). O ex-inspector-geral alertava para o futuro "cuidado com a organização", a ASAE está bem de ver.

em sede do CRESAP[147], a que se candidatou sem sucesso[148]. Isto significava que não haveria continuidade da direcção que gerira a ASAE nos primeiros sete anos de vida ao mesmo tempo que o perfil dos três candidatos escolhidos pelo CRESAP, segundo algumas notícias, não agradava ao Governo e não oferecia garantias "por alegada falta de experiência no sector", como escreveu o jornal *Público*[149]. Verdade ou não, o certo é que nenhum dos nomes indicados possuía perfil de polícia, e era essa a natureza principal da ASAE. Terá sido esta uma das razões que fez protelar a decisão; o Governo não nomeava os novos dirigentes e, com a ASAE praticamente ausente do mapa mediático, cresciam os receios de que o novo ciclo que se abria trouxesse uma Autoridade de Segurança Alimentar e Económica "mais preventiva" mas menos inspectiva e reguladora[150]. Os factos viriam a mostrar que estes receios tinham algum fundamento...

Qualidade *versus* quantidade e menos actos inspectivos

Só em Setembro de 2013, o tutor da ASAE nomeou o novo inspector-geral, em comissão de serviço[151], pondo fim ao vazio de poder daquele organismo, embora mantendo por preencher uma vaga de subinspector-geral[152]. Um mês

147 Comissão de Recrutamento e Selecção para a Administração Pública (CRESAP), Lei n.º 64/2011, de 22 de Dezembro e Decreto-lei n.º 8/2012, de 18 de Janeiro de 2012 – Procedimento concursal n.º 07_01/03 com vista ao preenchimento do cargo de inspector-geral da Autoridade de Segurança Alimentar e Económica.

148 O inspector-geral substituto da ASAE ficou entre os seis seleccionados para entrevista, mas não foi escolhido para ser um dos três *finalistas* a apresentar pelo CRESAP ao Governo, decisão difícil de compreender para muitos, uma vez que o inspector-geral substituto estava na organização desde a primeira hora, mostrou competência e estava longe da idade da reforma. Mas, face ao insucesso no concurso, saiu da ASAE em Junho desse mesmo ano. Os lugares de inspector-geral e de um subinspector geral ficaram então vagos.

149 Martins (2013).

150 Ainda a DECO... O *Diário de Notícias*, edição em papel do dia 17 Junho 2013, pág. 7, cita o secretário-geral da associação: "A redução da actividade da ASAE encoraja práticas ilegais, leva a que pessoas sem escrúpulos pensem que o crime compensa".

151 Pedro Manuel Portugal Natário Botelho Gaspar (PSD), ex-inspetor-geral da Agricultura, do Mar, do Ambiente e do Ordenamento do Território, que à data da nomeação era Consultor jurídico assessor principal na Direção-Geral dos Recursos dos Recursos Naturais, Segurança e Serviços Marítimos. Um homem de Partido, que começou a carreira como adjunto do Secretário de Estado das Pescas no IX Governo Constitucional, em Agosto de 1985 – Despacho n.º 12329/2013, Diário da República, 2.ª série — N.º 187 — 27 de Setembro de 2013.

152 A outra vaga não chegou a ocorrer do ponto de vista material, já que Jorge Proença dos Reis, subinspector para a área técnica da ASAE no consulado de António Nunes, passou o crivo do CRESAP e continuou em funções. Para o lugar de subinspector-geral em aberto, foi nomeado em Janeiro de 2014 (Despacho n.º 573/2014, Diário da República, 2.ª série — N.º 8 — 13 de Janeiro de 2014), igualmente em comissão de serviço, Fernando Santos Pereira, um dos nomes indicados pela CRESAP

depois, no final de Outubro de 2013, o novo hierarca aprovou o *Plano Estratégico – Linhas de atuação 2013/2018*. Trata-se de um plano para cinco anos, e não para três como o anterior, que assim acompanha a duração do mandato dos novos dirigentes mas, e sobretudo, institui "o primeiro passo a dar na futura definição da atuação da ASAE", afinal uma clara mudança de rumo da organização, traçada em 15 objectivos estratégicos, distribuídos por quatro áreas (A. Organizacional, B. Operacional, C. Científica, D. Recursos); a cada objectivo estratégico corresponde um grupo de objectivos operacionais. O Plano Estratégico (PA) reconhece que, aliado "à progressiva escassez de recursos humanos" (e num "contexto de desmotivação dos mesmos" (...) "particularmente (...) em termos remuneratórios e de compensações quer de ordem financeira quer de progressão nas diferentes carreiras"), e à quase impossibilidade de despesas de investimento e à profunda restrição às despesas correntes", "um novo ciclo se inicia" (ASAE 2013).

De facto, enquanto no Plano anterior se pretendia "assegurar o padrão dos níveis de actuação de fiscalização e instrução", mantendo anualmente um número de operadores económicos fiscalizados "acima de 42.000, ultrapassando a média verificada para o período 2006-2010" (ASAE 2013), no actual PA quer-se "Desenvolver a cultura da Gestão e da Qualidade", pelo que se institui o "direcionamento para a qualidade" como "o eixo orientador da mudança. (...) A qualidade é o novo passo a dar" (ASAE 2013). A mudança de rumo da ASAE não podia ser mais claramente expressa. Mas não se fica por aí...

Depois da saída de um líder centralizador, adepto de uma gestão vertical, agora, na ASAE, sente-se a "necessidade de (...) aperfeiçoar/simplificar a cadeia de comando, sobretudo a nível operacional", num "convívio estruturado e claramente definido do modelo hierarquizado vertical com o modelo horizontal". Pretende-se "fomentar e melhorar a comunicação interna e externa", sendo para isso afirmado como necessário "descentralizar/despersonalizar/delegar", considerando-se que, no contexto actual, "é necessário privilegiar a delegação de tarefas e de responsabilidades e o estímulo ao desenvolvimento pessoal de dirigentes e trabalhadores" (ASAE 2013).

É uma mudança de estilo, mas é muito mais do que isso. Entende-se que a ASAE está "bastante sedimentada no que toca a esta sua área de '*core*',

e também um homem do Partido Social Democrata, partido pelo qual foi deputado à Assembleia da República nas VI, VII, VIII, IX e X legislaturas.

assegurada que está a sua eficácia, e em rumo crescente a sua eficiência". E é neste quadro que, para o PA em vigor até 2018, "os novos desafios que se colocam", "assentam sobretudo no aperfeiçoamento da qualidade dos atos inspectivos", o que "obrigará à redução da quantidade de inspecções". É a "qualidade versus quantidade", não obstante se reconheça a "necessidade de assegurar a fiscalização, tanto quanto possível", dado "o vasto leque de competências da ASAE", tornado ainda mais vasto, já em Janeiro de 2014, quando recebeu do Governo mais uma, desta vez a capacidade sancionatória relativamente aos estabelecimentos de alojamento local[153].

O novo Plano estratégico faz também "uma forte aposta" na área científica da ASAE; apesar da "falta de recursos humanos e tecnológicos" com que se debate, pretende-se que ela produza "conhecimento", desenvolva uma "postura pró-ativa", torne os seus "serviços conhecidos de outras entidades públicas e privadas", tendo para isso de "mostrar e divulgar o seu trabalho", por forma a ganhar "visibilidade". E deve também "rever os preços e os serviços dos laboratórios"[154]. Com tudo isto, a ASAE quer "melhorar a vertente preventiva da atuação", através da "atualização e refrescamento do *website* e da aposta nas sessões de esclarecimento públicas e seminários" (ASAE 2013). É uma ruptura com o passado histórico da organização, uma mudança de rumo cuja "eficácia" e "eficiência" são, por enquanto, duvidosas.

Conclusões

Nos seus primeiros sete anos de existência, a Autoridade de Segurança Alimentar e Económica cumpriu os objectivos para que foi criada, e nela existiu correspondência entre a estrutura organizacional, a legislação e os manuais institucionais originais; do mesmo modo, deu uma contribuição positiva para o desenvolvimento nacional, como o mostram os números da sua actividade e a forma bastante positiva como a instituição, e a cooperação

153 Decreto-Lei n.º 15/2014, publicado no Diário da República, 1.ª série — N.º 16 — 23 de Janeiro de 2014, que procede a "ajustes e alterações" no regime jurídico da "instalação, exploração e funcionamento dos empreendimentos turísticos" e alarga à ASAE a competência sancionatória relativamente aos estabelecimentos de alojamento local.

154 A notícia da *TSF* (S/A 2013) é a este respeito esclarecedora: "O novo inspetor geral da ASAE está à procura de receitas para a Autoridade de Segurança Alimentar e Económica (ASAE) e por isso decidiu oferecer os serviços da rede de laboratórios a clientes particulares. O orçamento da ASAE vai sofrer cortes superiores a 10 por cento em 2014".

com ela, é vista pelas organizações representantes do seu mercado, bem como pelos consumidores.

A vontade política fez convergir para uma mesma organização, a ASAE, funcionários de 13 instituições diferentes, uns polícias, outros técnicos; "um caldo de culturas". Face a essa heterogeneidade, a hierarquia decidiu "pôr toda a gente a trabalhar. Na rua!" Fê-lo e simultaneamente utilizou técnicas de comunicação/relações públicas/relações com a Imprensa para construir uma *marca* forte, uma identidade endogenamente dominante, capaz de se sobrepor às diferentes identidades que recebera de início, produzindo homogeneização identitária, quanto possível. Num mercado pouco habituado a cumprir regras, sujeito agora a normas impostas pela União Europeia, muitas foram as críticas que a ASAE sofreu e alguns os combates políticos e jurídicos em que se viu envolvida. No plano legislativo também enfrentou alguma instabilidade: em sete anos de vida, conheceu três leis orgânicas, e as respectivas portarias reguladoras, com as decorrentes alterações estruturais. No plano económico-financeiro, foi sendo apertada pelas restrições orçamentais e pelo PREMAC, e viu cair as receitas próprias, o que fez crescer a dificuldade de cumprir missão e objectivos.

No terreno, à ASAE cabe fiscalizar "do leitão ao betão", como reconhecia metaforicamente o Director Nacional de Operações[155]; esse "grande problema"[156] agravou-se com as novas competências atribuídas à ASAE e anteriormente referidas[157]. De facto, "A ASAE é um caso único no âmbito europeu. É responsável por uma vastíssima área de actuação, que vai desde a prevenção ao policiamento e à aplicação de coimas que podem chegar aos 2,5 milhões de euros. Com os meios de que dispõe tem desenvolvido um trabalho intenso e é uma entidade de referência na defesa dos consumidores, da saúde pública e da livre concorrência[158], prestando um serviço público que só não

155 Entrevista com o investigador, em 13 de Novembro de 2012.

156 Idem

157 Competência para a instrução dos processos de contra-ordenação relativos a práticas individuais restritivas de comércio; competência sancionatória relativamente aos estabelecimentos de alojamento local.

158 De saída da ASAE, o inspector-geral substituto considerou seu "dever expressar o público gesto de reconhecimento aos trabalhadores, dirigentes intermédios e ao subinspector da área científica pelo trabalho desenvolvido ao longo destes últimos sete anos, constituindo o baluarte de construção de uma instituição com níveis de notoriedade elevados, reconhecida por todos quantos com ela se relacionam, pelo importante e decisivo papel na defesa da saúde pública, da protecção do consumidor e da livre e sã concorrência em Portugal – Louvor n.º 560/2013, Diário da República, 2.ª série — N.º 111 — 11 de Junho de 2013.

será absolutamente de excelência porque lhe faltam recursos: financeiros, humanos, tecnológicos. Por isso, com os meios de que dispõe, a ASAE não consegue responder a todas as solicitações que recebe anualmente, nem policiar todos os operadores sob a sua alçada.

Recusando embora uma explicação individualista do real, o investigador não tem dúvidas sobre a importância da liderança forte, personalizada e estável, que caracterizou os primeiros sete anos de vida da Autoridade de Segurança Alimentar e Económica, para atingir objectivos que levaram a que o índice de incumprimento do mercado não ultrapasse hoje os 20%. É verdade que o homem que governou a ASAE é visto por alguns, no interior da organização, como sendo alguém com vocação inspectiva[159], para explicar uma menor tónica posta na avaliação de riscos[160]; outros pensam diferente, como é o caso do inspector-geral substituto da ASAE que, em fim de funções, saudou o seu antecessor "pela visão estratégica que imprimiu à instituição e que a projectou para a notoriedade e reconhecimento públicos"[161], por muito que essa saudação tenha de *noblesse oblige*.

Cumpridos sete anos de vida, a ASAE entrou num novo ciclo. Em boa parte do ano de 2013 fez uma espécie de *travessia do deserto*, a ponto de preocupar a DECO que, pela voz do secretário-geral (referindo-se a notícias sobre uma refeição pré-confeccionada supostamente de bacalhau, mas que afinal era de peixe caracol), veio dizer que este caso mostra falhas no controle de qualidade das empresas de distribuição, "mas também fragiliza a imagem da ASAE; não tenhamos dúvidas quanto a isso. Já dissemos várias vezes que nos preocupa a redução da actividade da ASAE, um certo apagamento público, que tem sido prática durante este Governo. Essa redução de actividade encoraja práticas ilegais". A própria ASAE expressou opinião semelhante: "Perante o actual cenário da economia do país, a tendência será para a crescente quebra de regras para o funcionamento das actividades económicas (...) e proliferação de mercados paralelos". São estes receios que, à partida, a instabilidade directiva

159 O próprio ex-inspector-geral assume sem hesitações a sua condição: "Considero-me um polícia (...) o que está na Lei é para se cumprir; se a Lei está mal, altere-se a Lei", disse ele no já citado programa da SIC-Notícias, "Negócios da Semana".

160 A este propósito, uma dirigente do LSA, não manifestou quaisquer dúvidas na entrevista com o investigador em 8 de Outubro de 2012 – "se queremos segurança alimentar, temos de trabalhar muito na prevenção, e não apenas na acção policial. Acho que a nossa acção no plano da avaliação e comunicação de risco pode ser mais desenvolvida".

161 Louvor n.º 560/2013, Diário da República, 2.ª série — N.º 111 — 11 de Junho de 2013.

sofrida pela ASAE em 2013, associada a uma crescente diminuição de recursos financeiros e humanos, à desmotivação do pessoal, ao quase desaparecimento das páginas dos jornais e das televisões, fundamentam.

Serão muitos os que querem uma ASAE "mais amiga da economia", isto é menos inspectiva e punitiva. O caminho escolhido pela nova direcção da Autoridade de Segurança Alimentar e Económica, plasmado no Programa Estratégico 2013-2018 parece ir nesse sentido – "qualidade versus quantidade" e, ainda que se mantenha a "necessidade de assegurar a fiscalização", isso será apenas feito "tanto quanto possível", e com a real "redução da quantidade de inspecções". Em contrapartida, a ASAE propõe-se "melhorar a vertente preventiva da atuação", designadamente, através da "aposta nas sessões de esclarecimento públicas e seminários" (ASAE 2013).

Não se sabe se esta nova orientação estratégica, associada ao novo perfil do seu dirigente máximo, será capaz de manter a organização como uma ferramenta de desenvolvimento do país, disciplinadora dos mercados sob a sua alçada. Mas, num quadro em que enfrenta uma progressiva falta de meios, financeiros e humanos, e cresce a desmotivação destes últimos, compreende-se que a Autoridade da Segurança Alimentar e Económica queira *adoçar* a sua acção fiscalizadora e punitiva, para ser mais "pedagógica" e "preventiva", como preconizavam, nos idos de 2008, quando eram oposição, os partidos agora no governo.

Certo é que, como pensam 95% dos seus funcionários respondentes ao inquérito realizado no âmbito deste estudo, o "funcionamento adequado da ASAE é essencial para Portugal"; avaliação semelhante faz, como se procurou mostrar, a generalidade dos *stakeholders* da organização. Está por provar que, neste novo ciclo, mantendo-se embora essa essencialidade, o funcionamento continue a ser o adequado. O que se pode afirmar é que, até final de 2012, mesmo que com algumas limitações, a ASAE foi um factor de desenvolvimento para o país.

Avaliação

	Escala binária	Escala 1-5
I. Recrutamento e promoção meritocrática	0	1
II. Imunidade a subornos e a interesses especiais	1	5
III. Ausência de "ilhas de poder"	1	5
IV. Proactividade	1	4
V. Flexibilidade tecnológica e abertura à inovação	1	4
VI. Poder, da própria organização o dos seus aliados para impedir que seja capturada por interesses particulares das classes dominantes	1	4
O1. Correspondência entre a estrutura organizacional e os manuais institucionais, originais	1	5
O2. Contribuição específica e significativa para as metas do desenvolvimento	1	5

Referências

AGUIAR, Carla. 2008. "ASAE mantém pressão em artesãos não registados". *Diário de Notícias*. 23 de Janeiro. http://www.dn.pt/especiais/interior.aspx?content_id=1012073&especial=ASAE&seccao=SOCIEDADE.

AGUIAR, Carla. 2008b. "ASAE Entope Tribunais - ASAE entope tribunais com 1279 processos-crime". *Diário de Notícias*. 13 de Janeiro. http://www.dn.pt/especiais/interior.aspx?content_id=1012022&especial=ASAE&seccao=SOCIEDADE.

AUGÉ, Marc. 1994/99. *O Sentido dos Outros*. Petropolis: Vozes.

AMN. 2007. "Fascismo alimentar". *blog A Arte da Fuga*. 13 de Novembro. http://aartedafuga.blogspot.pt/2007/11/fascismo-alimentar.html.

ASAE. 2013. *Plano Estratégico 2013-2018-Linhas de actuação*. Outubro.

ASAE. 2012a. *Plano Prevenção Riscos Corrupção e Infracções Conexas*.

ASAE. 2012b. *Código de Conduta e Ética. http://www.asae.pt/pagina.aspx?f=1&js=0&codigono=53256792AAAAAAAAAAAAAAAA&aberto=0.*

BARRETO, António. 2007. "Misérias Domésticas". *Público*. 23 de Dezembro.

BASTOS, Inês David e Márcia Galrão. 2013. "Miguel Macedo e Santos Pereira disputam ASAE". *economico.sapo.pt*. 18 de Abril. http://economico.sapo.pt/noticias/miguel-macedo-e-santos-pereira-disputam-asae_167289.html.

BOTELHO, Leonete. 2012. "Acção da ASAE obrigou a mudar banquete de Cavaco", *Público*, 24 de Abril, http://www.publico.pt/politica/noticia/accao-da-asae-obrigou-a-mudar-banquete-de-cavaco-1543330.

FALCÃO, Catarina e Pedro Rainho (2013) "País parado a espera de Gaspar". *jornal "i"*. 11 de Abril. http://www.ionline.pt/artigos/dinheiro/pais-parado-espera-gaspar-asae-deixou-abastecer-carros-pagar-portagens.

GRAÇA Moura, Vasco. 2008. "Missão impossível". *Diário de Notícias*. 09 de Janeiro. http://www.dn.pt/Inicio/interior.aspx?content_id=1000574&page=-1.

I.D.B. 2008. "ASAE tem 'excesso de zelo'". *Diário de Notícias*. 18 de Maio. http://www.dn.pt/especiais/interior.aspx?content_id=1012155&especial=ASAE&seccao=SOCIEDADE&page=-1.

MARTINS, Raquel. 2013. "Nomes indicados para a direcção da ASAE geram dúvidas no Ministério da Economia". *Público*. 5 de Julho. http://www.publico.pt/portugal/jornal/nomes-indicados-para-a-direccao-da-asae-geram-duvidas-no-ministerio-da-economia-26784871.

OTÃO, Susana. 2011. "Chef Olivier foi absolvido e quer agora processar a ASAE por perseguição". *Jornal de Notícias*. 20 de Dezembro. http://www.jn.pt/PaginaInicial/Seguranca/Interior.aspx?content_id=2197100&page=-1.

Pereira, Helena. 2013. "ASAE e Instituto do Consumidor na tutela do Turismo. Nunes receia recuo da ASAE". *SOL*. 26 de Abril. citado no sítio da Associação da Hotelaria de Portugal: http://www.hoteis-portugal.pt/pt/noticias/detalhe?id=2521.

Pinto, Sandra Martins de Sousa. 2013. *Avaliação dos dados microbiológicos do plano nacional de colheita de amostras da autoridade de segurança alimentar e económica*. Dissertação de mestrado em Engenharia Alimentar. Instituto de Agronomia-Universidade Técnica de Lisboa. https://www.repository.utl.pt/bitstream/10400.5/5650/1/Disserta%C3%A7%C3%A3o%20Final_Sandra%20Sousa%20Pinto.pdf.

PLI. s/d. "CDS-PP vai pedir agendamento potestativo para levar presidente da ASAE ao Parlamento". *Sapo Notícias/ Lusa*. http://noticias.sapo.pt/lusa/artigo/26ca8b59238251b00b933c.html.

S/A. 2013b. "Novo inspetor geral da ASAE procura diversificar receitas". *TSF*. 04 de Novembro. http://www.tsf.pt/PaginaInicial/Portugal/Interior.aspx?content_id=3514411.

S/A. 2013a. "Jorge Morgado: Temo que a ASAE esteja apenas a cumprir obrigações europeias". *Dinheiro Vivo*. http://www.dinheirovivo.pt/Economia/Artigo/CIECO287350.html.

S/A. 2013c. "DECO preocupada com futuro da ASAE". *Deco Proteste*. 24 de Abril. http://www.deco.proteste.pt/nt/nc/noticia/deco-preocupada-com-futuro-da-asae.

S/A. 2013d. "Álvaro entrega ASAE a um dos seus maiores críticos". *website do Sindicato dos Magistrados do Ministério Público*. 20 de Abril. http://www.smmp.pt/?p=22250.

S/A. 2013e. "ASAE encerra loja Pingo Doce em Loulé". *Algarve Primeiro*. 29 de Maio. http://www.algarveprimeiro.com/index.php?article=30157&visual=8&id_area=1&layout=20.

S/A. 2013f. "António Nunes sai da liderança da ASAE". *Público*. 10 de Janeiro. http://www.publico.pt/economia/noticia/antonio-nunes-sai-da-lideranca-da-asae-1580269.

S/A. 2012a. "7 Décadas de Fiscalização, 7 anos de actividade da ASAE 2006-2012". *ASAEnews*. Edição especial de 2012.

S/A (2012b) "ASAE vai ter 'mais capacidade de intervenção' em 2013, diz Inspector-geral", *jornal "i"/Agência Lusa*, 3 de Novembro, http://www.ionline.pt/portugal/asae-vai-ter-mais-capacidade-intervencao-2013-diz-inspector-geral.

S/A. 2012c. "Empreendimento em Pataias vai continuar aberto". *Sol*. 14 de Agosto. http://sol.sapo.pt/inicio/Economia/Interior.aspx?content_id=56886.

S/A. 2008a. "Quantificação de objectivos por inspector foi distribuída por engano". *Expresso/Lusa*. 10 de Maio. http://expresso.sapo.pt/quantificacao-de-objectivos-por--inspector-foi-distribuida-por-engano=f316971.

S/A. 2008b. "PS admite excessos da ASAE". *Expresso/Lusa*. 5 de Março. http://expresso.sapo.pt/ps-admite-excessos-da-asae=f259389.

S/A. 2008c. "Só o primeiro-ministro leva a sério ASAE". *Expresso/Lusa*. 27 de Janeiro. http://expresso.sapo.pt/so-o-primeiro-ministro-leva-a-serio-asae=f226852.

S/A. 2008d. "ASAE atacada como um partido político". *Expresso/Lusa*. 27 de Janeiro. http://expresso.sapo.pt/asae-atacada-como-um-partido-politico=f226720.

S/A. 2008e. "AR/ASAE: Inspector-geral reconhece que foram cometidos erros, mas está disponível para os avaliar". *Expresso/Lusa*. 22 de Janeiro. http://expresso.sapo.pt/arasae-inspector-geral-reconhece-que-foram-cometidos-erros-mas-esta-disponivel-para-os-avaliar=f222949.

S/A. 2008f. "ASAE é «exagerada, rude e brutal»". *TVI24*. 22 de Janeiro. http://www.tvi24.iol.pt/sociedade/iol/906242-4071.html.

S/A. 2008g. "Presidente da ASAE concorda no «essencial» com críticas a inspecções". *TSF*. 28 de Maio. http://www.tsf.pt/PaginaInicial/Vida/Interior.aspx?content_id=921926.

Serrasqueiro, Fernando. 2007. "Portugueses apreciam actividade fiscalizadora". *Segurança e Qualidade Alimentar*. Maio. http://www.infoqualidade.net/SEQUALI/PDF-SEQUALI-02/n02-59-61.pdf.

Simões, Rui Marques. 2013. "Da carne com salmonela a adoçante ilegal em bolachas, a ASAE detectou 174 infracções". *Diário de Notícias*. 17 de Junho.

Soares, Marisa. 2012. "ASAE encerra empreendimento turístico em Alcobaça com 700 hóspedes". *Público/Lusa*. 8 de Agosto. http://www.publico.pt/sociedade/noticia/asae-encerra-empreendimento-turistico-em-alcobaca-com-700-hospedes-1558233.

Relatório de Actividades e Auto-Avaliação de 2012 [RAAA 2012]. ASAE.

Relatório de Auto-avaliação de 2011 [RAA 2011]. ASAE.

VAM/Lusa. 2008. "AR/ASAE: Inspector-geral reconhece que foram cometidos erros, mas está disponível para os avaliar". *Expresso*. 22 de Janeiro. http://expresso.sapo.pt/arasae-inspector-geral-reconhece-que-foram-cometidos-erros-mas-esta-disponivel-para-os-avaliar=f222949.

Vaz, Tatiana. 2008. "ASAE: a autoridade da discórdia". *Diário de Notícias*. 29 de Setembro. http://www.dn.pt/especiais/interior.aspx?content_id=1019464&especial=ASAE&seccao=SOCIEDADE.

Capítulo 2

A Administração Tributária em Portugal

Ana Maria Evans

Lex Parsimoniae: Entia non sunt multiplicanda praeter necessitatem
(Lei da Parcimónia: As entidades não devem ser multiplicadas sem necessidade.)
Guilherme de Ockham

Estrutura, Missão e História

A Autoridade Tributária e Aduaneira (AT) resulta da fusão da Direcção-Geral dos Impostos (DGCI), da Direcção-Geral das Alfândegas e dos Impostos Especiais sobre o Consumo (DGAIEC) e da Direcção-Geral de Informática e Apoio aos Serviços Tributários e Aduaneiros (DGITA), em vigor a partir de Janeiro de 2012. Tendo assumido a missão, atribuições, obrigações contratuais, procedimentos, processos e formalidades das três direcções gerais que nela se fundiram, a AT é responsável por administrar "os impostos, direitos aduaneiros e demais tributos que lhe sejam atribuídos, bem como exercer o controlo da fronteira externa da União Europeia e do território aduaneiro nacional, para fins fiscais, económicos e de protecção da sociedade, de acordo com as políticas definidas pelo Governo e o Direito da União Europeia"[1].

Além de liquidar e cobrar os impostos sobre o rendimento, o património e o consumo, a AT é também responsável pela arrecadação e cobrança de

1 Cf. art. 2.°, n.° 1 do Decreto Lei n.° 118/2011, de 15 de Dezembro que aprova a estrutura orgânica da Autoridade Tributária e Aduaneira.

direitos aduaneiros, pela inspecção tributária e controlo aduaneiro e combate à fraude e evasão; representa a Fazenda Pública em acções de justiça tributária; propõe medidas normativas e apoia o executivo na definição da política fiscal e aduaneira; negoceia convenções internacionais e participa em organismos externos em matéria tributária e aduaneira; é responsável pelo desenvolvimento e gestão das infra-estruturas e tecnologias de informação que suportam as suas actividades; e presta esclarecimentos e apoio aos contribuintes no cumprimento das suas obrigações fiscais e aduaneiras[2]. A importância destas atribuições não pode ser enfatizada em excesso e é bem visível através da Conta Geral do Estado: em 2012, por exemplo, os impostos directos e indirectos geraram mais de 80% das receitas do Estado[3]. Se, por um lado, o regime normativo fiscal é determinante para o desenvolvimento económico e social, uma vez que consagra os princípios e valores subjacentes à repartição da carga tributária e influencia padrões de investimento, de organização empresarial e de inovação, assim como, mais genericamente o emprego, a produtividade e a poupança, por outro lado a implementação eficaz e justa das normas tributárias pela administração fiscal assegura a tradução fidedigna do acervo normativo na real tributação dos cidadãos e das suas actividades económicas[4]. Práticas assimétricas pela administração – i.e. eficácia na implementação de certas normas e categorias de contribuintes e incapacidade de conter evasão relativamente a outras – geram desigualdade entre aqueles que cumprem e os que defraudam, agravando a tributação dos primeiros e contrariando os princípios de generalidade e universalidade do regime tributário. Além disso, acarretam perdas de receitas que diminuem a capacidade de intervenção social do Estado[5]. Nas palavras do legislador:"Os custos de uma administração tributária ineficiente são incalculáveis. Significam perdas incomensuráveis de receitas, promoção da fraude e da evasão, promoção da economia paralela, promoção da concorrência desleal, injustiça social acrescida, desperdício, ou seja, incapacidade para conter as suas próprias despesas, para tirar partido de economias de escala inerentes às macro-organizações; significa burocracia,

2 Cf. art. 2.°, n.° 2 do Decreto-Lei n.° 118/2011, de 15 de Dezembro. Para visão comparativa das funções de administrações tributárias nos países da OCDE, cf. OECD (2013, p. 26 e seguintes).
3 Cf. Ministério das Finanças (2012, p. 49).
4 Cf. Decreto-Lei n.° 376/99 de 21 de Setembro; Decreto-Lei n.° 557/99, de 17 de Dezembro; Resolução do Conselho de Ministros n.° 119/97.
5 Cf. Resolução do Conselho de Ministros n.° 119/97.

desumanização de funções, perdas de tempo, substituição de processos simplificados e controlos eficazes por documentos e documentos não tratados, aumento do risco de arbitrariedade e desconsideração dos contribuintes; significa, ainda, a desmoralização do Estado, porque incapaz de impor-se em tarefas em que o exercício de autoridade no quadro da legalidade deve ser regra. Numa palavra, significa o perigo real e actual de erosão do sistema democrático e de corrosão do próprio Estado de direito"[6].

Estas considerações sugerem que a importância desta instituição para o bem-estar social e desenvolvimento socio-económico não poderia ser sublinhada em excesso. A escassez de estudos sobre a evolução do *modus operandi* da administração tributária em Portugal é paradoxal e torna imperativa a análise desenvolvida neste capítulo.

Tal como indica o preâmbulo do decreto-lei que aprovou a estrutura orgânica da AT, a fusão das três Direcções-Gerais surgiu no âmbito da reforma da Administração Pública, associada ao "Compromisso Eficiência" e ao Plano de Redução e Melhoria da Administração Central (PREMAC)[7], visando a racionalização das estruturas e recursos, e de forma a optimizar o funcionamento da administração e cumprir dos objectivos de redução da despesa pública a que o país está vinculado perante organismos internacionais:

"Ao nível orçamental, a criação da Autoridade Tributária e Aduaneira permitirá uma redução de custos mediante a simplificação da estrutura de gestão central, o reforço do investimento em sistemas de informação e a racionalização da estrutura de serviços regionais e locais, adaptando-o ao novo paradigma de relacionamento entre a administração tributária e aduaneira, os contribuintes e os operadores económicos"[8].

A Autoridade Tributária e Aduaneira surge assim como estratégia de modernização e racionalização da administração fiscal. Inspirado por modelos implementados noutros países – v.g. Em Espanha já existe uma entidade única desde 1992 e no Reino Unido desde 2005[9] – o impulso para a reforma estrutu-

6 Cf. Preâmbulo do Decreto-Lei n.° 376/99, de 21 de Setembro que determinou a constituição da Administração-Geral Tributária.

7 Iniciativas do XIX Governo Constitucional, que tomou posse em 21 de Junho de 2011, já depois de assinado o "Memorando de Entendimento sobre as Condicionalidades de Política Económica", entre o Governo Português e a CE, o BCE e o FMI, em Maio de 2011. O PREMAC e respectivo plano de trabalhos foram aprovados no dia 20 de Julho de 2011. Cf. Comissão Técnica do PRACE (2006, p. 66).

8 Cf. Preâmbulo do Decreto-Lei n.° 118/2011, de 15 de Dezembro.

9 Cf. Ferreira (2012).

ral foi dado pela crise económica e a crescente pressão para reduzir a despesa pública. A proposta de orçamento de Estado para 2011 contemplava a fusão de organismos públicos, entre os quais a DGCI e a DGAIEC[10]. Em Maio de 2011, foi publicado o memorando de entendimento entre Portugal e a Troika sobre as condicionalidades de política económica relativas ao programa de ajuda financeira concedido a Portugal, no qual se previa que a nova estrutura da administração tributária viria a incluir também a Direcção-Geral de Informática e Apoio aos Serviços Tributários e Aduaneiros[11]. A estrutura orgânica da AT foi aprovada já pelo novo governo eleito em Junho de 2011, no final do mesmo ano[12].

A Autoridade Tributária e Aduaneira assumiu as funções, atribuições e os funcionários efectivos (11879 no total) das três direcções gerais que a antecederam[13]. O elemento distintivo da reforma administrativa é a eliminação da divisão orgânica entre impostos e alfândegas que caracterizou a trajectória contemporânea da administração fiscal em Portugal. De acordo com ex-dirigentes da DGCI entrevistados no âmbito deste estudo, são duas instituições com uma clivagem histórica, que não comunicam bem, mantêm rivalidades e cujo *modus operandi* permanece diferente até hoje, apesar da fusão no início de 2012. Para alguns, as alfândegas apresentam um carácter mais burocrático e menos ajustado aos novos modelos de administração pública e têm um peso minoritário dentro da nova administração, resultante da desproporção em funcionários e funções e manifesto na permanência do Director-Geral das Contribuições e Impostos como líder da nova institutição[14]. Na opinião de outros entrevistados, as organizações não são comparáveis em aspectos importantes: as alfândegas têm menos autonomia do que os impostos, porque estão ligadas às organizações congéneres nos outros países da União Europeia e os seus sistemas informáticos e operativos estão sujeitos a alterações intro-

10 Cf. http://www.correiodominho.com/noticias.php?id=36609
11 Cf. p. 14 do documento oficial de tradução do Memorando de 17 de Maio de 2011.
12 Cf. Decreto-Lei n.º 118/2011, de 15 de Dezembro.
13 Cf. Secretário de Estado da Administração Pública (s/d).
14 Historicamente as alfândegas foram mais importantes do que os impostos mas à medida que o sistema de tributação se desenvolveu, a administração dos impostos ganhou importância na arrecadação de receitas para o Estado, além de maior visibilidade entre os cidadãos. Quando, em 1993, no processo de integração europeia, as fronteiras intracomunitárias desapareceram, as alfândegas reduziram muito as suas funções no âmbito das importações e exportações e passaram a ter competência para administrar impostos especiais sobre o consumo, nomeadamente tabaco, bebidas alcoólicas e combustível.

duzidas a nível europeu[15]. Seja como for, todos concordam que o carácter distinto dos dois organismos explica porque se mantiveram separadas estas duas instituições ao longo do último século e meio, mais concretamente desde a reorganização da Fazenda Pública em 1849, na sequência da reforma da administração pública encetada por Mouzinho da Silveira em 1832.

A recente reforma não foi, todavia, a primeira tentativa de fundir a administração dos impostos e alfândegas. Em 1999, o Ministro das Finanças Sousa Franco tentou iniciar o processo de fusão da DGCI e da DGAIEC, através da constituição de um órgão de cúpula na administração tributária, a Administração Geral Tributária (AGT)[16]. Esta decisão durante o mandato do governo socialista, presidido pelo primeiro-ministro António Guterres, foi motivada por fortes pressões externas para racionalizar as estruturas do Estado, comparáveis à conjuntura que impulsionou a fusão de 2011. A eminente entrada de Portugal na União Económica e Monetária e a vinculação ao Pacto de Estabilidade, Crescimento e Emprego impunham, como afirma o próprio legislador, a "necessidade de urgente racionalização de organizações e de processos de decisão, bem como de alcançar eficácia na obtenção, com justiça, de recursos fiscais." Nas palavras do preâmbulo do decreto-lei que constituiu a AGT:

"Neste contexto impõe-se um novo modelo de organização, coordenação e diferenciação de funções. A coordenação, planeamento estratégico e controlo de uma tão importante e significativa estrutura orgânica não pode continuar a ser assegurada com soluções organizativas assente em moldes tradicionais, situação esta que é propícia a gerar irracionalidade, deseconomias, ineficiência e ineficácia no seio da administração tributária."[17].

De acordo com entrevistados que estiveram envolvidos na reforma, o objectivo era centralizar, partilhar e expandir serviços, informação e procedimentos administrativos até então dispersos. Todavia, o modelo de fusão previsto na criação da AGT acabou por não ser implementado e em 2002, durante o mandato social-democrata presidido pelo primeiro-ministro Durão Barroso, a Ministra das Finanças Manuela Ferreira Leite extinguiu a AGT[18]. O Programa de Restruturação da Administração Central do Estado (PRACE)

15 Cf. Sistema de Intercâmbio de Informações sobre o IVA (VIES).
16 Cf. Decreto-Lei n.° 376/99, de 21 de Setembro.
17 Id.
18 Para a extinção da AGT, cf. art. 18.° do Decreto-Lei n.° 262/2002 de 25 de Novembro.

publicado em 2006 na senda da racionalização e modernização da administração pública não contemplava a fusão e sugere que a orgânica central da DGCI seria mantida: "Conforme resulta do quadro [de alterações propostas], não se verifica qualquer alteração, quantos aos serviços centrais, nas áreas operativas, até ao nível das direcções de serviços.... [A]s principais alterações verificam-se ao nível das Direcções Regionais e dos Serviços Locais de Finanças"[19].

A reforma de 2011 constituíu portanto um momento de ruptura institucional, uma vez que introduziu uma alteração orgânica da administração fiscal nunca antes conseguida, apesar de os objectivos que o legislador declara serem idênticos aos propósitos de intervenções reformistas ao longo do último século e meio: o legislador declara o intuito de eliminar redundâncias e reduzir os custos de funcionamento, de forma a aumentar a eficiência na alocação e utilização dos recursos, melhorar a coordenação na execução das políticas fiscais, induzir coerência e reforçar a capacidade de resposta no desempenho das funções da administração. Já a centenária reforma de 1849 manifestava as mesmas intenções de uniformizar e assegurar coordenação no sistema de administração tributária, assegurar eficácia e celeridade na colecta, simplificar o expediente, e evitar conflitos na execução de funções entre repartições[20].

O Cruzamento de Lógicas Funcionais e Geográficas: Característica Perene na Hierarquia Organizacional

A nova estrutura da AT compreende doze subdirecções gerais, três direcções equiparadas a subdirecções gerais, nomeadamente as direcções gerais de finanças de Lisboa e Porto e o Centro de Estudos Fiscais, e a nova unidade dos Grandes Contribuintes. Esta unidade central é inspirada no modelo organizacional de outros países e surgiu como resposta ao peso desproporcional de um pequeno conjunto de empresas na colecta do IRC[21]. Nas palavras espi-

19 Cf. Comissão Técnica do PRACE (2006, p. 66).

20 Cf. Decreto de 10 de Novembro de 1849, cit. Em Tomaz (2011, pp. 24-27) e também http://www.sgmf.pt/_zdata/PDF/ARQ/ARQ_DGCI.pdf

21 Tal como afirma o preâmbulo do Decreto-Lei n.º 6/2013 de 17 de Janeiro que regula as competências da Unidade dos Grandes Contribuintes, "a complexidade das questões com que estes contribuintes lidam exige que lhes sejam criadas condições que permitam o acompanhamento do respetivo cumprimento das obrigações fiscais, reduzindo substancialmente os custos de contexto, os riscos de incumprimento e o nível de contencioso, proporcionando-se, simultaneamente, segurança às opções dos contribuintes. Neste âmbito, a par das informações vinculativas que decorrem das áreas

rituosas de um anterior líder da administração tributária: "Quando uma das grandes empresas se constipa, a arrecadação de impostos apanha uma gripe. Faz sentido ter uma equipa que conheça profundamente e antecipe os problemas dessas empresas"[22]. Apesar da grande transformação institucional que acarretou a fusão das três direcções gerais, a reforma de 2011 não eliminou a característica tradicional de cruzamento de diferentes lógicas organizacionais na administração tributária, i.e. A coexistência de serviços centrais de cariz funcional e liderados pelo respectivo/a subdirector/a, com uma rede capilar de repartições de finanças dispersas pelo país e lideradas por directores distritais de finanças com jurisdição territorial. De acordo com ex-dirigentes da administração tributária entrevistados para este estudo, há uma clivagem hierárquica e informacional entre os serviços centrais e a rede de serviços locais: os serviços centrais tomam decisões internas que constituem a norma, criando assim o padrão que deverá orientar o funcionamento da rede atomizada de serviços locais. Por outro lado, os subdirectores gerais não têm autoridade hierárquica sobre os directores distritais.

Até à integração das tesourarias de finanças nas repartições de finanças, prevista em 1996 e finalmente implementada em 2004, a fragmentação organizacional na administração tributária era ainda mais acentuada, pois a cobrança estava separada da restante estrutura da DGCI[23]. As repartições de finanças processavam liquidações e fiscalizações mas a cobrança dos impostos era efectuada nas tesourarias das finanças que pertenciam à Direcção Geral do Tesouro, de acordo com o princípio de que quem cobra o imposto não pode estar envolvido na sua liquidação:

"As tesourarias e as repartições de finanças tinham sempre entradas separadas e igual dimensão, embora geralmente as suas portas fossem lado a lado. Na tesouraria havia o cofre onde se guardavam todos os valores selados. O cofre só abria com duas chaves, a do tesoureiro e a do chefe de finanças. De tempos em tempos, o chefe da repartição e o tesoureiro faziam o balanço do cofre"[24].

de administração de cada imposto ou tributo, prevê-se a criação de um procedimento de assistência pré-declarativa, para se reduzir o risco fiscal de operações complexas, resultante da incerteza quanto à sua qualificação jurídico-tributária. No âmbito da resolução da conflitualidade fiscal administrativa, atribui-se ainda à UGC competência para a decisão das reclamações graciosas relativamente aos contribuintes abrangidos pela sua competência e gestão tributária".

22 Entrevista com ex-dirigente da administração tributária.

23 Cf. art.° 37.° do Decreto-Lei n.° 158/96, de 3 de Setembro e Decreto-Lei n.° 237/2004.

24 Entrevista com ex-dirigente da administração tributária.

Como veremos mais abaixo, o desalinhamento hierárquico de jurisdições territoriais e funcionais foi propício à constituição de ilhas de poder e tráfico de influências a nível local que perduraram até à unificação e standardização de serviços através da informatização em rede, na última década.

A Grande Revolução Organizacional e Cultural: Construção de um Sistema Operativo Moderno numa Instituição Tradicional

Na perspectiva de antigos quadros da administração tributária entrevistados para este estudo, a Autoridade Tributária é uma organização tradicional, corporativa e fechada, onde os funcionários mantêm a expectativa de um emprego estável e duradouro, uma carreira profissional para a vida e onde existem gerações de famílias. Na expressão eloquente e humorista de um antigo dirigente da instituição, os funcionários "entram de fraldas e saem de cadeira de rodas." Predomina, tal como noutras organizações onde a permanência média dos funcionários é longa, uma cultura conservadora e sectária, resistente à restruturação – v.g. As recentes controvérsias associadas ao anúncio de encerramento de repartições de finanças com pouco movimento de utentes[25]. As entrevistas sugerem também atitudes de desconfiança entre os quadros relativamente a dirigentes oriundos de outras instituições.

Apesar de estes indicadores apontarem para uma cultura burocrática tradicional, é notório o percurso de modernização da instituição durante o período democrático, em quatro pilares fundamentais: na escolha da liderança, no recrutamento e progressão na carreira, na qualificação académica dos funcionários e na mecanização de tarefas e procedimentos. Até à mudança de regime político em Abril de 1974, de acordo com um antigo dirigente da instituição, a Direcção-Geral das Contribuições e Impostos era tradicionalmente liderada por um juíz. Em 1975 tomou posse um juíz como director-geral, Dr. Francisco Rodrigues Pardal, mas a instituição tem sido liderada

25 Cf. http://www.cmjornal.xl.pt/detalhe/noticias/nacional/economia/autarcas-contra-fecho-de-financas; http://www.rtp.pt/noticias/index.php?article=438879&tm=8&layout=123&visual=61; http://sicnoticias.sapo.pt/pais/2013/10/09/sindicato-dos-trabalhadores-dos-impostos-teme-impacto-encerramento-de-reparticoes-no-baixo-alentejo; http://www.radiopax.com/index.php?go=noticias&id=1937; http://da.ambaal.pt/noticias/?id=3867;
Note-se que a proposta de encerramento de 121 serviços locais de finanças constava já do Programa de Restruturação da Administração Central do Estado, em 2006. Cf. Comissão Técnica do PRACE (2006 p. 66).

no período democrático primordialmente por profissionais com experiência anterior de gestão e administração na administração pública e na banca. Entre líderes oriundos de outras instituições do Estado encontramos o Dr. Francisco Rodrigues Porto[26] e o Dr. Armindo de Jesus de Sousa Ribeiro (2002-2004)[27]. Com experiência empresarial anterior no sector privado encontramos o Dr. Manuel Jorge Pombo Cruchinho (1986-1991), o Dr. José Gomes Pedro (1994-1997), o Dr. Paulo Azevedo, o Dr. Paulo Macedo (2004-2007) e o actual Director- Geral da AT, Professor José Azevedo Pereira (2007). Houve um Director-Geral "da casa", o Dr. António Nunes dos Reis (1997-2002) cujo percurso teve um carácter marcadamente internacional, uma vez que incluiu anos de trabalho na DGXXI da Comissão Europeia (1990-1996), assim como intensa actividade em grupos de trabalho internacionais.

O recrutamento e progressão de carreira na administração tributária são baseados em critérios rigorosos, através de provas selectivas que visam certificar competências, quer no momento de entrada, quer na progressão na carreira. A preocupação com a meritocracia já transparecia na reforma de 1849, cujo Decreto legislador declarava que os funcionários da Fazenda seriam escolhidos pelas suas virtudes, a hereditariedade seria abolida e os empregos públicos seriam pessoais e vitalícios[28]. A mais recente medida neste sentido foi a abertura, em Fevereiro de 2014, pela Comissão de Recrutamento e Selecção para a Administração Pública (CRESAP), de dezassete concursos para a estrutura de liderança da AT. Os concursos abrangem o próprio cargo de Director-Geral da instituição, doze Subdirectores Gerais, os Directores de Finanças de Lisboa e Porto, o Director do Centro de Estudos Fiscais e o Director da Unidade de Grandes Contribuintes. Entre os requisitos estabelecidos para o recrutamento estão a formação de base em economia, gestão, engenharia ou direito, e formação específica em fiscalidade, gestão, finanças, contabilidade ou economia, dependendo do cargo específico em questão, assim como "experiência relevante na administração e gestão de organizações de grande dimensão" – doze anos no caso de director-geral e oito anos para

26 Cf. http://www.igfse.pt/upload/docs/1992003_2.pdf
27 Cf. http://ex-dgemn.blogspot.pt/2012/11/in-memoriam-francisco-rodrigues-porto.html
28 Tomaz (2011, pp. 20-21).

os restantes cargos. À data de redacção deste texto, estão confirmados onze candidatos a Director-Geral da AT[29].

O cuidado com a selecção dos funcionários da administração tributária, através de concursos e exames escritos e exigentes e a tradição de aperfeiçoamento dos recursos humanos são notórios ao longo das últimas décadas, tal como afirma claramente o preâmbulo do Decreto-Lei n.o 557/99, de 17 de Dezembro:

As "funções muito especiais da DGCI... De arrecadação eficaz e justa dos recursos fiscais necessários à satisfação das necessidades colectivas e desenvolvimento do Estado social e democrático... [exigem] rigorosa isenção e independência... E elevada competência técnica e profissional... [e por isso] a administração fiscal, à semelhança de outras organizações congéneres, sempre teve uma estrutura própria, com pessoal especializado, concursos próprios com provas e estatuto remuneratório específico... [e] um sistema de formação permanente, visando dotar os seus funcionários e agentes com a competência adequada às exigências técnico-profissionais, éticas e humanas relacionadas com os [seus] cargos e funções."[30].

Neste âmbito, foi criado o Centro de Formação da DGCI em 1999, responsável por conceber e organizar acções de formação profissional destinadas aos técnicos e quadros superiores da administração tributária[31]. Os funcionários cumprem um número de horas de formação anual e, além de cursos ministrados presencialmente, têm acesso a plataformas de e-*learning*[32].

29 Cf. http://www.jornaldenegocios.pt/economia/detalhe/direccao_geral_dos_impostos_cobicada_por_11_candidatos.html; http://economico.sapo.pt/noticias/onze-candidatos-a-directorgeral--dos- impostos_187222.html; http://www.jornaldenegocios.pt/economia/impostos/detalhe/cresap_repete_concurso_para_ dois_cargos_de_topo_no_fisco.html;

30 Exemplos de regulamentação de provas de selecção e progressão na carreira na DGCI e AT: Portaria n.° 535/79, de 11 de Outubro; Portaria n.° 273/80 de 22 de Maio; Portaria n.° 393/80 de 10 de Julho; Portaria n.° 849/80, de 22 de Outubro; Portaria n.° 30/81, de 14 de Janeiro; Aviso n.° 7369/2006, publicado em Diário da República, 2.ª Série, no 126, de 3 de Julho de 2006; Aviso n.° 10 527/2000 (2a série) de 30 de Junho; Aviso n.° 8928/2010, publicado em Diário da República, 2.ª série, n.° 87, de 5 de Maio de 2010. Aviso n.° 23641/2010, de 17 de Novembro, publicado em D.R. 2.ª Série, n.° 223; Aviso (extracto) n.° 10073/2011, publicado em DR 2.ª série, n.° 86, de 4 de Maio de 2011; Aviso (extrato) n.° 15563/2012, publicado em Diário da República, 2.ª série, n.° 225, 21 de novembro de 2012; Aviso n.° 15564/2012, publicado em DR n.° 225, de 21 de Novembro de 2012.

31 Cf. art. 9.°, n.° 6 do Decreto-Lei n.° 366/99, de 18 de Setembro (lei orgânica da DGCI); e art.° 22 da Portaria n.° 348/2007, de 30 de Março.

32 Cf. Centro de Formação da DGCI, *Plano de Formação*, 2010. Sobre a utilização de plataformas informáticas na formação profissional na administração tributária, cf. @prender.DGITA – Plataforma de e-Learning para a Administração Tributária, disponível em: http://www.inst-informatica.pt/o-instituto/factos-historicos/eventos/premio-fernandes-costa/premio-fernandes-costa-edicao-de-2004/2004_DGITA.pdf

Também nas habilitações académicas dos funcionários, houve uma evolução positiva e notória na administração fiscal, ao longo das últimas três décadas. De acordo com vários entrevistados, nas décadas de setenta e oitenta, contavam-se os licenciados na DGCI; mais ainda, estavam concentrados em "ilhas" nos serviços centrais e as qualificações académicas não eram relevantes para a progressão na carreira[33]: "Tradicionalmente eram os chefes de finanças que acediam a lugares de direcção, através de um concurso complexo e selectivo. Os oficiais dos serviços centrais raramente chegavam a directores. As repartições de finanças eram o coração, a chave, o verdadeiro poder dentro da DGCI mas muitos chefes de repartição tinham apenas o 5o Ano do liceu. Eram todavia autodidactas. Sabiam muito de direito, estudavam os códigos em profundidade. Os licenciados em direito estavam nos serviços jurídicos e no Centro de Estudos Fiscais. Por este passaram nomes muito conhecidos... Nesse aspecto, o CEF era uma ilha na DGCI, embora sem poder; um lugar de passagem para fazer doutoramento. Por sua vez, os licenciados em economia íam para os serviços de inspecção e fiscalização"[34].

De acordo com antigos dirigentes da instituição, no final dos anos setenta começou uma gradual e silenciosa revolução académica na DGCI. A revolução começou nas grandes cidades universitárias: Lisboa, Coimbra e Porto. "O bairro onde está hoje a Fundação Mário Soares era conhecido como a universidade do 6o Bairro ou a universidade de São Bento porque quem queria estudar tentava ir para lá como aspirante de finanças, para estar perto do Instituto Superior de Economia. Estas pessoas foram muito importantes: entravam para a carreira de base, licenciavam-se e começavam a concorrer a directores de finanças. Começaram a aparecer directores de finanças mais novos e licenciados. Alguns chefes de finanças licenciaram-se também. Embora esta mudança não tenha propulsionado restruturação, certamente gerou uma mudança de mentalidade que começou a notar- se em meados dos anos 1980s, quando o país entra na CEE e se faz a reforma do IVA"[35].

Se é certo que houve uma trajectória de marcada evolução nas qualificações académicas dos funcionários da DGCI, as estatísticas da OCDE

33 Para a restruturação do sistema de carreiras na DGCI depois da legislação que vigorou desde os anos setenta, cf. Decreto-Lei n.° 557/99, de 17 de Dezembro.

34 Entrevista com ex-dirigente da administração tributária. Cf. no mesmo sentido o art. 3.° do DL n.° 143/77, de 9 de Abril.

35 Id.

sugerem que a percentagem de licenciados na DGCI em 2010 (42%) era ainda inferior à média da OCDE (49,4%). Acima de Portugal estavam vários países, quer da OCDE - Alemanha, Austrália, Áustria, Chile, Coreia, Dinamarca, Eslovénia, Estados Unidos, Estónia, Hungria, Islândia, Itália, México, Polónia, República Eslovaca, Suécia, Suíça, Turquia - quer economias emergentes fora da OCDE, v.g. Argentina, Brasil, Bulgária, China e Colômbia[36]. Note-se que, como em outros aspectos, encontramos neste âmbito uma discrepância nas estatísticas publicadas por diferentes fontes. Relativamente ao mesmo ano de 2010, o balanço social da DGCI, tal como publicado no seu relatório anual de actividades indica que apenas 32,08% dos funcionários são licenciados e 5,95% bacharéis[37]. O jornal *Expresso* sugere que só 29,8% do universo dos funcionários da DGCI eram, naquela data, licenciados e mais de 30% dos recursos humanos da instituição tinham apenas o 12o ano de escolaridade[38].

Para além das qualificações académicas, *stricto sensu*, alguns dos antigos dirigentes entrevistados para este estudo consideram que há uma clivagem entre o trabalho da administração fiscal e a sofisticação da "indústria fiscal" privada, i.e. As grandes empresas de consultoria fiscal que oferecem planeamento fiscal a grandes clientes. Estas precisam de estar um passo à frente da administração (pública) para servir os seus clientes da melhor forma, i.e. proporcionando "optimização fiscal", diminuindo a carga fiscal tanto quanto possível dentro dos limites legais. Na corrida entre o fisco que visa maximizar a colecta e o privado que visa maximizar o lucro, o consultor fiscal precisa de lidar com instrumentos jurídicos muito complexos, frequentemente envolvendo transacções internacionais, de forma a aproveitar o princípio de não tributação de actos jurídicos que não estejam previstos no direito fiscal[39]. Por isso, de acordo com um ex-Secretário de Estado:

36 Abaixo da média de qualificações académicas dos funcionários da AT em Portugal, encontramos Bélgica, Espanha, Finlândia, Holanda, Irlanda, Israel, Nova Zelândia, Reino Unido e República Checa. Cf. OECD (2013).

37 Cf. Direcção Geral dos Impostos, (s/d, p. 105).

38 Cf. *Expresso* (2010).

39 Para mais sobre o conceito de planeamento fiscal, cf. Santos (2008). O autor define três vias de planeamento fiscal: "a) *'intra legem'*, quando a poupança fiscal é expressa ou implicitamente querida pelo legislador que estabelece normas negativas de tributação como exclusões tributárias, deduções específicas, abatimentos à matéria colectável personalizantes, ou estabelece isenções fiscais, zonas francas... *'Extra legem'* – (elisão fiscal ou *'tax avoidance'*) quando a poupança fiscal é obtida através da utilização de negócios jurídicos que não estão previstos nas normas de incidência fiscal e/ou que, estando previstos nessas normas, têm um regime menos oneroso"; *"contra legem"*, quando a poupança fiscal resulta de actos ilícitos."

"A modernização da administração fiscal foi sempre um passo atrás da sofisticação da indústria fiscal privada. Esta expandiu-se no mercado nacional depois da entrada de Portugal na (então Comunidade Europeia) e ao longo da década de noventa. A elevada média de 48 anos de idade nos funcionários da administração – causada pela contenção na contratação associado a restrições orçamentais – e a falta de formação profissional ao nível das academias internacionais das "Big Four" (PriceWaterhouseCoopers, Deloitte, KPMG, Ernst & Young), onde participam quadros das administrações tributárias de outros países,... contribuem para manter a clivagem"[40].

As estatísticas da OCDE vão ao encontro destas palavras, uma vez que revelam que Portugal apresenta o indicador mais alto de todos os países da OCDE, e dos países fora da OCDE listados na tabela em 2010, relativamente a funcionários fiscais entre 50 e 60 anos: em 2010, 46,1% dos trabalhadores estavam nesta categoria etária e 50% dos funcionários da DGCI tinham entre 30 e 50 anos[41]. Também o balanço social publicado pela DGCI em 2010 aponta a elevada média etária dos funcionários: 74,7% entre os 35 e os 54 anos e 20,1% do universo com mais de 55 anos, sendo a antiguidade média dos funcionários 22,3 anos[42].

Também nas escolhas de carreira de jovens fiscalistas e no declínio do Centro de Estudos Fiscais como emissor de doutrina fiscal é visível, de acordo com alguns entrevistados, a clivagem entre o sector privado e a administração pública. "Antes do desenvolvimento da indústria fiscal privada em Portugal, os fiscalistas de renome começavam a sua carreira no Centro de Estudos Fiscais e a revista publicada pelo CEF era assinada por muitos funcionários da administração tributária e por fiscalistas. Hoje em dia os especialistas já não querem estar no CEF mas sim num grande escritório de advogados ou numa consultora. Os Cadernos de Ciência e Técnica Fiscal deixaram de ter o prestígio e o número de assinantes que tinham e há pouca produção interna.

40 De acordo com o entrevistado, as quatro grandes empresas de auditoria e consultoria fiscal, *"The Big Four"* tal como são conhecidas na gíria dos especialistas, resultaram de fusões das oito grandes empresas (*"The Big Eight"*) que dominavam o mercado internacional no final dos anos 1980s e do mais recente desaparecimento da Arthur Andersen na sequência do escândalo Enron. As estatísticas publicadas pelo Expresso sugerem que, tal como indicado na entrevista, o número de trabalhadores da Administração Fiscal diminuiu 6,1% entre 2007 e 2009. Cf. Expresso, "Administração Fiscal Perdeu 439 Funcionários" (Caderno de Economia), 7 de Julho de 2010.

41 Cf. OECD Tax Administration Database, *Human Resources, Tax Metrics.*

42 Cf. Direcção Geral dos Impostos (s/d ,p. 105).

Houve uma deslocalização de influência doutrinária e dos seus instrumentos para a Faculdade de Direito[43].

Dito isto, todos os entrevistados, à excepção de um, afirmam que é inegável o constante esforço e preocupação pela instituição em oferecer formação profissional cuidada e sistemática, de forma a assegurar a constante actualização dos funcionários face às sucessivas alterações de normas fiscais e visando elevados padrões de atendimento e de qualidade nos serviços.

Sempre em Movimento: Da Mecanização da Complexidade à Informatização Transversal das Actividades Económicas do/a Contribuinte.

A preocupação com a introdução de instrumentos de mecanização na administração tributária é notória ao longo da segunda metade do século XX e na primeira década do século XXI. Em 1951, foram criados os serviços mecanográficos do Ministério das Finanças, com o intuito de tornar mais eficiente o processamento do grande volume de procedimentos ligados à administração fiscal. Este organismo dedicou-se primordialmente ao processamento dos funcionários. Já no período democrático, em 1977, foi criado o Instituto de Informática que servia o Ministério das Finanças como um todo e não apenas a DGCI[44] No final dos anos setenta e no início da década de oitenta, o Instituto de Informática desenvolveu o sistema de identificação da pessoa singular (em 1988 estavam já registados 8 milhões de cidadãos), o sistema integrado de informações da contribuição industrial, do sistema de imposto complementar, do imposto profissional e da contribuição predial[45].

A grande marcha para o desenvolvimento de novas tecnologias de informação na administração tributária acelerou a partir de meados da década de oitenta, sob o impulso da adesão do país à Comunidade Europeia e com a introdução do imposto sobre o valor acrescentado (IVA) no sistema tributário nacional. De acordo com antigos dirigentes envolvidos no processo de informatização, numa primeira fase, o sistema foi organizado verticalmente,

43 Entrevista com antigo quadro do Centro de Estudos Fiscais.

44 Cf. Vidigal (s/d) e José Augusto Castro Correia (entrevista), disponível em http://www.inst-informatica.pt/o-instituto/factos-historicos/publicacoes/revista-informacao-informatica/Revista20.pdf

45 Costa (s/d).

i.e. por imposto: foi desenhada toda uma nova estrutura centralizada e de raiz para o Centro de Cálculo do IVA, com um edifício completamente novo na Av. João XXI, cuja logística interna emulava a disposição das mais modernas empresas no sector privado. O impactante estilo arquitectónico do edifício (recentemente sob escrutíneo nos meios de comunicação pela possibilidade de conter amianto)[46] visava espelhar a imagem que a administração fiscal pretendia transmitir ao público: uma administração moderna, a par das melhores práticas a nível mundial e com autonomia na implementação das novas tecnologias de informação. Por isso, explicam os antigos dirigentes envolvidos no processo de desenvolvimento do IVA, toda a estrutura concebida para o novo imposto foi montada de raíz, seguindo uma lógica de centralização e com uma equipa de pessoas que não estavam ligadas ao anterior imposto de transações.

Na perspectiva de antigos dirigentes, a nova lógica organizacional do IVA teve um papel importante como motor de arranque da transformação dos fluxos de informação dentro da administração tributária: tradicionalmente, a liquidação dos impostos era efectuada pelas repartições de finanças e, como tal, os chefes de repartição controlavam a informação sobre os contribuintes. A centralização de procedimentos na nova estrutura do IVA iniciou o processo de deslocalização vertical da informação e de quebra do monopólio informacional pelas repartições. Instrumentos de leitura óptica, microfilmagem e os novos meios de tecnologia digital que se seguiram foram críticos para o processamento da avalanche de dados a nível central.

O processo de centralização da informação através do recurso a novas tecnologias foi reforçado na reforma doutrinária e legislativa que originou o novo Imposto sobre o Rendimento (IR) e a criação do Serviço de Informática Tributária (SIT), em 1988[47]. Emulando a lógica organizacional do IVA, o SIT desenvolveu o sistema centralizado de administração do IR (IRS e IRC), em que cada imposto era tratado separadamente, desde a declaração até à liquidação e cobrança, com suporte em rede de telecomunicações e terminais nalgumas repartições de finanças[48]. A aplicação das tecnologias de informação a um

46 Cf. http://visao.sapo.pt/o-misterio-do-amianto=f697629

47 Sobre a criação do Serviço de Informática Tributária (SIT), cf. Luís Vidigal "História do Instituto de Informática e das Tecnologias de Informação na Administração Pública", op. cit.; ver também Decreto-Lei n.º 6/88, de 15 de Janeiro e Decreto-Lei n.º 425/88, de 18 de Novembro. Os impostos sobre o rendimento singular (IRS) e colectivo (IRC), foram aprovados pelo Decreto-Lei 442-A/88, de 30 de Novembro e Decreto-Lei 442-B/88, de 30 de Novembro, respectivamente.

48 Entrevistas com antigos dirigentes da informática tributária

novo modelo de tributação de rendimentos que não tinha história "manual" representava por isso, na perspectiva de dirigentes envolvidos neste processo, o momento de viragem (*critical juncture*) de uma estrutura tradicional para uma cultura administrativa moderna.

O segundo grande passo na transformação da arquitectura do sistema organizacional tributário, baseada nas novas tecnologias de informação e comunicação, foi inspirado nos modelos de informatização bancária centrados no cliente, tal como sugere a escolha, por diferentes ministros das finanças, de profissionais do sector bancário para liderar o processo de informatização tributária – quer como Directores-Gerais da informática tributária, quer como Directores Gerais dos Impostos[49]. De acordo com um antigo dirigente da informática tributária, estas escolhas eram motivadas pela noção de que a organização fiscal tem um conjunto de características comparáveis com o sector bancário: a "rede capilar" das repartições de finanças e as diversas actividades económicas tributáveis de cada contribuinte são comparáveis, respectivamente, à rede de balcões dos bancos e aos diversos instrumentos financeiros à disposição dos clientes:

"Os impostos precisavam de adquirir a flexibilidade organizacional da banca e os decisores oriundos daquele sector tentavam ver de que forma os elementos que permitiram racionalização e ganhos de eficiência implementados após a privatização do sector eram aplicáveis no caso da administração tributária... [por outras palavras] o planeamento, arquitectura e desenvolvimento do sistema seria feito por equipas de projecto com uma perspectiva das várias áreas de negócio dos clientes, para garantir que o sistema funcionava de forma coerente[50].

Desenvolveu-se um modelo transversal de informatização, centrado na agregação da informação relativa às diferentes actividades económicas de cada contribuinte – em vez de estruturado verticalmente, em função de cada imposto – de forma a aumentar a eficácia na fiscalização e cobrança. O modelo

49 De acordo com os ex-drigentes da administração tributária entrevistados no âmbito deste estudo, houve pelo menos quatro Directores-Gerais na administração tributária oriundos de bancos privados: O Eng.° Ramos Lopes que liderou a DGITA entre 2003 e 2006, vinha do Banco Espírito Santo. O Arquitecto Luís Pinto foi nomeado em comissão de serviço, para Director do Serviço Informático Tributário em 1994, oriundo do Banco Totta & Açores e, mais tarde veio a ser Director-Geral da DGITA. O Dr. Paulo Azevedo exercia um cargo na equipa informática do Banco Sotto Mayor quando foi nomeado Director-Geral da DGCI e o Dr. Paulo Macedo vinha do BCP.

50 Entrevistas com ex-dirigente da informática tributária.

assenta na automatização dos procedimentos com suporte em ferramentas informáticas de escritório, i.e. Em postos individuais de trabalho (terminais de computador) com capacidade de processamento de toda a informação para cada contribuinte.

A entrega de declarações electrónicas pelos contribuintes constituiu o mais recente passo para a maturidade do sistema administrativo[51], reduzindo dramaticamente os custos de contexto: os contribuintes deixaram de ter de se deslocar aos balcões das finanças[52]. De acordo com um ex-líder da instituição, as primeiras declarações de IRS foram entregues pela internet em 1998[53]. Em 2007, foi iniciado o projecto de pré- preenchimento das declarações Modelo 3 do IRS, tendo sido expandidos desde então os dados pré-preenchidos[54]. Em 2010, segundo os dados publicados pelo Ministério das Finanças, foram pré-preenchidas 3 238 343 declarações Modelo 3 de IRS (mais 834 781 do que em 2009) e o envio de declarações pela Internet, em 2010, atingiu 4 181 124 declarações correspondendo a 80% do total de declarações recepcionadas (5 232 682)[55]. Nas palavras de um ex-dirigente da Direcção-Geral de Informática e Apoio aos Serviços Tributários e Aduaneiros: "Com esta transformação na arquitectura do sistema de suporte informático, encurta-se o ciclo operativo e reconfigura-se o modo como os funcionários trabalham. Os impressos são substituídos por ficheiros Word e os funcionários deixam de recolher papel e carimbar. A capacidade de reacção, intervenção e a flexibilidade da organização aumenta extraordinariamente[56]."

51 Para a definição de maturidade, cf. Santos (s/d).

52 Para uma análise sobre a utilização pelos utentes de instrumentos informáticos na gestão das suas responsabilidades em matéria de tributação, incluindo a percepção de benefícios e problemas sentidos pelos utilizadores, cf. Sistema Integrado de Apoio ao Contribuinte (SIAC), Análise do Questionário aos Utentes Internet 2005/2006.

53 Entrevista com antigo dirigente da informática tributária. As estatísticas da OCDE apontam o ano de 2000 como o primeiro em que foram utilizadas declarações electrónicas e há vários países que aparecem antes de Portugal: Alemanha, Argentina, Austrália, Canada, Chile, Dinamarca, Espanha, Estados Unidos, Holanda, Islândia, Itália, México, Noruega, Nova Zelândia. Cf. OECD Tax Administration Database, *Use of Electronic Devices*.

54 Cf. Gabinete do Secretário de Estado dos Assuntos Fiscais (2011, p. 16).

55 Id., p. 17.

56 Mais recentemente, na sequência da elaboração e aprovação do *Plano Estratégico para a Justiça e Eficácia Fiscal* (PEJEF) publicado em 2005, a administração tributária investiu particularmente no desenvolvimento de aplicações informáticas que têm por objectivo simplificar e automatizar procedimentos da justiça tributária. Cf. Inspecção Geral de Finanças (s/d) e também http://www.rcc.gov.pt/Directorio/Temas/MA/Paginas/Justiça-Tributária- Electrónica.aspx?master=RCC.Print.master

Além de reduzir custos administrativos e de contexto drasticamente, a centralização de informação e a possibilidade de cruzamento de dados através das tecnologias de informação proporcionaram grandes avanços no combate à evasão fiscal. O mais recente instrumento neste sentido é o muito debatido recibo electrónico que permite a obtenção de benefícios fiscais através da solicitação de *e*-factura contendo o número de identificação fiscal do comprador, aquando da aquisição de bens e serviços, e, em breve, tornará possível a participação automática em sorteios semanais de automóveis,. De acordo com um ex-dirigente da DGITA: "A campanha 'peça factura' transformou todos os intervenientes no ciclo de negócios em emissores e receptores de informação tributária e tenta contrariar comportamentos que reflectem permeabilidade social à evasão fiscal." Mais genericamente, e como veremos abaixo, o processo de reorganização do sistema através de informatização transversal centrada no contribuinte, e em rede, restruturou de forma avassaladora os fluxos de informação e monitorização dentro da instituição, minando "ilhas de poder" tradicionais e dificultando padrões de corrupção.

O Executivo e a Aparelho Burocrático: Rivalidades e a Moeda Orçamental

São abundantes nos estudos sobre administração pública as referências à complexa relação de poder entre o executivo e a máquina administrativa que o sustenta e as tentativas de captura de parte a parte[57]. Porque a administração tributária desempenha um papel crítico na arrecadação de recursos para o orçamento de Estado, os Ministros das Finanças – independentemente da ideologia político-partidária do governo – inevitavelmente atribuem muita importância à racionalização e eficiência da instituição. São raras as manifestações públicas e documentadas de incompatibilidade entre líderes da administração tributária e os responsáveis pelos assuntos fiscais no executivo. Apesar do aparente alinhamento de interesses entre o executivo – que pretende arrecadar – e a máquina operacional que suporta a colecta do Estado, em privado são bem visíveis divergências relativamente ao grau de autonomia

57 Cf. Niskanen (1971), Peters (2001), Pollitt e Bouckaert (2004), Peters e Pierre (2012).

administrativa, financeira e funcional da instituição face ao poder político. Nas palavras de um dirigente da administração tributária:

"Enquanto noutros países é delegada cada vez mais autoridade ao Director-Geral, em Portugal, cada governo que entra em funções vem com ideias novas e acha que a centralização no executivo é a panaceia de todos os males. Qualquer decisão que tenha de ser tomada está sujeita a inúmeros entraves, obstáculos e demoras porque os governos querem interferir das mais diversas formas. Não há comparação entre a delegação e autonomia que se verifica na hierarquia empresarial e a centralização do Estado."

Vejamos, por outro lado, a opinião de um ex-Secretário de Estado dos Assuntos Fiscais relativamente àquilo que considera serem as competências e missão da administração fiscal:

"As equipas políticas são escolhidas pelos eleitores. Estão lá para decidir com a sua cabeça e discernir o que é essencial e o que não é.... As propostas técnicas muitas vezes podem infernizar a vida das pessoas.... A pior coisa seria um Secretário de Estado deixar a administração decidir. Muitas vezes a administração só olha para o interesse da angariação da receita e seria uma captura do poder político pelo administrativo. A relação entre o executivo e a administração é sempre complexa. As equipas políticas são escolhidas, aterram de *pára-quedas* e a máquina tenta capturar o poder político. A Direcção-Geral diz: 'nós é que sabemos; nós é que temos experiência e vocês vão ver que estão errados'. Isto é sistematicamente a primeira coisa que acontece quando entra uma nova equipa ministerial."

À questão das competências da administração no desenvolvimento das políticas fiscais somam-se os debates em torno dos recursos de que a instituição dispõe para cumprir as suas responsabilidades de implementação, invariavelmente considerados insuficientes pelos seus dirigentes, à semelhança do que acontece noutras instituições públicas. Todos os dirigentes entrevistados se queixam das restrições orçamentais a que estiveram sujeitos durante o seu mandato e atribuem este problema, em larga medida, à necessidade que os Ministros das Finanças têm de apresentar publicamente o seu ministério como exemplo de frugalidade[58].

58 Os ex-dirigentes da instituição, tal como os sindicatos, protestam a logística e as condições de trabalho em repartições de finanças resultantes das questões orçamentais. Cf. http://www.jn.pt/paginainicial/pais/concelho.aspx?Distrito=Porto&Concelho=Porto&Option=Interior&content_id=1664235 e http://www.publico.pt/economia/jornal/manuela-ferreira-leite-demitiu-directorgeral-dos-impostos-187604

A importância que os líderes da instituição atribuem ao orçamento não é novidade para quem estuda administrações públicas: para estas, os orçamentos são a moeda de troca, tal como os votos constituem a moeda do mercado político-partidário[59]. Porque os recursos do Estado são escassos, o orçamento atribuído a cada instituição pública é quase sempre insuficiente para instrumentalizar os objectivos que os seus líderes ambicionam atingir, e o poder de controlar as decisões sobre afectação de recursos e prioridades torna-se crítico. Veremos a seguir como a batalha dos orçamentos gerou atritos institucionais entre a DGCI e entidades externas.

A Emergência de um Contra-Poder Operacional: A Direcção-Geral da Informática Tributária

A reforma do IR, publicada na sequência da entrada do país na (então) Comunidade Europeia e associada aos incentivos para a modernização e racionalização do sistema tributário proporcionou uma janela de oportunidade para o reforço da autonomização de competências administrativas e financeiras da DGCI[60]. Neste âmbito, foi criado em 1988 o Serviço de Informática Tributária (SIT) que transferiu para a DGCI o poder de decisão sobre a conceptualização, desenvolvimento e implementação das tecnologias de informação de suporte às suas actividades. A DGCI deixou de estar dependente do Instituto de Informática do Ministério das Finanças.

Apesar de constituir um passo marcante no sentido de autonomizar a capacidade de decisão da DGCI, o papel do SIT na implementação das tecnologias de informação envolvia uma gestão política delicada de equilíbrios de poder dentro da administração tributária. De acordo com ex-dirigentes da DGCI e do SIT, nesta fase tratava-se de um problema de resistência a novos processos: havia a percepção entre os funcionários da DGCI de uma "invasão" pelas tecnologias de informação, uma vez que não estavam habituados a utilizar computadores nas suas tarefas. A informatização implicava mudanças

59 É extensa a bibliografia sobre a importância dos orçamentos para as instituições públicas e nas relações entre estas e o executivo. Para um dos trabalhos pioneiros e mais citados neste âmbito, cf. Niskanen Jr. (1971).

60 Entrevistas com ex-dirigentes da DGCI e da DGITA.

importantes nas rotinas e na lógica funcional da organização. Era necessário criar uma dinâmica de aceitação dentro da instituição.

Esta transformação foi possível, na visão de um ex-dirigente da informática tributária, através do envolvimento intenso dos "*stakeholders*" no processo de restruturação tecnológica e organizacional. De acordo com este entrevistado, o Director-Geral dos Impostos realizava reuniões mensais com os Sub-Directores Gerais, Directores de unidades centrais e Directores distritais de finanças, nas quais eram debatidos os problemas, obstáculos, necessidades e soluções encontrados na introdução e expansão da rede e dos procedimentos informáticos. Quando necessário, o próprio Ministro das Finanças estava presente nas reuniões para reforçar a mensagem de que a informatização era inadiável e tinha de ser feita com urgência. Por sua vez, os directores desempenhavam um papel proactivo de motivação das unidades pelas quais eram responsáveis.

Estas considerações sugerem que o processo de informatização foi organizado "de cima para baixo" ("*top-down*"), cativando "nós essenciais" ("*nodes*") da cadeia hierárquica, de forma a disseminar e incentivar a adopção de inovações, soluções e instrumentos no sentido descendente e assegurando fluxos verticais de comunicação sobre problemas e ajustamentos necessários. Formação profissional intensa e mecanismos de solidariedade, entreajuda e imitação entre colegas foram essenciais para complementar estes incentivos e assegurar a utilização das novas tecnologias.

Em 1996, nova restruturação orgânica da administração tributária pelo Ministro das Finanças declarando, tal como as intervenções reformadoras que a antecederam e sucederam, o propósito de racionalizar a administração – autonomizou os serviços de informática tributária num órgão externo à DGCI que serviria não apenas esta direcção geral mas também a DGAIEC[61]. A perda do poder de decisão pela DGCI relativamente à alocação de recursos para assegurar instrumentos que eram essenciais no seu desempenho viria a gerar conflitos entre esta direcção geral e a nova Direcção-Geral de

61 A nova Lei Orgânica do Ministério das Finanças foi aprovada pelo Decreto-Lei n.º 158/96, de 3 de Setembro, cujo preâmbulo afirma que a autonomização das tarefas de concepção, desenvolvimento e implementação das tecnologias de informação numa entidade externa aumentaria a operacionalidade dos serviços de apoio informático. A natureza, atribuições, estrutura e funcionamento dos serviços da DGITA foram definidos no Decreto-Lei n.º 51/98, de 11 de Março.

Informática e Apoio aos Serviços Tributários e Aduaneiros (DGITA). Segundo um ex-dirigente da DGITA:

"Perante um orçamento limitado, o Director-geral da DGITA tinha de balançar as necessidades das Direcções gerais [DGCI e DGAIEC] e acomodar os pedidos atendendo a critérios de urgência e valor acrescentado, com o fim de melhorar os serviços. Este processo envolvia um jogo muito delicado de gabinete."

Alguns ex-dirigentes das duas instituições sugerem que as relações pessoais e a personalidade dos líderes foram importantes na gestão de diferentes interesses e na relação entre as direcções-gerais. Em períodos em que ambas organizações foram lideradas por indivíduos que tinham relações de trabalho e de amizade consolidadas através da sua actividade profissional anterior, as relações entre as direcções gerais desenvolviam-se de forma mais consensual. Na perspectiva de um ex-dirigente da informática tributária, a formalização de procedimentos e o envolvimento das Direcções gerais directamente interessadas no planeamento de actividades da DGITA proporcionavam "aprovação pelos clientes" e isso também contribuía para facilitar a gestão de atritos e o relacionamento entre as instituições. Neste sentido, afirma o mesmo dirigente, a DGITA seguia uma estratégia proactiva: "Tentávamos limitar estragos e evitar atritos desenvolvendo o plano de actividades com o acordo possível entre as partes. Era necessário esvaziar a noção de que a DGITA fazia o que queria, envolvendo os utilizadores através de formalização e troca de informações, quantificando a hierarquia dos pedidos e analisando a importância do seu impacto e a inter-relação entre pedidos. Estes cuidados metodológicos à volta do plano retiravam a carga emocional e tornavam o mecanismo de decisão objectivo. Era uma forma de orientar a actividade da DGITA por regras de mercado de prestação de serviços: avaliava-se a qualidade do serviço, faziam-se pontos de situação do estado dos projectos, criavam-se equipas de projecto que envolviam utilizadores que explicavam os seus problemas e dificuldades, aquilo que já se tinha conseguido, o que já estava em andamento e os elementos que faltavam. Estes mecanismos visavam criar transparência. O sistema de monitorização permitia averiguar se havia falhas e o reporting regular permitia avaliar como estava cada plano a avançar. A maior carga administrativa associada às compras centrais também implicava relatórios mensais sobre aquilo que estava em espera... [e isto mostrava que] as dificuldades da DGITA eram exógenas."

Ainda assim, o consenso tinha limites inultrapassáveis e a integração da DGITA na Autoridade Tributária e Aduaneira era, na visão de um Director-geral da DGCI, inevitável e necessária: "A DGITA comportava-se como um fornecedor que se sobrepunha ao cliente e cujas decisões sobre a conceptualização e desenvolvimento de novos instrumentos eram mais influenciadas pelas estruturas que já existiam do que pelos objectivos e prioridades da entidade que era suposto apoiar, i.e. A DGCI.... A estratégia de intervenção e as prioridades não podiam continuar a ser decididas por um órgão externo à DGCI.... As opções e prioridades tinham de ser estabelecidas internamente." Alguns antigos directores de serviços da DGCI enfatizam a divergência de perspectiva sobre prioridades, criticando com emoção o envolvimento da DGITA em projectos transversais da administração pública: "para nós não havia dinheiro; mas para outros não faltava."[62]. Outros sugerem que as frequentes alterações de normas no âmbito fiscal também contribuíram para o atrito entre as direcções gerais, uma vez que exigiam sempre a atribuição de prioridade máxima no realinhamento do sistema informático de forma a assegurar a sua implementação, deixando outros processos em espera.

Estas discussões reflectem dois problemas frequentemente associados à relação entre entidades de prestação de serviços e as organizações a quem esses serviços são prestados: o desajustamento entre os interesses do agente e do principal, por um lado; e a força quase determinística de tecnologias instaladas, associada aos custos (perdidos) de reforma tecnológica, por outro[63]. As batalhas orçamentais e a tentativa pela DGCI de retomar o controlo sobre as tecnologias de informação sugerem também uma transformação cultural na administração tributária: a informatização tinha deixado de assustar os funcionários e passou a ser vista pelos dirigentes como fonte de eficiência, eficácia e prestígio. Em relação a um aspecto, todos os ex-dirigentes da DGCI e da DGITA entrevistados estão de acordo: a resposta pela administração fiscal ao processamento de um gigantesco volume de contribuições e à complexidade e turbulência do sistema normativo são possíveis graças às tecnologias de infor-

62 Exemplo de um projecto transversal no qual a DGITA esteve intensamente envolvida e que implicou colaboração intensa e troca de informação com outras entidades da administração pública (nomeadamente a DGAIEC, a DG Viação, e o IMTT): a criação do documento único automóvel.

63 Para as origens dos estudos sobre *"principal agent"* e *"path dependence,"* cuja literatura se estendeu da literatura económica para as disciplinas de ciência política e administração pública, cf. Rees (1985), Stiglitz (1987), David (1985), Arthur (1994).

mação e comunicação. E não são apenas os dirigentes da DGCI que conotam a excelência de desempenho com a utilização das TICs: todos os entrevistados afirmam que a expansão e uso da rede informática pelas repartições de finanças disseminaram entre o público a percepção de que os mecanismos de controlo sobre a fraude tributária são cada vez mais eficazes. As restrições orçamentais da DGITA e as dificuldades de actualização de equipamentos começaram a criar constrangimentos na imagem pública da DGCI, cujos líderes tinham perdido o controlo do património tecnológico que os servia.

A Verticalização dos Fluxos de Informação e a Erosão de Ilhas de Poder

Uma instituição com pouca rotação de pessoal e cuja implementação de tarefas balizadas por serviços centrais depende de estruturas horizontais geograficamente dispersas é propícia à emergência de "ilhas de poder" que minam a liderança e prejudicam a missão colectiva. O desenvolvimento de fluxos de comunicação vertical que assegurem monitorização pelas estruturas centrais das actividades desenvolvidas a nível local, assim como a transmissão ascendente na cadeia hierárquica de informação sobre problemas e necessidades, é indispensável para prevenir ou desmantelar facções burocráticas com a capacidade de subverter recursos da organização para fins próprios[64]. Antes da informatização das repartições de finanças, os chefes das repartições controlavam os processos dos seus contribuintes e conseguiam filtrar a informação transmitida aos serviços centrais. Segundo contam vários entrevistados, entre pilhas e pilhas de papel que se acumulavam nas repartições, era fácil deixar prescrever processos sem que isso fosse detectado; eram também comuns histórias sobre "ajustamentos" (para baixo) na avaliação de contribuições industriais, a troco de gratificações e favores. O limite de anos imposto legalmente para a chefia de uma determinada repartição de finanças e a proibição de chefiar repartições no distrito de origem visavam colmatar este tipo de práticas ilícitas que constituíam fonte de discricionariedade face aos contribuintes[65]. Mas era muito difícil para as estruturas centrais

64 Esta é a definição do conceito de "ilhas de poder" por Portes e Marques (cf. introdução do livro). Relativamente à importância dos fluxos verticais de informação na capacidade de monitorização de serviços geograficamente dispersos, cf. Evans (2008).

65 Estas práticas são definidas como corrupção: "comportamentos desviantes que têm como objectivo obter uma vantagem indevida em troca de um acto ou de uma inacção." Cf. INA/DGAEP (2007, p. 99).

monitorizarem e sancionarem os procedimentos e relações das repartições de finanças com os contribuintes. É consensual entre os entrevistados que a informatização retirou às repartições de finanças a capacidade de controlar os fluxos de informação e, como tal, diminuiu muito a influência e poder dos seus chefes e funcionários a nível local[66]. Apesar de haver elementos de interpretação nos procedimentos que geram discricionariedade – uma vez que a interpretação ultrapassa a capacidade de standardização e mecanização dos sistemas informáticos – a possibilidade de cruzamento de dados e de mapear as intervenções (i.e. alterações de dados) no sistema informático dificultam a conivência de funcionários com fraude fiscal[67]. Todos os entrevistados afirmam que a "corrupção quotidiana" diminuiu drasticamente, mas enfatizam que a administração tributária continua a debater-se com grandes desafios na detecção de fraude fiscal no âmbito de grandes negócios[68].

66 Para mais sobre o papel da informatização no combate à fraude, cf. http://www.cpc.tcontas.pt/eventos/conferencias/2011-10-18/docs/doc04.pdf

67 Para casos de corrupção que foram detectados através das possibilidades de monitorização associadas à informatização, cf. http://www.tvi24.iol.pt/503/sociedade/financas-ministerio-publico-corrupcao-fisco-empresario-inspetores/1538726-4071.html; http://sol.sapo.pt/inicio/Sociedade/Interior.aspx?content_id=97636; http://www.jn.pt/PaginaInicial/Seguranca/Interior.aspx?content_id=2224267; http://www.jn.pt/PaginaInicial/Seguranca/Interior.aspx?content_id=2223800

68 Sobre a distinção entre "corrupção quotidiana", "corrupção ligada com o mundo de negócios" e "corrupção sofisticada e de influências," cf. http://info.portaldasfinancas.gov.pt/NR/rdonlyres/438B166B-E293-4B38-91EA- 9024AC481EF5/0/brochura_corrupcao.pdf Duas áreas que colocam grandes desafios para a administração são o controlo dos conteúdos dos contentores nas transacções internacionais e o reembolso do IVA. Cf. http://www.cpc.tcontas.pt/eventos/conferencias/2011-10-18/docs/doc04.pdf Recentemente foram também detectados e punidos negócios ilícitos na venda de bens penhorados pelo fisco. Cf. http://m.tvi24.iol.pt/economia/fisco-corrupcao-leiloes-do-fisco-leilao-dgci-financas/1315539-4058.html; http://www.dn.pt/especiais/interior.aspx?content_id=2228831&especial=Revistas%20de%20I mprensa&seccao=TV%20e%20MEDIA; http://economico.sapo.pt/noticias/fisco-alerta-para-riscos-de-corrupcao-nos-seus-servicos_78239.html

A automatização dos cálculos e procedimentos de liquidação através das tecnologias de informação proporcionou grande comodidade aos contribuintes que utilizam a plataforma electrónica disponibilizada pelas finanças para cumprimento das suas obrigações fiscais – e reduziu também os custos de contexto para a administração, possibilitando resposta célere ao gigantesco volume de procedimentos. Os benefícios em termos de eficiência e eficácia são indiscutíveis. Por outro lado, a proliferação de instrumentos sofisticados de controlo informático tem um impacto negativo sobre a equidade: todos os entrevistados afirmam que a administração é cada vez mais célere, controladora e eficaz na tributação dos pequenos contribuintes que ficam sujeitos "ao rolo compressor da máquina informática" e não dispõem de adequada defesa no caso de erros na tributação. Por outro lado, afirmam, os grandes contribuintes dispõem de recursos técnicos e financeiros para planear e reduzir a sua carga fiscal amplamente: a indústria de consultoria fiscal proporciona aos seus clientes uma panóplia de instrumentos financeiros sofisticados e operações internacionais complexas que aproveitam omissões legais para evitar tributação[69].

"Quando o pequeno contribuinte defrauda e é detectado paga uma liquidação adicional. O grande contribuinte não defrauda; planeia. Contrata uma das grandes empresas ("the Big Four") e muda a forma como paga salários, utiliza "pacotes", ou muda a sua sede fiscal para outro país"[70].

A informação obtida nas entrevistas sugere que a intransigência relativamente ao cumprimento das obrigações fiscais pelo pequeno contribuinte resulta de uma combinação de factores culturais, incentivos financeiros e limitações políticas. Na relação com o contribuinte, prevalecem atitudes de desconfiança e a presunção de que o cidadão tenta evadir o fisco e como tal, não tem razão quando protesta. Como afirma um líder da instituição:

"Quando entrei na instituição, verifiquei que os dirigentes tinham medo de dar razão ao contribuinte. Achavam que o contribuinte devia pagar e, se achasse

69 Para esquemas de planeamento fiscal agressivo detectados em 2010, cf. Gabinete do Secretário de Estado dos Assuntos Fiscais, Ministério das Finanças e Administração Pública (2011, p. 31-32).

70 Id. Note-se que a capacidade de colmatar evasão por transferências internacionais depende de estreita colaboração de entidades externas à administração tributária, nomeadamente o Ministério Público, a Polícia Judiciária, a Brigada Fiscal e o Banco de Portugal. Cf. Ministério das Finanças, *Plano Estratégico de Combate à Fraude e Evasão Fiscais e Aduaneiras 2012/2014*. Ver também http://pt.scribd.com/doc/129105748/Relacao-entre-lavagem-de-dinheiro- evasao-fiscal-e-paraisos-fiscais

que estava a pagar indevidamente, então deveria a tribunal contestar o que tinha pago, esperando o tempo que fosse necessário. Fizemos um grande esforço para mudar essa forma de ver o funcionamento da relação com o contribuinte."

Na visão de outros entrevistados, a cultura empresarial introduzida nas duas últimas décadas pelos modelos de administração pública baseados em quantificação de objectivos reforçou os incentivos à cobrança coerciva – cujo destinatário não é por norma o grande contribuinte. Já em 1997 a regulamentação do Fundo de Estabilização Tributário (FET) determinava que o seu activo – proveniente das receitas no âmbito de cobranças coercivas – é afecto ao pagamento de um suplemento salarial, com o objectivo de "estimular e compensar a produtividade do trabalho dos funcionários e agentes [da administração tributária]"[71].

Acima de tudo, os dirigentes da instituição atribuem a inequidade entre o pequeno e o grande contribuinte a omissões e cláusulas nas normas fiscais que ultrapassam a capacidade de intervenção da administração e jazem em escolhas políticas que permanecem independentemente da liderança político-partidária do executivo. No contexto de gestão pública orientada por resultados quantificáveis – e sempre declarando o objectivo de racionalizar a administração fiscal e de assegurar justiça na distribuição da carga fiscal, os executivos aprovam reformas orgânicas e alterações substantivas em velocidade estonteante – e todavia a capacidade de elisão pelo grande contribuinte mantém-se, ao contrário do pequeno contribuinte que percepciona as novas medidas como punitivas[72]. Também para a administração os efeitos da elisão fiscal são visíveis: na avaliação comparativa de desempenho, a autoridade tributária portuguesa continua a debater-se com um dos mais elevados custos de administração em função da colecta[73].

71 Cf. art. 3.°, n.°1, do Decreto-Lei n.° 335/97, de 2 de Dezembro. O preâmbulo do Decreto-Lei explica a lógica subjacente à atribuição de um suplemento salarial aos funcionários da administração tributária: "O elevado grau de especificidade das funções associadas à cobrança coerciva de impostos e a necessidade de ocorrer em tempo útil às solicitações daquele tipo de processos, bem como aos processos especiais de regularização de dívidas, exige um esforço adicional dos funcionários respectivos, os quais, aliás, são ainda confrontados com um volume considerável de processos e procedimentos cuja regularização para níveis compatíveis com uma administração fiscal moderna e justa só é possível com um empenhamento significativo dos seus intervenientes. O estímulo a este empenho encontra-se indexado, precisamente, ao volume de trabalho e esforço suplementares que estas tarefas exigem, para além dos procedimentos normais de funcionamento".

72 Neste sentido, encontram-se referências quase diárias nos meios de comunicação social.

73 Cf. também Gabinete do Secretário de Estado dos Assuntos Fiscais, Ministério das Finanças e Administração Pública (2011, p. 14).

A análise empírica desenvolvida nas secções anteriores permite-nos examinar o conjunto de factores propostos na introdução do livro como determinantes para o desempenho institucional. Relativamente à *meritocracia*, a análise longitudinal do desempenho institucional é muito positiva. Embora os entrevistados sugiram que existem muitos casos de familiares a trabalhar na instituição, a "informação privilegiada" da rede familiar aparenta funcionar apenas nível pré-concursal e não privilegia determinados candidatos em detrimento de outros que teriam mais mérito nos concursos de entrada e promoção na carreira. Estes são efectuados de forma isenta e de acordo com regras objectivas que visam testar o conhecimento dos candidatos.

Tal como esperado, sendo o pilar mestre da capacidade de sustentação financeira do Estado, a administração tributária tem demonstrado *abertura à inovação tecnológica*. Apesar de alguma resistência inicial pelos funcionários, a DGCI realizou, a partir de meados dos anos 1980s, um percurso notável de modernização e racionalização administrativa através da implementação de tecnologias de informação. Como vimos, todos os entrevistados sugerem que a informatização de procedimentos e cruzamento de informações reduziu drasticamente práticas de *corrupção*, associadas à capacidade pelos chefes das repartições de filtrar a informação transmitida na cadeia hierárquica vertical. Por isso, as repartições deixaram de funcionar como *ilhas de poder* dentro da instituição.

As boas relações entre os funcionários a nível da repartição e um conjunto de actores que estabelecem pontes com utentes – neste caso os técnicos oficiais de contas (TOC) e os revisores oficiais de contas (ROC) que assistem contribuintes no cumprimento das obrigações fiscais e cuja intervenção é obrigatória no caso de empresas com contabilidade organizada e com determinado volume de negócios – facilita o desempenho da instituição. Todavia, a administração tributária não revela *proactividade* no envolvimento do utente, através da implementação de campanhas de educação para a cidadania na área fiscal e da criação de mecanismos de protecção ao contribuinte em caso de erro. Segundo alguns dirigentes, a abordagem de "o medo guarda a vinha"[74]

74 Cf. no mesmo sentido Relatório do Gabinete do Secretário de Estado dos Assuntos Fiscais, Ministério das Finanças e Administração Pública (2011, p. 18): "Estudos sociológicos demonstram que a percepção social do risco está directamente correlacionada com o cumprimento voluntário, pelo que é exigível que a AF tenha uma atitude reactiva rápida relativamente às situações de incumprimento".

prevalece porque a pressão imposta pelo Ministério das Finanças para racionalização e maximização de recursos obriga a canalizar o orçamento da instituição para instrumentos de retorno imediato; "programas de educação cívica demoram tempo a surtir efeito nas mentalidades e na arrecadação", afirmam. No mesmo sentido, todos os dirigentes da instituição entrevistados no âmbito deste projecto sugerem que, apesar do seu papel na arrecadação de recursos para o orçamento de Estado, os recursos financeiros disponibilizados pelo Ministério das Finanças nunca foram suficientes para a prossecução das metas.

O Contra-poder

A Autoridade Tributária e Aduaneira é a pérola incontornável da subsistência do Estado. Por isso é tão importante, quer para os seus dirigentes, quer para os executivos que estes servem, racionalizar procedimentos, de forma a aumentar a sua eficácia, tentando reduzir tanto quanto possível a diferença entre o montante máximo que pode ser arrecadado de acordo com a legislação tributária e o montante que é de facto colectado. Na corrida para maximizar receitas, "a boa administração através de actos individuais ou de massa das autoridades tributárias depende decisivamente de uma prévia e adequada organização dos meios administrativos. Significa isto que, na prossecução do interesse público, a administração tributária se deve reger não só por princípios de legalidade, igualdade, proporcionalidade, justiça, imparcialidade, descentralização e desconcentração, racionalização e desburocratização, participação dos interessados e transparência mas também por princípios de boa gestão e de excelência dos serviços prestados."[75].

A elevada qualidade de atendimento pelos funcionários da administração tributária que lidam directamente com o público não é correspondida pela "máquina" legislativa e o suporte informático e processual que a mecanizam: o pequeno contribuinte – e muito em particular o trabalhador por conta de outrem – é tratado como um número; os processos e procedimentos que lhe dizem respeito são automatizados, com enorme eficácia e sem defesa em caso de erro, no contexto de um sistema judicial moroso. Princípios de sigilo, rigidez no cumprimento processual e a prossecução draconiana de metas

75 Preâmbulo do Decreto-Lei n.º 376/99 de 21 de Setembro.

quantificáveis prevalecem em detrimento de deveres de transparência, equidade e justiça que em teoria pautam a actividade da administração pública. A ausência de instrumentos que proporcionem ao pequeno contribuinte capacidade de defesa célere e imparcial em situações de erro reproduz a percepção entre os cidadãos de uma administração que é injusta, que penaliza a camada populacional com menor literacia, aqueles que mais necessitam de apoio e diálogo social. Esta percepção é partilhada por muitos técnicos que desenvolveram a sua carreira na instituição: Ao longo de 170h de entrevistas a antigos dirigentes da administração tributária ouvi repetidamente a pergunta: "Porque é que o pequeno contribuinte é o alvo primordial de pressão e controle fiscal? Quais as implicações de políticas que facilitam a capacidade de elisão por grandes contribuintes e penalizam os pequenos? O que podemos esperar relativamente ao desenvolvimento da classe média e ao crescimento económico?" A desigualdade entre pequenos e grandes contribuintes induz a percepção social de uma administração autoritária e distante e afecta a legitimidade da sua missão institutional.

Avaliações

	Escala binária	Escala 1-5
I. Recrutamento e promoção meritocráticos	1	4.5
II. Imunidade a subornos e a interesses especiais	1	4
III. Ausência de "ilhas de poder"	1	4
IV Proactividade	0	3.5
V Flexibilidade tecnológica e abertura à inovação	1	4.5
VI Poder, da própria organização ou dos seus aliados, para impedir que seja capturada por interesses particulares das classes dominantes	0	3
O1 Correspondência entre a estrutura organizacional e os manuais institucionais originais	1	4
O2 Contribuição específica e significativa para as metas do desenvolvimento	0	3.5

Agradecimentos

A autora agradece as 170h de entrevistas concedidas por ex-dirigentes da Direcção- Geral dos Impostos e da Direcção-Geral de Informática e Apoio aos Serviços Tributários e Aduaneiros, ex-Secretários de Estado dos Assuntos Fiscais, ex-funcionários da Inspecção Geral de Finanças, Revisores e Técnicos Oficiais de Contas, fiscalistas, empresários. A redacção do capítulo visa manter total anonimato dos entrevistados, referindo apenas a categoria ocupacional genérica da/o entrevistado em cada citação. Contacto: ana.maria.evans@ics.ul.pt.

Referências

ARTHUR, W. Brian (1994), *Increasing Returns and Path Dependence in the Economy*, Ann Arbor, Michigan: University of Michigan Press.

COMISSÃO Técnica do PRACE (2006), Programa de Restruturação da Administração Central do Estado, *Relatório Final da Comissão Técnica do PRACE V/4 Micro-Estruturas, 4 – MFAP, Ministério das Finanças e da Administração Pública*, Julho de 2006

COSTA, Adriano (s/d), "O Instituto de Informática: 20 Anos ao Serviço do Ministério das Finanças", disponível em: http://www.inst-informatica.pt/o-instituto/factos--historicos/publicacoes/revista-informacao-informatica/Revista20.pdf

DAVID, Paul (1985). "Clio and the Economics of QWERTY", *American Economic Review.*

DIRECÇÃO Geral dos Impostos (s/d), *Relatório de Actividades de 2010*

EVANS, Ana Maria (2008) "Preemptive Modernization and the Politics of Sectoral Defense: Adjustment to Globalization in the Portuguese Pharmacy Sector". *Comparative Polics*, vol. 40, n.º 3, pp. 253-272.

EXPRESSO (2010), "Administração Fiscal Perdeu 439 Funcionários" (Caderno de Economia), 7 de Julho de 2010.

FERREIRA, Mónica Velosa, "A Criação da Autoridade Tributária e Aduaneira", *Revista de Finanças Públicas e Direito Fiscal*, Ano V, n.º 1, Primavera 2012

GABINETE do Secretário de Estado dos Assuntos Fiscais, Ministério das Finanças e Administração Pública, *Combate à Fraude e Evasão Fiscais de 2010: Relatório de Actividades Desenvolvidas*, Junho de 2011, p. 31-32

INA/DGAEP, *Estudo Comparado de Regimes de Emprego Público em Países Europeus – Relatório Final*, 20 de Abril de 2007, p. 99

INSPECÇÃO Geral de Finanças (s/d), *Auditoria ao Sistema de Gestão e Avaliação de Resultados da Intervenção da DGCI no Âmbito das Execuções Fiscais, Relatório n.º 347/2009*

MINISTÉRIO das Finanças, *Conta Geral do Estado*, Ano de 2012, vol. 1

NISKANEN Jr., William A. (1971) *Bureaucracy and Representative Government.* Chicago e Nova Iorque: Aldine-Atherton, Inc.

OECD (2013), *Tax Administration 2013: Comparative Information on OECD and other Advanced and Emerging Economies*, OECD Publishing

PETERS, B. Guy (2001) *The Politics of Bureaucracy: An Introduction to Comparative Administration*, 5.ª edição. Londres & NI: Routledge.

PETERS, B. Guy e Jon Pierre (2012) *The SAGE Handbook of Public Administration.*

POLLITT, Christopher e Geert Bouckaert (2004) *Public Management Reform: A Comparative Analysis.* NI e Oxford: Oxford University Press.

REES, Ray (1985) "The Theory of Principal and Agent—Part I" *Bulletin of Economic Research*, 37 (1), pp- 3-26.

SANTOS, António Carlos dos, "Planeamento Fiscal: Conceito, Figuras Afins, Limites". Porto, 10 de Outubro de 2008

SANTOS, Maribel (s/d), "Evolução da Função SI: Uma Avaliação nos Serviços de Informática de Grande Dimensão, disponível em http://www.inst- informatica.pt/o-instituto/factos-historicos/publicacoes/revista-informacao- informatica/Revista20.pdf

SECRETÁRIO de Estado da Administração Pública (s/d), *Plano de Redução e Melhoria da Administração Central: Relatório Final de Aplicação*

STIGLITZ, Joseph (1987) "Principal and Agent", *The New Palgrave: A Dictionary of Economics*, vol. 3, pp. 966-71.

TOMAZ, João José Amaral (2011), *Contributo para as Comemorações dos 160 anos da DGCI*, Cadernos de Ciência e Técnica Fiscal n.° 211, Lisboa: Centro de Estudos Fiscais e Aduaneiros.

VIDIGAL, Luís (s/d), "História do Instituto de Informática e das Tecnologias de Informação na Administração Pública," disponível para consulta em: http://www.inst-informatica.pt/o-instituto/factos-historicos/historia-do-ii/Historia_II.pdf

Capítulo 3

Estudo de caso: NYSE Euronext Lisbon

Miguel de Pompeia

Nota prévia: O presente estudo, terminado em Julho de 2013, centrou-se na instituição então designada por "NYSE Euronext Lisbon". Entretanto, em Julho de 2014, a "NYSE Euronext", da qual a Bolsa de Lisboa fazia parte, separou-se em duas entidades, a "NYSE" e a "Euronext" (esta última englobando as Bolsas de Paris, Amesterdão, Bruxelas e Lisboa) pelo que a designação usada no presente estudo, "NYSE Euronext", se refere à instituição agora designada por "Euronext". Dado o tempo transcorrido entre o fim do estudo e a sua publicação, e as alterações entretanto verificadas na instituição estudada, algumas informações não estarão inteiramente actualizadas.

Da Importância e do Papel das Bolsas

O presente estudo, realizado nos mesmos moldes de um trabalho anterior feito na América Latina (Portes, 2009), destina-se a avaliar a adequação das instituições ao seu papel (segundo indicado nos seus respectivos estatutos) e o contributo que as mesmas, dentro da sua esfera de actividade, aportam ao desenvolvimento nacional.

A Bolsa, no papel que se supõe que deve assumir como um dos pilares do funcionamento de uma economia moderna, inserida num mercado globalizado, nomeadamente enquanto fonte de financiamento da mesma e de retorno para os investidores, é como tal uma das principais instituições a ser analisada dado o seu enorme potencial de contribuição para esse desenvolvimento.

Com efeito, o papel central que as Bolsas assumem em certas economias, como as anglo-saxónicas (Reino Unido e EUA), explicam também em parte o desenvolvimento e dinamismo dessas economias (Davis, 2012). É sabido que, para uma economia funcionar, é fundamental o acesso ao capital, e em condições vantajosas para as empresas.

Não só isso mas, ao canalizarem também as poupanças dos investidores particulares e institucionais e fornecerem-lhes uma rentabilidade historicamente difícil de igualar por outros activos (taxas médias anualizadas de 8%), contribuem também dessa forma para o aumento do rendimento disponível dos investidores.

A Bolsa é, antes de mais, um instrumento que põe em contacto as empresas, entidades emitentes que precisam de financiamento, e os investidores, que podem canalizar esse financiamento para as empresas como alternativa ou como adicional ao financiamento bancário e a outras fontes de financiamento[1]. Mesmo enquanto fonte de financiamento a Bolsa tem características muito específicas e diferentes dessas outras alternativas.

Para além desse contributo para o financiamento do capital das empresas, a Bolsa serve também como facilitador para instrumentos de dívida, nomeadamente emissões de obrigações, onde o financiamento de capitais permanentes também pode ser bastante relevante, em particular em alturas de crise, como a que agora muitos países, incluindo o nosso, atravessam e em que a escassez de fundos alternativos e a aversão ao risco são maiores.

A Bolsa aporta ainda outros benefícios muito relevantes também mas que muitas vezes não são devidamente valorizados como por exemplo o facto de funcionar como um mecanismo de "*price discovery*", ou seja, um mecanismo de formação de preços que serve, não apenas aqueles que negoceiam em Bolsa, isto é, os emitentes e os investidores que actuam directamente no mercado, mas também inúmeros outros agentes económicos que utilizam os preços de referência da Bolsa para fazerem transacções sobre partes de capital ou sobre instrumentos de dívida de montantes por vezes muito mais elevados do que os efectuados na própria Bolsa. Exemplo disso são as negociações directas entre empresas, entre empresas e investidores, entre empresas e bancos ou entre accionistas e que se fazem por referência ao preço da Bolsa.

Se a Bolsa não existisse, seria muito mais difícil conseguir encontrar um preço de referência consensual até pelo risco de existir informação privada, confidencial, que a empresa não divulgasse o que tornaria muito mais difícil qualquer transacção.

Outro dos benefícios que os mercados regulamentados acabam por proporcionar é o de melhorar o patamar de evolução das empresas cotadas isto

1 Foram integrados nesta parte do trabalho excertos da entrevista feita à Dra. Isabel Ucha (2013).

porque as empresas, para estarem cotadas, têm que obedecer a uma série de requisitos, têm que desenvolver um sistema de organização, um sistema de reporte de informação, um sistema de transparência, um compromisso com a estratégia e com o divulgar a estratégia, que é publicamente assumida, o que obriga a uma maturação das empresas que recorrem a esta forma de financiamento. No fundo só as empresas que sabem precisamente o que querem e para onde vão é que acabam por tomar a decisão de entrar em Bolsa.

Existe também todo o escrutínio feito pelos investidores, analistas financeiros, jornalistas e outros agentes que seguem muito de perto a actividade destas empresas e que acabam por obrigar a gestão dessas empresas a ter um comportamento e uma atitude muito mais organizada e estruturada e mesmo mais responsável uma vez que quem investe o seu dinheiro quer ver a evolução, o progresso, e aquilo que está a ser feito para rentabilizar o seu investimento. Além disso, querem também ter acesso a essa informação de forma atempada. Como tal, estar cotado obriga, sobretudo as pequenas e médias empresas, a esta evolução, a esta responsabilização, a este crescimento, a desenvolverem-se, a tornarem-se mais maduras.

Todas estas obrigações de reporte e escrutínio a que estão submetidas implicam igualmente a redução drástica de práticas, digamos, menos transparentes, que existem em empresas ou economias menos desenvolvidas e em sectores onde essas práticas são dominantes. Como tal, as empresas, ou o universo de empresas cotadas em Bolsa é, no fundo, forçado a adoptar aquilo a que se chamam boas práticas, que vão desde a *governance*, ao reporte, a princípios de ética e transparência, relações com os seus colaboradores, ou seja, toda uma responsabilidade corporativa, que são tudo termos e práticas que podendo existir em empresas não cotadas, não são vistas como tão prementes (Davis, 2012). Ao mesmo tempo essas empresas servem como *benchmarks*, isto é, padrões de referência para outras do mesmo sector que não se encontrando cotadas, sabem que, se se quiserem cotar, terão que atingir esses níveis de práticas.

Desde logo, e por todas estas questões, o estar cotado confere – e é esse um dos motivos pelos quais algumas empresas querem cotar-se – uma aura de credibilidade à própria empresa que é extremamente importante quando se procura entrar em certos mercados ou conseguir novos clientes. Ao estar cotada num mercado de referência, como é o caso da *NYSE Euronext Lisbon*, uma empresa adquire uma espécie de selo de garantia dado esse facto indiciar toda essa política de boas práticas, de transparência, de organização e de escrutínio, o que, logo aí, lhe empresta toda essa credibilidade. Este aspecto da credibilização é muitas vezes relegado para segundo plano mas é um dos principais motivos que leva empresas que não precisam de se financiar através da Bolsa, a procurar cotar-se.

Outro benefício, e em parte relacionado com este último, é o da visibilidade e notoriedade resultantes de se estar cotado em Bolsa. Uma empresa que queira ganhar visibilidade, notoriedade e credibilidade pode achar mais eficiente fazê-lo através de uma cotação, que aparece nos jornais, é falada nas notícias, do que através de uma campanha de marketing ou publicidade.

Breve Historial da Bolsa Portuguesa

Neste estudo fazemos apenas uma pequena incursão histórica ao trajecto da Bolsa portuguesa, não aprofundando o tema, não só porque existem publicações especializadas no mesmo, mas sobretudo porque a Bolsa actual em Portugal não é um reflexo das suas centenas de anos de história, mas antes o resultado das profundas alterações introduzidas nas últimas duas décadas e que deixaram poucos, ou nenhuns, resquícios do que foi a Bolsa nos seus primórdios. Como tal, ao contrário dos estudos feitos na América Latina por Portes e colaboradores, admitimos que a história aqui não será crucial para se entender a evolução e o actual momento da Bolsa portuguesa.

Com efeito, sendo o passado muitas vezes uma chave indispensável para se conhecer o tempo presente, neste caso não será tanto o funcionamento passado da Bolsa Portuguesa que nos ajudará a perceber o seu momento actual, mas sim o funcionamento e a estrutura tradicional e histórica da economia portuguesa.

David Justino coloca a hipótese de «o termo *bolsa* ter como origem, pelo menos no caso português, o particular processo de institucionalização do mercado e a organização dos corretores de mercadorias» (Justino, 1994: 27), datando a primeira referência à "Casa dos Corretores"[2] de 1524[3].

2 O local de reunião de muitos corretores e estrangeiros que frequentavam o porto de Lisboa, o local onde se poderia encontrar o escrivão da Bolsa e ainda o local onde se poderiam encontrar os livros de registo das transacções de valores efectuadas na altura (Justino, 1994).

3 Apesar de, nas *Posturas da Câmara de Lisboa*, se afirmar que as primeiras referências escritas relativas a corretores na cidade de Lisboa remontam, pelo menos, a princípios do século XIV (Machado, 1974,

Em termos globais, sustenta-se a ideia de que a Bolsa surgiu da necessidade do mercado, a qual nasce da demanda colectiva e não por determinação legal (Filho, 1986). O carácter de informalidade que lhe está assim implícito, e que acaba por ser a sua marca-d'água, como explica David Justino (1994), acaba por revelar que, apesar da importância histórica dos corretores em Portugal, a actividade que desenvolveram nos séculos seguintes não acompanhou as exigências do progresso económico registado na Europa, confinando o país a uma sucessiva incapacidade de estruturar o mercado no sentido da modernidade até meados do século XVIII. Altura em que a intervenção do Marquês de Pombal - com a instituição da Junta de Comércio - altera de forma significativa a situação de desfavor dos mercadores e negociantes de Lisboa. No período pombalino, «se um novo mercado se afirma pelos produtos, também é certo que o faz por novos agentes, ou, numa outra perspectiva, por agentes desempenhando novos papéis, orientados por valores inovadores e, acima de tudo, por um novo conjunto de práticas comerciais que tendem a estruturar o mercado» (Justino, 1994: 65).

Um novo e importante marco dá-se a 1 de Janeiro de 1769 com a criação da "Assembleia dos Homens de Negócios" em Lisboa. De acordo com a página oficial da *NYSE Euronext*[4], esta organização terá sido, de facto, aquela que deu origem à instituição que posteriormente viria a ser designada por Bolsa de Lisboa. Em 1891, dá-se a criação da Bolsa de Valores do Porto.

Segundo Fernando Teixeira dos Santos, antigo presidente da CMVM e posteriormente Ministro das Finanças, «[n]o início da década de 1990 o mercado de capitais português apresentava-se num estádio de relativo subdesenvolvimento. Era fundamentalmente um mercado de reduzida liquidez, onde o conceito de supervisão e de regulação ainda não estava assimilado no espírito dos investidores, intermediários financeiros e empresas cotadas e em que o seu funcionamento dependia muito da boa vontade de alguns» (Teixeira dos Santos, 2001).

Só nessa década, com a publicação do Código do Mercado de Valores Mobiliários, a criação da Comissão do Mercado de Valores Mobiliários e também da Interbolsa (criação da Central de Valores Mobiliários) é que são

cit. in Justino, 1994).

4 https://www.euronext.com/pt-pt/markets/nyse-euronext/lisbon

dados vários passos significativos para modernizar e preparar o futuro desenvolvimento da Bolsa nacional.

Neste processo de modernização, um dos momentos mais marcantes da dinâmica da Bolsa enquanto empresa foi o relacionado com a desmutualização, com a Bolsa a deixar de ser uma entidade que tinha por finalidade prestar serviços à comunidade que servia, para passar a ser uma entidade com um objectivo de lucro, ou seja, deixou de haver um alinhamento necessário com os objectivos desse grupo inicial e começa a haver o alinhamento com os objectivos dos accionistas.

Em 1996 dá-se início à negociação de produtos derivados (contratos de futuros) na Bolsa de Derivados do Porto e, em 1999, dá-se a fusão da Bolsa de Lisboa com a Bolsa de Derivados do Porto, dando origem à Bolsa de Valores de Lisboa e Porto (BVLP). Em 2002, a BVLP junta-se à recém-criada *Euronext* (2000), a primeira bolsa pan-europeia, resultado da fusão entre as Bolsas de Amesterdão, Paris e Bruxelas.

Em 2007 dá-se a fusão entre o Grupo *NYSE (New York Stock Exchange)* e a *Euronext* criando-se o Grupo *NYSE Euronext*, a maior bolsa a nível mundial e cuja capitalização bolsista agregada dos emitentes cotados é maior do que a combinação das quatro bolsas seguintes (Londres, Tóquio, Nasdaq e a SXW). A inclusão na *Euronext*, e particularmente a fusão desta com a *NYSE*, permitiu ao mercado português beneficiar de importantes avanços tecnológicos com a implementação de um novo sistema de conectividade (SFTI) e uma nova plataforma de negociação (designada *Universal Trading Platform*) que viria a ficar totalmente operacional em 2010.

Esta realidade foi de extrema relevância para a comunidade financeira nacional, na medida em que permitiu colocar a Bolsa portuguesa no centro da inovação tecnológica e da atenção dos mais relevantes investidores e intermediários financeiros. Com a integração na *NYSE Euronext* os emitentes nacionais passaram também a ter vários mercados, com diferentes exigências, onde cotar os seus produtos financeiros.

Em 2013 a *NYSE Euronext* é comprada pela *ICE – Intercontinental Exchange*, no que se irá certamente revelar como um novo capítulo para a Bolsa nacional. A ICE é uma Bolsa de derivados cujo interesse na *NYSE Euronext* se prendeu precisamente com a aquisição da *Liffe*, a subsidiária da *NYSE Euronext* para a área de derivados, e com isso ganhar uma forte posição no mercado europeu de derivados. Como tal, sendo patente a todos os actores do mercado que não há qualquer interesse por parte da ICE em manter o mercado de acções europeu, ou seja, a *Euronext*, o grande desafio, talvez o maior até agora, da Bolsa portuguesa, será saber qual o seu destino. Depois de feito o *spin off*, ou seja, a venda da *Euronext*, resta saber se cada Bolsa que a integra voltará a estar isolada e por sua conta ou se se integrará em alguma outra solução, seja ela uma fusão com outra das bolsas do anterior grupo, seja uma incorporação na *Deutsche Börse*. Sendo, infelizmente, periférica e com uma diminuta expressividade, a Bolsa portuguesa não terá muito a dizer no que toca a escolher o seu futuro, quer no que toca à forma que o mesmo assumirá, quer, depois de ter assumido essa forma, o que será feito a partir daí.

Algumas das estruturas em que há a possibilidade de virmos a integrar-nos são tão grandes em comparação com a nossa que corremos o risco de ter pouco a dizer relativamente à sua futura direcção. Veremos se este novo passo não representará um retrocesso relativamente ao que foi até agora conseguido e se não estará de facto na altura de pensar em aumentarmos de dimensão, de molde a tornarmo-nos de facto mais relevantes e podermos ter alguma palavra a dizer. Há vários passos que foram já pensados para se promover este aumento de dimensão e que discutiremos mais adiante.

Actualmente, a *Euronext Lisbon* integra como índices principais o *PSI-20*, o *PSI-20 TR – PSI Total Return* e o *PSI* – Geral o qual é desagregado em vários índices representativos de diversos ramos de actividade.

Altos e Baixos

Após a brevíssima síntese que fizemos do historial da Bolsa nacional em termos de alterações à sua estrutura, analisaremos agora, com mais detalhe, alguns dos pontos marcantes dos últimos cerca de 40 anos numa tentativa de captar a lógica do funcionamento do mercado de capitais em Portugal.

O horizonte temporal de 40 anos não é escolhido por acaso. Este é o tempo que está na memória histórica de alguns dos actores do mercado pelos vários acontecimentos que tiveram lugar nessa altura, entre os quais os primeiros ensaios de uma espécie de capitalismo popular no início dos anos 70 do Séc. XX, a que se seguiu o choque do petróleo em 1973 e a Revolução dos Cravos em 1974, todos factores que deixaram marcas na memória colectiva de quem já nessa altura se aventurava nesta área, memória essa que passou também para os seus descendentes (Costa e Mata, 2009). Como refere Teixeira dos Santos (2001), as décadas de 70 e 80 ficaram, para o mercado de capitais, definitivamente marcadas por períodos de convulsões, em que a possibilidade de consolidação das diferentes estruturas era remota.

Em qualquer país com um mercado de capitais, a momentos de euforia e especulação seguem-se invariavelmente alturas de queda de valores, perda de activos e diminuição dos volumes de negociação. A grande diferença entre sociedades onde o mercado de capitais está bastante desenvolvido e as outras, onde não existe de facto esse mercado de capitais desenvolvido, é que, nas primeiras, esses movimentos são parte do normal fluxo do mercado, e nas outras são os momentos capitais no funcionamento dos mesmos. São muitas vezes os únicos momentos em que o cidadão comum se dá conta de que o seu país tem afinal uma Bolsa de Valores.

Ou seja, no primeiro caso, e não negando a existência de maior atracção por parte de maiores franjas da população nessas alturas de euforia, o que se verifica é que há, apesar disso, um pulsar normal, regular, do mercado, que desenvolve constantemente o seu papel de financiador da economia, e que, depois, durante uns breves períodos, os tais períodos de euforia, assume também um papel de atracção de especuladores e neófitos de todas as esferas da sociedade. No segundo caso, o mercado em si passa o tempo inteiro numa certa apatia, num estado anémico, só animando de facto nas alturas de especulação ou de algum, ou alguns, acontecimentos significativos, para voltar, logo a seguir, a esse torpor letárgico que é, no fundo, o seu estado basal.

Pese embora o enorme esforço que a equipa que está actualmente na Bolsa tem feito nos últimos anos para alterar esse estado de coisas, e falando em termos históricos, a Bolsa portuguesa sempre esteve nesse último caso, opinião esta partilhada pelo Director-Executivo da Associação de Empresas Emitentes de Valores Cotados em Mercado (Ferreira, 2013). Basta referir que os pontos altos da Bolsa, as alturas em que fervilhou de actividade, coincidiram, não por acaso, com as alturas de especulação internacional. Nas outras alturas, deu-se pouco por ela[5].

5. Naturalmente que a nossa Bolsa, a par das outras bolsas mundiais, e particularmente as bolsas dos países desenvolvidos, sempre teve uma correlação fortíssima com a Bolsa de Nova Iorque. O que queremos dizer é que enquanto as bolsas dos países desenvolvidos continuam a ter uma actividade, que não se

Em súmula, e falando dos episódios relevantes dos últimos 40 anos, tivemos os anos imediatamente anteriores ao início da década de 70 do Séc. XX, em que se assistiu a uma euforia nos mercados internacionais e a um surgimento, no país, de uma espécie de capitalismo popular (Teixeira dos Santos, 2001). Este deveu-se a algum desenvolvimento industrial e culminou com a crise do petróleo em 1973 e a queda das Bolsas. Por cá, esses acontecimentos foram agravados com a Revolução dos Cravos, em 1974, que ditou o encerramento da Bolsa, que só viria a reabrir dois anos depois, em 1976, e apenas na vertente de transacção de Obrigações do Tesouro. Só no ano seguinte foi autorizada a negociar outros activos, mas dada a política de nacionalizações que tinha sido seguida, não haviam de facto sobrado muitos.

Com efeito, com a Revolução dos Cravos e a viragem à esquerda no país, assistiu-se, entre 1974 e 1975, a uma vaga de nacionalizações. Muitos empresários fugiram do país e a vasta maioria dos investidores perdeu os seus investimentos o que deixou indeléveis marcas que, muitos anos depois, ainda continuam presentes.

A Bolsa viveu então um período de apatia que só terminou quando se iniciou o processo de privatizações, sensivelmente, a partir de meados da década de 80 (Gráfico 1). A partir daí, de 1985, assistiu-se a nova euforia bolsista internacional e que terminou cá com o famoso "gato por lebre", uma expressão usada em 1987 pelo então Primeiro-Ministro, Aníbal Cavaco Silva, referindo-se aos negócios que se estavam a fazer na Bolsa nacional. A quebra foi agravada pelo *crash* de 1987 na Bolsa de Nova Iorque. Apesar disso, a política de privatizações foi seguida em força na década de 1990 já que o governo da altura privilegiou a Bolsa enquanto instrumento fundamental do desenvolvimento da economia. Enquanto que, até 1987, apenas pequenas franjas da sociedade com mais disponibilidade financeira e investidores especializados é que tinham investido no mercado de capitais, com o advento das privatizações das empresas nacionalizadas aquando da Revolução dos Cravos de 1974, assistiu-se de facto a um capitalismo popular e a uma correria maciça às mesmas, tendo a vasta maioria dos investidores obtido muito bons retornos. Depois de uma redução no número de privatizações e com os ganhos das últimas a não serem expressivos, deu-se nova acalmia no mercado.

aproximando nunca da dos valores transaccionados em Londres ou nos EUA, é significativa, a nossa Bolsa só em alturas de euforia, nacional ou internacional, é que registou alguma actividade mais notória.

A partir de finais da década de 90, assistiu-se a nova bolha especulativa internacional, desta feita tendo como motor central o índice tecnológico americano (*Nasdaq*). Uma nova geração de investidores nacionais atirou-se "de cabeça" para o mercado, a vasta maioria sem quaisquer conhecimentos de Bolsa, influenciados apenas pelos rumores especulativos e pelas notícias vindas do exterior. A essa bolha seguiu-se, naturalmente, nova queda nos mercados – o *Nasdaq*, treze anos volvidos sobre esses acontecimentos, ainda não voltou aos valores atingidos nessa altura – e a nossa Bolsa entra, mais uma vez, no seu torpor habitual. Secaram as privatizações, secou a especulação, secou-se a vontade e a apetência pelo investimento.

Em síntese, temos portanto três episódios que deixaram marcas na memória colectiva dos investidores. O primeiro foi a perda integral dos activos detidos aquando das nacionalizações em 1974; o segundo, o *crash* de 1987, antecedido do "gato por lebre"; e em terceiro, o estoirar da bolha especulativa no início de 2000.

Na segunda metade da década de 1990, o nosso país adoptou políticas públicas no sentido da convergência para a entrada no Euro e esse processo, que culminou na adopção da moeda única, com todas as consequências que a mesma teve a nível de risco cambial e das taxas de juro, levou a que a economia portuguesa pudesse beneficiar de taxas de juro historicamente baixas.

Uma das actividades que mais beneficiou dessa situação foi a construção. Deu-se um *boom* no sector da construção civil dado que a baixa das taxas de juro não só beneficiou as empresas, mas também os compradores. A procura de habitação disparou, a compra de habitação tornou-se um investimento altamente apetecível e as famílias passaram a investir em casa própria enquanto os investidores encontraram elevados retornos no negócio de compra e venda de imóveis.

Todo esse consumo fez diminuir o nível de poupança e, consequentemente, os investimentos no mercado de capitais, já que a taxa de retorno do mesmo nesta altura não se comparava com os retornos obtidos no mercado imobiliário (considerado inclusive isento de risco já que a teoria vigente era que o imobiliário valorizava sempre).

Gráfico 1 Evolução do Índice bolsista (1992-2015). Índice PSI 20 e Dow Jones Industrial Average entre Dezembro 1992 e Maio 2015. Valores a fecho de mês.

Fonte: Bloomberg.
Nota: para o período 1978-2009, vd. Costa e Mata (2009: 24).

Factores Económicos e Culturais

Até aqui apresentámos a questão do ponto de vista do investidor. Existe o reverso da situação, que é a visão dos emitentes e empresas que necessitam de recorrer à Bolsa para financiar as suas actividades.

Tradicionalmente o sector empresarial da economia portuguesa tem-se financiado através da banca e tal prende-se com três factores principais, apontados por todos os actores do mercado:

- Por um lado, a reduzida dimensão das nossas empresas sempre dificultou a sua entrada em Bolsa. Esta implica custos variados tais como os associados a cumprir as normas para se estar cotado e os próprios custos de admissão e de listagem, sendo que todos esses custos pesam mais numa PME do que numa empresa de maior dimensão. E naturalmente que se o montante a ser angariado não é elevado, justifica-se menos ainda a listagem em Bolsa de uma PME.
- Por outro lado, o tecido empresarial português, que é composto maioritariamente por pequenas e médias empresas familiares, sempre foi avesso à abertura a novos investidores. São apontados como motivos

principais para isso o receio de perder o controlo da empresa e o receio de abrir e expor as contas ao escrutínio público. No fundo, não só estes mas também outros motivos invocados, acabam por ter uma única explicação e bem simples, a saber, existe em Portugal, em certas empresas, uma grande confusão sobre o que é o património da empresa e o que é o património do empresário já que as coisas se interligam e confundem entre si. Ao abdicar de parte do capital da empresa, ainda que mantendo o controlo sobre a mesma, um empresário deixa de dispor dessa cortina sobre as contas da empresa, que devem ser depois apresentadas de forma clara e transparente e isso é algo que muitos empresários não estão dispostos a fazer.

Na vasta maioria das vezes, essa confusão entre património privado e da empresa é feita por motivos fiscais, não constituindo portanto qualquer crime, mas há todo o interesse em perpetuar a situação.

- O terceiro factor que explica o porquê de a banca ser a principal fonte de financiamento das empresas portuguesas tem a ver com a questão, que já abordámos, das baixas taxas de juro. Com efeito, se existe a possibilidade de recorrer à banca, que até há pouco tempo emprestava a *spreads* de Euribor + 50 pontos base e sem grandes exigências, não havia qualquer interesse por parte das empresas em abrir, quer o seu capital, quer as suas contas, a actores externos à empresa.

Estrutura, Funcionamento e Legislação

A *NYSE Euronext Lisbon* emprega cerca de 26 colaboradores nos seus escritórios em Lisboa e mais 40 na Interbolsa, sua subsidiária, no Porto.

A *NYSE Euronext Lisbon* rege-se pela Lei das Entidades Gestoras (Decreto-Lei n.º 357-C/2007, de 31 de Outubro), pelo Código dos Valores Mobiliários (Decreto-Lei n.º 486/99, de 13 de Novembro), pela regulamentação da Comissão do Mercado de Valores Mobiliários (CMVM)[6], pelo Código das Sociedades Comerciais, pela demais legislação aplicável e pelos seus respectivos Estatutos. Este conjunto de legislação estabelece o regime dos Mercados Regulamentados

6 Disponível em http://www.cmvm.pt

e dos Sistemas de Negociação Multilateral (SNM) dos operadores de mercado e de todas as sociedades com actividades relacionadas em Portugal, bem como dos internalizadores sistemáticos e dos intermediários financeiros. O Ministro das Finanças português, mediante audição prévia da CMVM, atribui ou revoga a qualidade de mercado regulamentado ao operador de mercado português relativamente aos mercados por si geridos.

Mercados da NYSE Euronext

Dentro da *NYSE Euronext* há diversos mercados (*NYSE Euronext, NYSE Alternext, Free Markets* na Europa e *NYSE, NYSE Arca, NYSE MKT* e *ArcaEdge* nos EUA) divididos por tipos de valores (acções, obrigações, futuros, opções e outros derivados), por dimensão da empresa e por grau de exigência na admissão à cotação.

Uma empresa, para ser admitida à cotação, deve cumprir certos parâmetros que são mais exigentes nuns mercados do que noutros, o que permite que as que ainda não cumpram critérios altamente exigentes, ou cuja dimensão seja demasiado pequena para aceder aos principais mercados, possam aceder a outros que oferecem praticamente todas as vantagens dos primeiros. Ao mesmo tempo, os investidores sabem também que o mercado em que a empresa está cotada ajuda a indicar o risco da empresa na qual decidem, ou não, investir. No Quadro I identificam-se os principais critérios de admissão aos mercados NYSE Euronext.

Quadro I Principais Critérios de Admissão

	Mercados Regulados *NYSE Euronext*	***NYSE Alternext***	***Free Markets* (Mercados não Regulados)**
***Free float* (capital em circulação)**	Mínimo de 25% do capital social ou 5% se esse valor representar pelo menos EUR 5 milhões	EUR 2.5 milhões (oferta pública) EUR 2.5 milhões (colocação privada no prazo de um ano com um mínimo de três investidores) EUR 2.5 milhões (noutro mercado)	Sem condicionantes
Histórico de Actividade	Três anos de Relatórios de Contas	Pelo menos 2 anos de Relatórios de Contas	Recomenda-se 2 anos de Relatórios de Contas

	Mercados Regulados *NYSE Euronext*	*NYSE Alternext*	*Free Markets* (Mercados não Regulados)
Normas Contabilísticas	Normas Internacionais de Reporte Financeiro (IFRS) ou Normas Contabilísticas equivalentes (incluindo as do EUA, Canadá, China e Japão)	Empresas do EEE: IFRS ou Princípios de Contabilidade geralmente aceites no país (GAAP) Empresas de Países não pertencentes ao EEE: IFRS ou normas contabilísticas equivalentes (no caso de oferta pública) e IFRS, Normas contabilísticas equivalentes (incluindo dos EUA, Canadá, China e Japão) ou Sistema Nacional de Contabilidade com Tabela de reconciliação (no caso de uma colocação privada ou listagem directa)	Opcional entre IFRS ou Sistema de Contabilidade Nacional
Prospecto / Documento Informativo	Prospecto aprovado pela Autoridade Competente	Prospecto aprovado pela Autoridade Competente ou Documento Informativo (não necessitando de aprovação da Autoridade Competente) no caso de uma colocação privada de EUR 2.5 milhões ou listagem directa	Prospecto aprovado pelo Regulador no caso de uma Oferta Pública

Fonte: https://www.euronext.com

Capitalização Bolsista e Peso dos Diferentes Valores Mobiliários

Através da análise do Quadro II, pode ver-se que a capitalização bolsista na *NYSE Euronext Lisbon* em 2011 correspondeu a 99,6% do PIB (considerando um PIB estimado de 171 039,9 m€ [milhões de euros]) divididos em 65 453,4 m€ no segmento obrigacionista – correspondente a 38,26% da capitalização bolsista – e 102 752 m€ no segmento accionista – e que correspondem a 60% do PIB. Os outros instrumentos cotados na *NYSE Euronext Lisbon*, nomeadamente Títulos de Participação, Unidades de Participação, Warrants, Certificados e ETF (Fundos Transaccionados em Bolsa) ascendem a 2346,1 m€ correspondendo a 1,37 % do PIB. Os produtos estruturados negociados na plataforma multilateral *Easynext* no valor de 2890,9 m€ – correspondendo a 1,6 % do PIB – completam o leque de produtos cotados na Bolsa de Lisboa.

Quadro II Capitalização bolsista entre 2009 e 2011

	2009		2010		2011		Var%
	Valor	%	Valor	%	Valor	%	(2010-11)
Obrigações	31.432,6	15,4	57.426,2	29,6	65.453,4	38,4	14,0
Dívida Pública	26.753,1	13,1	52.942,7	27,3	59.247,5	34,7	11,9
O. Fundos Públicos e Equip.	23,0	0,0	35,6	0,0	0,0	0,0	-100,0
Diversas	4.656,4	2,3	4.447,9	2,3	6.205,9	3,6	39,5
Ações	172.431,1	84,4	135.383,0	69,8	102.752,0	60,2	-24,1
PSI 20	62.814,1	30,8	58.252,4	30,0	45.929,3	26,9	-21,2
Outras	109.617,0	53,7	77.130,6	39,7	56.822,8	33,3	-26,3
TP e UP	164,4	0,1	217,0	0,1	187,3	0,1	-13,7
Direitos	0,0	0,0	0,0	0,0	0,0	0,0	-
Warrants	195,4	0,1	151,2	0,1	781,5	0,5	416,7
Certificados	0,0	0,0	887,7	0,5	1.360,4	0,8	53,3
Convertíveis	0,0	0,0	0,0	0,0	0,0	0,0	0,0
ETF	0,0	0,0	25,9	0,0	16,9	0,0	-34,7
Total	**204.223,5**	**100,0**	**194.091,1**	**100,0**	**170.551,6**	**100,0**	**-12,1**
Euronext Lisbon	202.402,8	99,1	191.666,7	98,8	167.660,7	98,3	-12,5
EasyNext Lisbon	1.820,7	0,9	2.424,3	1,2	2.890,9	1,7	19,2

Nota: Inclui a capitalização bolsista de emitentes de direito estrangeiro.
Fonte: Relatório Anual 2011 sobre a Actividade da CMVM e sobre os Mercados de Valores Mobiliários – Quadro 30, pág. 112.

O Universo da Actividade Bolsista

Clientes da Bolsa

Em relação aos clientes directos da Bolsa encontramos dois grupos: por um lado os *emitentes*, entidades (privadas ou públicas), que querem admitir os seus produtos financeiros à cotação, e por outro, os *membros da Bolsa* ou *intermediários financeiros*.

Neste momento, estão admitidos à cotação 54 títulos na Euronext e um no Alternext. Em relação aos membros, a Bolsa tem mais de uma centena de membros, dos quais apenas cerca de uma dúzia são membros activos.

Temos também um outro grupo, que não sendo encarado pela Bolsa como seus clientes são-no indirectamente (alguns são também directamente já que são membros da Bolsa) e que se podem subdividir em três grandes grupos: *investidores individuais, investidores institucionais* (fundos de investimento e de pensões) e, por último, *os investidores profissionais especializados* que correspondem a um perfil de investidor financeiro especialista, que trata da informação disponível de forma muito sofisticada e que recorre a técnicas de investimento bastante mais complexas (fundos especiais de investimento, *hedge funds,* etc.).

Os membros/intermediários financeiros são as empresas autorizadas a introduzir ordens no sistema e que prestam serviços de investimento relacionados com os mercados de títulos, seja a investidores seja a outras empresas. No âmbito específico das transacções em bolsa, cabe aos intermediários financeiros especializados e devidamente autorizados (designadamente bancos, sociedades corretoras e sociedades financeiras de corretagem) intermediar as ordens dos investidores junto da Bolsa, cobrando uma comissão pelo serviço prestado.

O intermediário financeiro assegura ainda a ligação entre as entidades emitentes de valores mobiliários e o universo de investidores que actuam no mercado, nomeadamente através da prospecção de investidores para a subscrição ou venda de títulos ou qualquer outra operação sobre valores mobiliários. Desempenham também um papel consultivo relativamente às condições em que devem ser feitas as transacções, actuam como agente pagador e encarregam-se da organização dos processos de admissão à cotação.

Os *market makers* (criadores de mercado) são também intermediários financeiros, mas são "membros especiais" da Bolsa, que estão legalmente habilitados a desempenhar funções de fomento do mercado. Estes membros comprometem-se a manter regularmente no sistema de negociação ofertas de compra e de venda, visando dotar o mercado de um nível mínimo de liquidez, no cumprimento do acordo que estabeleceram com a entidade gestora (Bolsa).

Empresas de Suporte Técnico/Logístico

No universo das empresas que desempenham o papel de suporte técnico/logístico às actividades da Bolsa, temos a INTERBOLSA, que é uma sociedade sediada no Porto e detida a 100% pela *Euronext Lisbon,* e que tem por objecto a gestão do sistema de liquidação de operações sobre valores mobiliários e do sistema centralizado de registo de valores mobiliários.

Concretamente, a Interbolsa é a entidade que processa as operações de Bolsa, permitindo que, concluída a negociação, as transferências dos títulos e os respectivos pagamentos se efectuem de forma rápida e segura. Adicionalmente, a Interbolsa gere o sistema centralizado de registo de valores mobiliários (também designado por Central de Valores Mobiliários) que assegura o registo e o controlo de valores mobiliários escriturais (sem representação em papel) e o depósito de valores titulados, bem como as demais condições necessárias para garantir a guarda e o exercício dos direitos associados a cada título. É através deste sistema que são atribuídos os Códigos ISIN, os quais permitem identificar mais facilmente cada valor mobiliário.

No desenrolar da actividade da Bolsa temos ainda a câmara de compensação. Todas as transacções realizadas em Bolsa, quer nos mercados à vista, quer nos mercados de derivados, passam por uma operação de compensação, que tem como objectivo compensar as operações de compra e venda sobre um mesmo título e oriundas de um mesmo intermediário financeiro, reduzindo assim, no final do processo, o número de transferências de títulos e de dinheiro a efectuar. A câmara de compensação funciona também como contraparte de todas as transacções e, no caso dos produtos derivados, gere, além disso, as margens a que os membros estão sujeitos, reduzindo dessa forma os riscos gerais do mercado. No mercado português, a sociedade que presta estes serviços ao Mercado à Vista e Mercado de Derivados é a *LCH Clearnet*, com sede em Paris.

Órgãos de Supervisão/Reguladores[7]

Neste campo temos a Comissão do Mercado de Valores Mobiliários (CMVM), o Banco de Portugal (BdP) e o Instituto de Seguros de Portugal (ISP), que cooperam entre si no sentido de supervisionar e regular o sistema financeiro, bem como o Ministério da Economia, que funciona como órgão consultivo. Temos também uma entidade conjunta, o Conselho Nacional dos Supervisores Financeiros.

CMVM

A CMVM – Comissão do Mercado de Valores Mobiliários – foi criada em Abril de 1991 com a missão de supervisionar, regular e fiscalizar o funcionamento dos mercados de valores mobiliários e instrumentos financeiros derivados (tradicionalmente conhecidos como "mercados de bolsa"), a realização de ofertas públicas,

7 Informações disponíveis nos sites das respectivas entidades (Julho 2013) e indicados nas notas finais.

a actuação de todos as entidades que operam nesses mercados e, de um modo geral, todas as matérias que dizem respeito a esta área de actividade. Tem também a incumbência de detectar e sancionar quaisquer comportamentos ilícitos.

Dada a cada vez maior globalização e internacionalização do sistema financeiro, a CMVM participa em organizações internacionais como a Organização Internacional das Comissões de Valores (IOSCO/OICV), a Autoridade Europeia dos Valores Mobiliários e dos Mercados e o Instituto Iberoamericano de Mercados de Valores (IIMV), além de acompanhar os trabalhos de instituições da União Europeia (UE).

Instituto de Seguros de Portugal

O Instituto de Seguros de Portugal (ISP) é a autoridade nacional responsável pela regulação e supervisão, quer prudencial, quer comportamental, da actividade seguradora, resseguradora, dos fundos de pensões e respectivas entidades gestoras e da mediação de seguros.

Banco de Portugal

O Banco de Portugal é o Banco Central da República Portuguesa. Mais especificamente, no capítulo da *regulação*, o Governador do Banco de Portugal preside ao Conselho Nacional de Supervisores Financeiros, entidade que integra o Banco de Portugal, a Comissão do Mercado de Valores Mobiliários e o Instituto de Seguros de Portugal.

O Banco de Portugal exerce a função de *supervisão – prudencial* e *comportamental* – das instituições de crédito, das sociedades financeiras e das instituições de pagamento. A crescente integração dos mercados financeiros e o desenvolvimento da actividade internacional das instituições exigiu uma maior cooperação institucional com outras autoridades envolvidas na supervisão e regulação do sector financeiro, quer a nível nacional quer a nível internacional, o que levou ao estabelecimento de acordos bilaterais de cooperação com a CMVM e com o Instituto de Seguros de Portugal. A nível internacional, o BdP coopera com as autoridades de supervisão e outras autoridades competentes que exerçam funções equivalentes em outros Estados-Membros da União Europeia, e também com autoridades de supervisão de Estados que não sejam membros da União Europeia, no âmbito de acordos de cooperação celebrados entre o Banco e essas autoridades. Foram, igualmente, assinados acordos de cooperação multilateral, estruturando a cooperação no seio de colégios de supervisores referentes a grupos bancários com presença em vários Estados Membros.

Além disso, o Banco de Portugal é parte integrante do Sistema Europeu de supervisão Financeira e participa em diversos órgãos e fóruns de cooperação multilateral.

Conselho Nacional de Supervisores Financeiros

A já mencionada crescente integração e interdependência dos diversos sectores da actividade financeira veio reforçar a necessidade de maior coordenação e articulação entre as três autoridades de supervisão do sector financeiro, através, designadamente, de uma abordagem comum de questões intersectoriais, do estabelecimento de canais de comunicação estruturados entre as três autoridades e da eliminação de potenciais conflitos de competências ou lacunas regulamentares.

Com este objectivo, foi criado em Setembro de 2000[8] o *Conselho Nacional de Supervisores Financeiros (CNSF)*, um fórum de coordenação de supervisão do sistema financeiro, composto por membros das três entidades mencionadas (Banco de Portugal, CMVM e ISP).

Principais Desafios e Oportunidades do Mercado de Capitais

Conforme se pode ver pelo Quadro III, em 2011, a Bolsa (acções e obrigações) representava apenas 0,3% do total do financiamento das empresas o que demonstra que o mercado de capitais nacional continua a ser uma fonte residual do financiamento das mesmas.

As empresas portuguesas continuam a recorrer ao autofinanciamento como principal fonte para o investimento, representando o mesmo 59,1% em 2011 e subindo para 65,2% em 2012, seguido pelo crédito bancário com 25,7% que, entretanto, de 2011 para 2012, registou uma forte diminuição (-7,0%) mantendo-se, apesar disso, como a segunda principal fonte de financiamento. Esta tendência de redução tem-se verificado nos últimos anos, traduzindo as dificuldades de acesso ao crédito sentidas pelas empresas.

8 Decreto-Lei n.º 228/2000.

Quadro III Financiamento das Empresas (entre Outubro de 2011 e Janeiro de 2012)

CAE-Rev. 3	Ano	Fontes de Financiamento[a]					
		Auto Financiamento	Crédito Bancário	Ações e Obrigações	Empréstimos do Estado	Fundos UE	Outros
Indústrias extrativas (secção B)	2011	66,6	19,8	0,0	5,2	0,0	8,5
	2012	83,4	8,4	0,0	0,9	0,0	7,3
Indústrias transformativas (secção C)	2011	51,0	39,6	0,0	0,9	3,4	5,1
	2012	62,8	24,3	0,1	0,9	5,0	6,9
Electricidade, gás, vapor, água quente e fria e ar frio (secção D)	2011	93,1	3,3	0,0	0,0	0,0	3,6
	2012	91,4	3,7	0,0	0,0	0,0	4,9
Captação, tratamento e distribuição de água; saneamento, gestão de resíduos e despoluição (secção E)	2011	40,5	30,4	0,0	0,1	27,8	1,1
	2012	57,7	25,5	0,0	0,2	12,5	4,1
Construção (secção F)	2011	57,8	39,7	0,0	0,0	0,3	2,2
	2012	56,9	36,9	0,0	0,0	0,1	6,2
Comércio por grosso e retalho; reparação de veículos automóveis e motociclos (secção G)	2011	76,2	21,1	0,0	0,0	1,7	1,1
	2012	78,7	20,1	0,0	0,0	0,4	0,8
Transportes e armazenagem (secção H)	2011	34,0	46,6	2,4	1,1	12,7	3,1
	2012	41,5	37,7	2,9	2,2	11,5	4,1
Alojamento, restauração e similares (secção I)	2011	66,4	30,4	0,2	0,0	0,0	3,0
	2012	64,2	34,3	0,3	0,0	0,0	1,3
Actividades de informação e comunicação (secção J)	2011	75,0	0,6	0,0	0,1	0,1	24,2
	2012	73,0	0,5	0,0	0,1	0,1	26,3
Actividades financeiras de de seguros (secção K)	2011	84,4	5,8	0,0	0,0	0,0	9,8
	2012	90,4	5,3	0,1	0,0	0,0	4,3
Actividades imobiliárias (secção L)	2011	32,3	12,3	0,0	0,5	30,6	24,3
	2012	15,4	14,3	0,0	0,6	44,3	25,4
Actividades de consultoria, científicas, técnicas e similares (secção M)	2011	67,9	14,5	0,0	0,0	0,0	17,6
	2012	70,2	9,6	0,0	0,0	1,0	19,2
Actividades administrativas e dos serviços de apoio (secção N)	2011	27,1	24,7	0,0	0,0	0,2	48,0
	2012	26,2	21,1	0,0	0,0	0,0	52,7
Total	**2011**	**59,1**	**25,7**	**0,3**	**0,4**	**4,9**	**9,6**
	2012	**65,2**	**18,7**	**0,3**	**0,5**	**3,3**	**12,0**

a) Distribuição percentual do investimento por fontes de financiamento.
Fonte: INE, *Inquérito Qualitativo de Conjuntura ao Investimento* – Outubro de 2011 – Tabela 5.

Na sequência da adesão ao euro, as empresas portuguesas beneficiaram de taxas de juro historicamente baixas o que levou a que na sua maior parte não vissem qualquer benefício em abrirem o seu capital, dadas todas as implicações que essa acção traria (perda de parte do controlo da empresa, obrigatoriedade de divulgar resultados e prestar contas ao mercado, divulgar as estratégias futuras, reporte financeiro e auditorias, adesão às normas contabilísticas em uso nos mercados, etc.).

O financiamento por acções e obrigações em 2011 foi de 0,7% entre as empresas de maior dimensão e praticamente inexistente nas empresas com menos de 500 trabalhadores confirmando que o financiamento das pequenas e médias empresas através do mercado de capitais é praticamente inexistente. Dado que o tecido empresarial português é composto maioritariamente por pequenas e médias empresas de cariz familiar, são cada vez mais relevantes as iniciativas que promovam a entrada destas empresas no mercado de capitais. Quer o mercado accionista quer o mercado obrigacionista poderão dar um importante contributo para satisfazer as necessidades de financiamento das empresas nacionais.

A indisponibilidade de crédito fácil, na sequência da crise financeira de 2008, e da subsequente crise das dívidas soberanas, deixou as empresas sem as tradicionais opções de financiamento e isso constitui uma oportunidade que a *NYSE Euronext Lisbon* está desejosa de aproveitar para poder apresentar às empresas portuguesas as vantagens de se cotarem.

A Bolsa está dependente da vontade das empresas em terem, ou não, o seu capital aberto, mas é também influenciada por aspectos de carácter regulatório, por decisões políticas e por decisões de carácter fiscal, que muitas vezes têm uma importância crucial no desenvolvimento, ou da falta dele, do mercado.

A *Directiva dos Mercados de Instrumentos Financeiros* (*DMIF ou MIFID* em inglês) que entrou em vigor em 2007 foi uma das principais iniciativas da Comissão Europeia, no contexto do plano de acção para os serviços financeiros, e *teve como objectivo harmonizar e criar um efectivo mercado único de produtos e serviços financeiros no espaço europeu* (os 27 Estados-Membros da União Europeia[9], a Noruega, a Islândia e o Liechtenstein) e pressupôs também, e continua a pressupor, um enorme desafio para as bolsas tradicionais, onde se inclui a Bolsa Portuguesa.

Esta Directiva permitiu, a qualquer entidade de um Estado-membro da UE, o total acesso a Mercados, Clientes, Compensação e Liquidação em qualquer outro Estado-membro da UE, sem necessidade de abertura de uma agência ou subsidiária.

9 Antes da adesão da Croácia à UE (em 2013).

A implementação da DMIF concretizou o fim da regra da concentração, isto é, o fim da exclusividade das bolsas de negociação, o que possibilitou a criação de uma nova classe de actividades (Internalização Sistemática e Sistemas Multilaterais de Negociação) e o aparecimento de novos *players* no mercado, no que os *players* tradicionais apelidam de um *"uneven playing field"* (um campo de jogo desnivelado).

A DMIF fomenta também a transparência do negócio, ao desenvolver e harmonizar medidas para a protecção do cliente/investidor, nomeadamente a classificação dos clientes de acordo com o seu conhecimento e experiência do negócio, a existência e divulgação de normas de conduta de negócio e a definição de uma política de execução de ordens baseada no princípio da melhor execução, sempre no pressuposto de colocar o interesse do cliente à frente do interesse do intermediário financeiro.

A Directiva foi transposta para a legislação portuguesa, através do Decreto-Lei n.º 357-A/2007, e entrou em vigor a 1 de Novembro de 2007.

Para as bolsas tradicionais isto implicou competir com entidades com uma estrutura de custos muito baixa já que estão sediadas em países com uma regulação mais favorável, como é o caso da praça londrina, contam geralmente com o suporte de instituições financeiras muito fortes e com um escritório com algumas dezenas de pessoas, e através de uma plataforma electrónica, conseguem facultar os serviços de execução de ordens, de *matching*, de procura e oferta, de valores mobiliários negociados em praticamente qualquer parte do mundo.

Uma Bolsa que tenha de estar fisicamente presente em vários mercados, cada qual com exigências regulatórias por parte de cada um dos reguladores locais, muito grandes, não consegue a mesma estrutura de custos que essas entidades. Isso que tem levado à crescente concentração das bolsas tradicionais como forma de conseguirem a racionalização de custos que só as economias de escala podem proporcionar.

Importa agora, e concretizando, avaliar as determinantes internas chave para se aferir a qualidade da instituição estudada.

Determinantes internas

Meritocracia

Relativamente ao *recrutamento e promoção* baseados no mérito, e não em laços pessoais ou familiares, podemos dizer que o recrutamento na *NYSE Euronext Lisbon* é feito de forma bastante transparente com o auxílio de consultores externos e bastante publicitado, incluindo no próprio *site* internacional do grupo.

Entrevistámos os quatro principais responsáveis pela instituição em Portugal e afigurou-se-nos claro que, apesar de dois deles não terem inicialmente entrado para funções de topo, todos os quatro são portadores de currículos de excelência, não só a nível académico mas também profissional, tendo uma vasta experiência em funções de relevo que os prepararam para os cargos que agora ocupam. A vasta maioria desta experiência foi obtida no sector financeiro, tendo inclusive duas das pessoas entrevistadas exercido funções no regulador (CMVM) antes de se juntarem à *NYSE Euronext Lisbon.*

Todos eles têm também invariavelmente uma excelente formação académica de base, feita em universidades nacionais de topo e com formações académicas complementares, que em alguns casos, foram feitas no estrangeiro.

O facto de ser uma estrutura pequena com apenas 26 colaboradores leva a que estes e outros elementos acumulem várias funções permitindo que os seus eventuais atributos e valências sejam mostrados o que poderá ocasionar uma eventual nomeação para o desempenho de outros cargos ou funções.

É por isso que na *NYSE Euronext Lisbon* a promoção não é vista como um processo vertical mas sim, e cada vez mais, como um processo diagonal ou mesmo lateralizado, querendo com isto dizer que as pessoas vão exercendo várias funções diferentes, acumulando experiência e obtendo diferentes valências nas mais variadas áreas e eventualmente subindo na hierarquia da empresa nem que seja pela via da acumulação de funções. É precisamente essa acumulação de funções que põe em evidência as suas qualidades (ou a ausência delas) e as leva a ganhar protagonismo e importância na estrutura da instituição aqui, no país, e do qual podem sair, vindo a ocupar cargos ou funções noutras localizações.

Tal já aconteceu em várias situações tendo os colaboradores que daqui saíram vindo a exercer funções de topo noutras localizações. Num dos casos uma colaboradora regressou mas já como membro da Direcção.

Sendo uma empresa com sede em Nova Iorque, o recrutamento e a selecção baseiam-se em critérios, testes e provas extremamente exigentes e aos lugares em questão podem concorrer quer pessoas externas à instituição, quer colaboradores da mesma.

Inclusive, e sobretudo em posições de direcção, os candidatos não sabem sequer a que empresa estão a concorrer sendo uma boa parte do processo de selecção e recrutamento feito pela empresa (ou actores externos à mesma) de forma anónima.

É nosso forte entendimento que neste capítulo a instituição merece um inquestionável 5.

Imunidade à corrupção e à captura por interesses especiais

Em primeiro lugar, convém salientar que os mercados financeiros são dos mercados mais regulados do mundo e, dentro desses, as bolsas são das entidades mais escrutinadas de entre todas devido precisamente ao papel central que ocupam no mercado.

A *NYSE Euronext Lisbon* está, ela própria, cotada em Paris e Nova Iorque e, como tal, sujeita a todas as regras e regulamentações aplicadas às empresas cotadas. Sendo a entidade gestora do mercado deve, por maioria de razão, obedecer a todos os requisitos de transparência, de prestação de informações, de ética e de *governance* que todas as empresas cotadas têm de cumprir. É, nas palavras de uma das suas responsáveis, "a última entidade que correria qualquer risco de ser apanhada numa situação mais inconveniente, ou menos ética".

Está, por isso, sujeita ao apertado escrutínio não só do regulador nacional, mas também do *European College of Regulators* (por parte da Europa) e da SEC (*Securities and Exchange Comission*) (por parte dos EUA).

À semelhança das outras empresas americanas, observa também códigos extremamente estritos, como o Código de Ética, e que contêm normas como a política de *whistle blowing*, ou seja, de denúncia, mesmo anónima, de qualquer caso que viole o seu Código de Ética. O sistema americano é um sistema baseado em regras (*rule based*) e, como tal, existem códigos que abrangem praticamente toda e qualquer situação possível e imaginária, com regulamentos, regras e alertas dizendo precisamente o que é que não é permitido fazer, e essas regras são divulgadas e conhecidas por todos os colaboradores.

Para além disso, uma empresa para se cotar precisa de obedecer a critérios rigorosos, a maior parte das vezes baseados em directivas comunitárias, transpostas depois para o nosso ordenamento jurídico, existindo depois uma entidade exterior, reguladora, que supervisiona se a mesma cumpre ou não esses critérios.

Todas as obrigações verdadeiramente importantes e que exigem um trabalho, um esforço associado significativo por parte das empresas – entre as quais se inclui a prestação de informação financeira e sobre os factos relevantes, a divulgação das ordens e das compras por parte dos membros dos órgãos de gestão e as participações qualificadas, – não passam pela Bolsa mas pelo regulador, a CMVM, a quem cabe o papel de supervisionar e verificar se essas obrigações são ou não cumpridas. A Bolsa não está, por isso, sujeita, por parte dos emitentes, a qualquer pressão. Basicamente as obrigações que os emitentes têm para com a Bolsa são terem os documentos fundamentais actualizados e pagarem as devidas taxas de gestão por estarem cotadas.

Como tal, sendo as regras para se estar cotado estabelecidas pelas directivas comunitárias e o seu cumprimento verificado pelo regulador, e funcionando a Bolsa apenas como entidade gestora de mercado, e isso é unânime entre todos os entrevistados, quaisquer tipos de favorecimentos, casos ou tentativas de corrupção ou captura por interesses especiais não passariam e não passam pela Bolsa. Atribuímos também aqui um claro 5.

Ausência de ilhas de poder

Várias das razões a que se fez alusão no ponto anterior servem também de base à conclusão a que chegámos neste ponto particular, o da *ausência de ilhas de poder entrincheiradas capazes de subverter as regras institucionais para o seu proveito próprio*. Mesmo por parte da entidade que mais críticas levantou à actuação da Bolsa, a AEM (Associação de Empresas Emitentes de Valores Cotados em Mercado), não houve quaisquer indicações neste sentido. A *NYSE Euronext Lisbon* é parte de uma empresa multinacional e praticamente todas as decisões sobre o seu funcionamento são tomadas na sua sede em Nova Iorque ou pelo seu conselho de administração europeu. Sendo governada por estritos princípios de ética, tem entre os seus *core values* a integridade. Tem também vários mecanismos de controlo e políticas em vigor para impedir comportamentos menos próprios, sendo que várias dessas políticas são geridas por entidades externas à instituição. Por tudo o que se disse antes relativamente a este ponto e aos anteriores, atribuímos também neste ponto uma classificação de 5.

Determinantes externas

Proactividade

Relativamente às determinantes externas e começando pela *proactividade*, a instituição tem algumas iniciativas no sentido de atrair clientes e de se dar a conhecer, das quais se destacam:

- Uma *listing team*, ou seja uma equipa dedicada, com um plano de trabalho anual, cujo único trabalho é a prospecção de potenciais emitentes, trabalho no qual são coadjuvados por todos os cargos directivos da empresa, a começar pelo Presidente, e que se empenha activamente em dar a conhecer a instituição e as vantagens de se estar cotado.
- O *IPO (Initial Public Offering) day*, um retiro anual, feito habitualmente num convento, e para o qual são convidadas cerca de 30 a 40 empresas, representadas pelo seu CEO (*Chief Executive Officer*) e/ou CFO *(Chief Finantial Officer)* e que pretende dar a conhecer aos prospectivos emitentes as vantagens de se estar cotado. Durante dois dias são abordadas várias questões, há palestras feitas por CEO de empresas já cotadas, pelo presidente da CMVM e pelo próprio CEO da *NYSE Euronext Lisbon* e são esclarecidas dúvidas. Para além de se darem a conhecer as vantagens de se estar cotado, a ideia é, num ambiente descontraído, desmistificar os receios e responder a quaisquer apreensões que existam. As duas últimas empresas a serem cotadas, a Martifer e a ISA, foram duas das empresas que estiveram presentes em alguma destas acções que já vêm sendo realizadas há mais de 7 anos.
- O *Global Investment Challenge* é uma simulação/competição de Bolsa patrocinada pela *NYSE Euronext Lisbon* tendo como destinatários o público em geral mas, em especial, o público académico visando pô-los em contacto com a Bolsa e com uma plataforma em tudo idêntica à real (apenas com a diferença de que se transacciona com dinheiro fictício). Na mesma, e durante um período de tempo, os jogadores podem comprar,

vender, fazer a gestão da sua carteira de activos e familiarizar-se com as plataformas, a negociação e o "sobe e desce" dos mercados. Esta competição, que costuma ter entre 7 e 10 mil participantes, é co-patrocinada pelo Jornal Expresso e atribui prémios aos melhores classificados.

- O Fórum de Bolsa que se realiza na Cidade do Porto, durante um fim-de-semana por ano, que se foca na temática da Bolsa, com diversas iniciativas e conferências e se põem em contacto os diversos intervenientes nos mercados.
- A Infovalor é um evento semelhante, mas que se realiza na cidade de Lisboa.
- Para além disso, a Bolsa organiza formações abertas nas suas instalações e promove também visitas por parte das escolas às suas instalações. Algumas destas formações, sendo mais específicas, destinam-se a um público especializado.
- Neste momento, a Bolsa está a equacionar uma solução para o financiamento das pequenas e médias empresas em que um dos cenários seria a emissão de obrigações por parte das mesmas, a sua titularização numa sociedade veículo, e posterior venda a investidores institucionais eventualmente com alguma garantia de capital dada por alguma entidade pública ou semi-pública. Outra opção seria constituir um fundo com essas obrigações e cotá-lo na Bolsa, permitindo a sua transacção.

Entre as responsabilidades corporativas está a de zelar por um desenvolvimento social sustentado e isso implica também, por parte das empresas, exigir transparência por parte dos seus governantes e que estes adoptem as medidas que melhor sirvam a sociedade. Como entidade gestora do mercado, a Bolsa está numa posição privilegiada para emitir uma opinião abalizada e fazer alguma pressão para que as medidas mais acertadas sejam tomadas. Registamos também por isso, e como bastante positiva no capítulo da proactividade, a posição pública e corajosa, que o governo preferiu ignorar, assumida pelo Presidente da *NYSE Euronext Lisbon* logo em 2011, pouco tempo depois de tomar posse, reportando várias situações de falta de transparência[10]. Nessa entrevista, disse que "a crise tinha tido origem nos Estados Unidos, num conjunto de actividades que, apesar de serem confundidas com

10 Vd. Villalobos e Correia (2011).

os mercados, e terem o rótulo de 'os mercados', passam ao lado dos mercados". Disse também, com alguma contundência, que em Portugal os mercados da dívida "não funcionavam". Que se falava todos os dias nas *yields* [taxa de rentabilidade] da dívida portuguesa, mas se depois alguém tencionasse fazer operações dentro dos preços anunciados, encontraria seguramente "grandes diferenças entre esses preços e os preços praticados" e que tal não ocorreria num mercado regulamentado como a Bolsa "onde as cotações são os preços a que se fazem as transacções dos títulos e a liquidez existe, com maior ou menor grau, dependendo do título."

Com efeito, o Estado estava a financiar-se a níveis proibitivos quando a própria Bolsa, enquanto Entidade Gestora do Mercado, se apercebia que havia apetência, por parte do investidor de retalho e outros, para financiar parte dessa dívida. O Presidente da *NYSE Euronext Lisbon*, não querendo que a Bolsa assumisse culpas que de facto não tinha, já que paira sempre no ar esta ideia errónea de que tudo o que são mercados é Bolsa, veio clarificar essa situação.

No fundo, houve esta pressão por parte do Presidente da *NYSE Euronext Lisbon* no sentido de o financiamento do Estado passar também pelos investidores particulares que numa altura como esta não têm praticamente alternativas de investimento nas quais possam ter um retorno interessante, sem correrem grandes riscos. Se o Estado se financiava a 6 e 7% e o máximo que um investidor privado conseguia obter num depósito a prazo era uma taxa de 2 ou 3%, e considerando que, de facto, há um risco geral e sistémico que paira sobre a economia portuguesa como um todo – é essa a realidade e não há como escapar-lhe –, parece-nos que de facto a Bolsa esteve bem no seu papel de sugerir ao Estado que disponibilizasse dívida pública que pudesse ser subscrita de forma fácil pelos investidores particulares já que o papel da Bolsa, como já se viu, entendido no seu sentido mais lato, é financiar a economia facilitando também aos investidores alternativas para investir e rentabilizar as suas poupanças.

Outro dos campos que o Presidente da *NYSE Euronext Lisbon* abordou na entrevista, de forma clara para quem o quis entender, foi que não concordava com a política governamental (ou ausência dela) de privatizações. Bem sabemos que não cabe à Bolsa decidir, ou montar as operações, mas sendo uma voz ouvida e respeitada, fazia todo o sentido que a Bolsa, na pessoa do seu CEO, tivesse expressado não só às entidades competentes mas também ao grande público, que é quem elege os governantes, as suas preocupações sobre esta matéria, isto é, que as privatizações deveriam passar pelo mercado, ajudando a dinamizá-lo, a dar-lhe visibilidade, e sobretudo a conseguir um preço justo para o capital social transaccionado, dando, ao mesmo tempo, alternativas de investimento aos pequenos investidores uma vez que se tratava de empresas sólidas e com um bom *track record*. Finalmente, e na última privatização (CTT), estes alertas foram ouvidos e ao público em geral foi disponibilizado o acesso a uma fatia, ainda que reduzida, do capital da empresa.

Outro ponto, em que foram feitas recomendações extremamente válidas pela *NYSE Euronext Lisbon*, relacionou-se com a política de abdicação das *golden shares*, das quais, recordamos, o governo abdicou sem qualquer contrapartida para o Estado, num processo em que, no mínimo, nos parece que revelou bastante ingenuidade. Sobre este tema, o Presidente da *NYSE Euronext Lisbon* naturalmente que teve de ser mais comedido uma vez que era uma medida incluída no Memorando de Entendimento assinado com a *troika* (a medida estava incluída, mas não se indicava nem período de tempo, nem a forma de aplicação de tal medida dando uma enorme margem de manobra ao governo). Não defendendo que se fizesse letra morta desse compromisso, defendeu no entanto que "temos é de ter também a noção de que vivemos num contexto em que as empresas concorrem a nível internacional e todos os países, para terem aspirações de se manterem independentes, não podem deixar de ter algumas empresas de dimensão internacional, com capacidade de tomarem decisões estratégicas no seu próprio mercado, a partir do país. Se estamos a criar condições de concorrência e a facilitar estas operações, devemos assegurar que não somos ingénuos nesses processos e fazer aquilo que outros dizem que fazem, mas que, na prática, contrariam". Questionado sobre como é que se faria isso respondeu que "quem está ligado aos processos de decisão tem de ponderar estes assuntos e encontrará uma forma, tendo consciência destas situações e da importância que é termos no nosso país algumas empresas de dimensão internacional que possam ser centros de competência. A credibilidade de um país não se constrói só com campanhas promocionais" (in Villalobos e Correia, 2011).

O governo preferiu ignorar estas recomendações mas em nossa opinião o Presidente da *NYSE Euronext Lisbon* esteve bem ao fazê-las, já que é essa frontalidade e proactividade que se espera de uma instituição que se pretende que lidere o mercado.

Contudo, toda a proactividade indicada não pode impedir-nos de ver o elefante na sala: num universo de 300 000 empresas apenas 55 estão cotadas em Bolsa e a Bolsa contribui em média menos de 1% para o financiamento das empresas nacionais. Existe, de facto, todo um conjunto de factores que pretendem explicar esta situação, e que são, na nossa opinião e sem qualquer dúvida, extremamente válidos, mas o facto permanece: a Bolsa contribui em menos de 1% para o financiamento da economia portuguesa. É essa a realidade, e a Bolsa de Lisboa, apesar da integração na Euronext e da fusão desta com a *NYSE*, não conseguiu ultrapassá-la. O sentimento que fica é que, na verdade, a Bolsa, a estrutura em si, funciona e está preparada, mas as empresas não aderem. Por muitas explicações que existam, parece-nos que efectivamente existe aqui alguma falha, por parte da *NYSE Euronext Lisbon*, em cumprir o papel mais tradicional da Bolsa, ou seja, conseguir ser uma das principais fontes de financiamento da economia.

Por exemplo, no campo das obrigações e dado o previsível estrangulamento ao crédito que se foi instalando no período após a crise financeira de 2007/8, a Bolsa devia ter-se preparado mais prontamente para, através das obrigações, ter um papel mais activo no mercado.

Com as empresas e o Estado a pagarem taxas de juro proibitivas só há pouco mais de ano e meio é que as grandes empresas começaram a recorrer ao mercado obrigacionista emitindo dívida subscrita por investidores particulares que até aí tinham tido pouco acesso e/ou conhecimento sobre esses instrumentos financeiros.

A ideia da criação de um fundo de obrigações para as pequenas e médias empresas é excelente, contudo, deveria já estar a ser implementada numa altura em que já decorreram vários anos sobre o início da crise financeira. No nosso entender, e não obstante as forças que sempre se movem em sentido contrário, existem portanto algumas medidas, no campo da proactividade, que poderiam ter sido mais prontamente adoptadas.

A *NYSE Euronext Lisbon* tratou também de abrir novos segmentos no seu mercado, nomeadamente o Alternext, um mercado não regulamentado, ou seja, sujeito a menos regulamentação e exigências do que o *Euronext* – já que os regulamentos são estabelecidos pela própria Bolsa e não pelo regulador (não deixando, apesar disso, de estar sob sua supervisão) –, mercado esse que, até agora, só conseguiu atrair uma empresa, a ISA, e por colocação privada.

Não podemos deixar de reconhecer que a Bolsa não pode obrigar as empresas a cotarem-se ou o Estado ou as empresas a recorrerem ao retalho para se financiarem. A própria AEM, que será sem dúvida a entidade mais crítica em relação à actuação da *NYSE Euronext Lisbon* em geral, fez várias recomendações, algumas delas pertinentes, mas a questão central é que, efectivamente, e tudo se resume a isto, excepto reduzir algumas taxas e comissões, todas as outras sugestões da AEM passam sempre, não só pela Bolsa, mas também por outras entidades cuja vontade de contribuir para ultrapassar certas questões é inexistente. Nalguns casos, como o da banca, os interesses chegam mesmo a ser contrários aos da Bolsa.

A própria actuação do Estado, ao não criar, recuperar ou incentivar mecanismos de captura de poupanças por parte do público em geral, que nos últimos anos tem tido níveis recorde de poupança como se vê nos níveis recorde de depósitos bancários, falhou na promoção das alternativas de investimento.

Existem por isso muitos factores que explicam a situação actual e a vasta maioria tem a ver com contingências próprias do nosso tecido empresarial, questões estruturais, portanto, mas também questões relativas às diversas conjunturas que atravessámos e que não podem por isso ser atribuídas a uma incapacidade da Bolsa no capítulo da proactividade.

Sabemos também que de facto a integração numa multinacional leva a que as decisões não sejam tomadas cá, que a realidade nacional pese pouco nas decisões estratégicas que são tomadas na sede da empresa e que levam muito mais em consideração, ou quase só levam em consideração, a realidade de outros países europeus, tais como a França – por exemplo, relativamente às taxas e comissões aplicadas às empresas cotadas –, mas temos também que ver que há números que por si mesmos são incontornáveis.

Como tal, e levando em conta todas as questões que referimos, entendemos que a classificação de **4** é a mais indicada.

Flexibilidade Tecnológica e Abertura à Inovação

Dada a área de negócio e o meio altamente concorrencial na qual está inserida, fruto, em grande medida, da Directiva de Mercados de Instrumentos Financeiros de 2007 (que abriu a negociação de Instrumentos Financeiros a uma série de entidades financeiras), a *flexibilidade tecnológica e a abertura à inovação* são praticamente indissociáveis da actividade bolsista e a *NYSE Euronext Lisbon* não é excepção sendo, antes pelo contrário, uma das entidades mais avançadas a operar nos mercados financeiros.

A maioria das bolsas foram deixando de ser sistemas de viva voz tendo as transacções passado a ser feitas inteiramente de forma electrónica.

Com as diversas fusões passou a existir uma plataforma intercontinental, com acções, derivados, obrigações e inúmeros outros produtos financeiros, todos à distância de um clique. Houve uma automatização das plataformas e depois o subsequente processo de fusões e aquisições internacionais que permitiu economias de escala e sinergias enormes ao ponto de o custo de transacção das acções ser hoje um quarto do que era há dez anos (e os processos de redução de custos continuam a decorrer).

A própria *NYSE Euronext Lisbon* desenvolve soluções tecnologicamente avançadas que depois vende a outras empresas sendo que a área dos *information services*, *data services* ou dados de mercado, representa neste momento mais de 15% das receitas do grupo.

Ou seja, se antes a actividade da Bolsa passava apenas pelos mercados *cash*, ou mercados à vista, de derivados e de *data services* e o espaço entre estas não estava muito preenchido, agora a *NYSE Euronext Lisbon* tem um conjunto de serviços que abrange inúmeras áreas de actuação incluindo a cada vez mais importante área do *compliance*, tendo adquirido uma empresa desta área para poder dar resposta aos seus clientes.

Os vários mercados da *NYSE Euronext Lisbon* processam mais de 250 000 ordens por segundo, são capazes de fornecer mais de 1 500 000 cotações por segundo, tudo isto com um tempo de reconhecimento (ACK) de uns meros 2 milissegundos.

Na parte de abertura a novos processos por parte da gestão da empresa, podemos dizer que é algo sempre presente numa empresa nesta área de actividade. Sendo uma multinacional e operando Bolsas em 6 países (EUA, Portugal, Bélgica, França, Holanda e Reino Unido) a empresa depara-se com realidades diferentes e nota-se uma clara abertura a práticas inovadoras.

A instituição inclusivamente procura e premeia, por parte dos colaboradores, a apresentação de sugestões inovadoras e as próprias chefias também beneficiam dessas sugestões já que recebem prémios por isso. Naturalmente que aqui a classificação é um claro 5.

Aliados externos

Relativamente à última variável externa, *a existência de aliados externos e de um contra-poder*, no sentido de evitar o seu controle por parte de interesses particulares, poder-se-á dizer que a Bolsa portuguesa é controlada pela Bolsa de Nova Iorque da qual recebe todas as suas directivas, sendo essa entidade que nomeia os responsáveis pela Bolsa de Lisboa. Para além disso, a Bolsa tem, de facto, entidades que servem de contra-poder, nomeadamente as entidades reguladoras, nacionais e comunitárias, que impedem que a Bolsa seja controlada por interesses particulares e esse contra-poder é tão forte que anula, na prática, qualquer outro que pudesse existir.

Em relação à existência de aliados externos fortes, não se pode, com efeito, considerar que a *NYSE Euronext Lisbon* tenha, neste momento, aliados em termos de governo. Os diferentes actores que passaram pelos diferentes governos assumiram diferentes posturas relativamente ao mercado de capitais nacional, ora vendo-o como vector fundamental para o desenvolvimento do país (na era das privatizações) ora relegando-o para segundo ou terceiro plano – caso do actual governo que até à última privatização não tinha feito menção pública alguma do protagonismo que o mercado de capitais pode e deve agora assumir no contexto das dificuldades de financiamento das empresas e do Estado, tendo-o deixado completamente fora do plano de privatizações.

A Bolsa pode, no entanto, contar com o apoio de outras instituições nacionais, como é o caso do regulador, a CMVM, com o qual há excelentes relações institucionais, e do Banco de Portugal. Ao ser parte de uma multinacional com o peso da *NYSE Euronext Lisbon* goza também naturalmente de algum peso e prestígio que lhe é conferido pela estrutura gigantesca que a suporta. Este factor pode não ser importante em termos de decisões locais, do governo português, mas reveste-se de importância fundamental nas instâncias europeias onde, na realidade, são tomadas as decisões que afectam a nossa bolsa. A *NYSE Euronext Lisbon* tem inclusive um grupo de *lobbying* junto do Parlamento Europeu com a incumbência de analisar, em conjunto com membros do PE, as propostas feitas, sempre que as mesmas afectam as actividades do grupo.

No caso das elites empresariais, é difícil encontrar esse apoio e essa aliança pelos motivos que já abordámos, nomeadamente o da dependência das empresas, grandes e pequenas, do financiamento bancário e das teias de interesses que se desenvolvem entre empresas, bancos e empresários. A Bolsa acaba, no fundo, por ser o concorrente da banca e como tal não é vista com bons olhos pela mesma.

Neste campo, a classificação que se nos afigura mais adequada é um 4 uma vez que, por um lado, existe pouco apoio por parte das entidades governamentais, mas por outro, e em relação aos contrapoderes, existem de facto vários que evitam que a instituição seja controlada por interesses particulares.

A corroborar esta nossa posição está o já mencionado relatório da AEM, cuja vasta maioria das recomendações para reavivar o mercado de capitais nacional passa por políticas governamentais e alterações legislativas cuja ausência, no entender da AEM, está a penalizar o mercado (Ferreira, 2013).

Conclusões

Adequação Institucional

Na análise da adequação institucional deparamo-nos com algumas dificuldades.

Nos termos da Lei das Entidades Gestoras (Decreto-Lei n.º 357-C/2007 - Art. 4.º) e dos Estatutos da *Euronext Lisbon* (Art. 3.º)[11], a Bolsa tem como objecto principal a gestão de mercados regulamentados, podendo ainda:

(a) Gerir sistemas de negociação multilateral;

(b) Gerir outros sistemas para efeitos de negociação ou registo de operações sobre instrumentos financeiros;

(c) Apurar posições líquidas;

(d) Prestar outros serviços relacionados com a emissão e a negociação de valores mobiliários que não constituam actividade de intermediação;

(e) Prestar aos membros dos mercados ou dos sistemas por si geridos os serviços que se revelem necessários à intervenção desses membros em mercados ou sistemas geridos por entidade congénere de outro Estado, com quem tenha celebrado acordo;

(f) Elaborar, distribuir e comercializar informação relativa a mercados de instrumentos financeiros ou a instrumentos financeiros negociados;

11 Cit. Em http://www.fep.up.pt/servicos/cdia/netbolsa/2011/6-Jun2011/Suplementos/pos201106303.pdf, pág. 3.

(g) Desenvolver, gerir e comercializar equipamentos e programas informáticos, bem como redes telemáticas destinadas à contratação e à transmissão de ordens ou dados.

Ou seja, o objecto social da empresa – e é disso que se trata, de uma empresa e não de uma instituição com o fim de desenvolver a economia nacional – é a gestão dos mercados regulamentados, gerir sistemas de negociação multilateral e as actividades conducentes a, ou derivadas de, tal actividade.

Visto por este prisma, como um instrumento ao serviço da economia real (isto é, das empresas e os investidores), contribuindo para o crescimento, para a criação de valor e de mais emprego, a *Euronext Lisbon* tem, de facto, e a 100% , cumprido o seu papel, conforme delineado nos seus estatutos. A entidade gestora funciona com todos os critérios de transparência, competência e eficiência e desse ponto de vista é uma instituição absolutamente exemplar. Opera uma plataforma das mais avançadas do mundo, compete com os melhores e consegue estar entre os melhores na sua área de actuação.

Para além disso a instituição analisada merece nota francamente positiva em todas as determinantes, internas e externas, analisadas.

Portanto, neste campo, e de acordo com as regras definidas à partida para a avaliação das instituições, temos que concluir que a instituição que hoje existe, a *NYSE Euronext Lisbon,* cumpre integralmente os fins para os quais foi criada, razão pela qual classificamos este item com um 5.

Contribuição para o desenvolvimento

Se, no que toca à adequação institucional a resposta é clara, já no que toca à contribuição da *NYSE Euronext Lisbon* para o desenvolvimento nacional, a resposta torna-se mais complexa.

A instituição tem nota positiva, como já se disse, em todas as determinantes causais, mas isso, só por si, não faz com que o efeito, o contributo para o desenvolvimento nacional, exista. Se não pode de facto existir um efeito sem existirem causas, as enunciadas por nós ou outras, já o inverso não é verdade.

Se historicamente o mercado de capitais português teve um papel no crescimento e/ou internacionalização de algumas das nossas actuais grandes empresas – casos da Sonae, da Jerónimo Martins, do BCP, do BPI ou da PT –, e a verdade é que teve, cabe-nos analisar se esse papel se reduziu a isso, a saber, a ajudar uma dúzia de empresas a crescer, ou se, de facto, contribuiu mais do que isso. Cabe-nos avaliar o contributo recente, actual, real e efectivo que a Bolsa tem tido para o desenvolvimento nacional entendido nas suas diversas vertentes.

Existem os números, crus, os tais aos quais não podemos fugir, qual elefante na sala, e que nos poderiam levar a dizer que tal papel não tem sido conseguido, ou seja que a Bolsa tem tido um papel incipiente para o desenvolvimento nacional. Se achamos isto, entendemos também, no entanto, que mais de 90% dessa situação não é responsabilidade da Bolsa mas de uma série de outros factores que têm contribuído para a presente situação.

Estando no epicentro do sistema financeiro, a Bolsa teria na realidade um papel privilegiado para fazer as rodas da engrenagem girar, mas as coisas de facto não têm sido assim tão simples. Nem por acaso a AEM publicou em Julho de 2013, no âmbito da "*Iniciativa para o Mercado de Capitais*", um Relatório intitulado "*24 Recomendações para a Dinamização do Mercado Português*" (Ferreira, 2013) e nem uma única delas depende exclusivamente da *NYSE Euronext Lisbon*. Todas elas, com excepção talvez dos *fees* de admissão e dos *listings fees*, dependem também da colaboração de pelo menos outra instituição, seja ela a CMVM, o Governo, a Assembleia da República, o Banco de Portugal ou outra.

Há outros dados concretos que ainda não abordámos e que são relevantes para determinar o papel que a Bolsa desempenhou no desenvolvimento nacional e que nos remetem para o *rationale*, o *leitmotiv* que levou a este estudo, que é o de sair da frieza dos números, já que muitas vezes não reflectem a realidade mas só parte dela, e analisar os casos concretos. E ao fazer isso ganhamos uma percepção das coisas que de outra forma não teríamos. Olhando concretamente para os casos de sucesso da nossa Bolsa, no seu papel de financiamento do crescimento, expansão e internacionalização da nossa economia, vemos que, por exemplo, o maior empregador privado nacional, o Continente (Grupo Sonae), não o seria, sem o apoio decisivo do mercado de capitais (através da Sonae). Veríamos que o grande impulso dado ao sector bancário privado em Portugal nasceu na Bolsa, onde o BCP ganhou pernas para andar e crescer.

Estes exemplos não se podem realmente multiplicar por dezenas porque não existem assim tantos. Existem mais alguns, como o do BPI, da Mota Engil e pouco mais, mas a questão é que quem vive a realidade portuguesa sabe o papel que estas duas empresas, Continente (Grupo Sonae) e BCP, tiveram no desenvolvimento nacional, entendido em todas as suas vertentes: o Continente pela massificação que introduziu no consumo das famílias, estando presente no dia-a-dia da vasta maioria dos portugueses e com uma *brand recognition* difícil de igualar; e o BCP, que tendo sido o maior grupo financeiro privado português, tendo inovado e mexido com a banca de retalho, destaca-se também pelo papel que desempenhou no desenvolvimento nacional. Dificilmente alguma das duas empresas seria o que é hoje sem o recurso ao mercado de capitais.

E depois temos todas as questões que já discutimos ao longo deste trabalho, nomeadamente que o grau de excelência que as empresas cotadas atingem, leva-as a ser o *benchmark*, o exemplo que as outras empresas tendem a seguir. Não haverá certamente nenhum empresário português que não aspire a ser o próximo Belmiro de Azevedo (CEO da Sonae, detentora do Continente). Apesar de todas as grandes empresas nacionais, excepção feita a 3 ou 4, estarem cotadas na Bolsa, não se pode considerar que o seu potencial esteja esgotado. A Bolsa tem que criar outras alternativas, que reconhecemos, não são de fácil concretização.

Neste parecer, não podemos atribuir à Bolsa uma classificação muito elevada mas também, e devido ao mencionado papel que desempenhou, não lhe podemos atribuir uma classificação negativa. Entendemos por isso que a classificação de 3,5 será a que mais fielmente traduz o contributo da *Euronext Lisbon* para o desenvolvimento nacional e expressamos a confiança de que as medidas e a diversificação que estão a ser implementadas, bem como as alterações no contexto, conduzam a uma melhoria do actual panorama.

Tabela recapitulativa das avaliações da NYSE Euronext Lisbon:

	Escala binária	**Escala de 1 a 5**
I. Recrutamento e promoção meritocráticos	1	5
II. Imunidade a subornos e a interesses especiais	1	5
III. Ausência de "ilhas de poder"	1	5
IV. Proactividade	1	4
V. Flexibilidade tecnológica e abertura à inovação	1	5
VI. Poder, da própria organização ou dos seus aliados, para impedir que seja capturada por interesses particulares das classes dominantes	1	4
O1 Correspondência entre a estrutura organizacional e os manuais institucionais originais	1	5
O2 Contribuição específica e significativa para as metas do desenvolvimento	1	3,5

Agradecimentos

Gostaria de aproveitar a oportunidade para agradecer à Professora Margarida Marques, uma investigadora e uma pessoa excepcional, o convite para colaborar neste projecto, agradecer também a todos os quadros da *NYSE Euronext Lisbon* que foram muito amáveis e prestáveis, dispondo do seu tempo e partilhando as suas experiências profissionais, nomeadamente ao Dr. Luís Laginha de Sousa, ao Dr. Paulo Pina Pires, à Dra. Isabel Vidal e muito particularmente à Dra. Isabel Ucha, cujo contributo foi de enorme relevância. Gostaria também de agradecer ao Professor Alejandro Portes toda a ajuda prestada e, por fim, agradecer o contributo dos colegas de projecto dos quais gostaria de realçar especialmente a Dra. Cármen Maciel pela inestimável ajuda com a bibliografia, as fontes e as referências históricas.

Referências

CARVALHO, M. Irene, "O Mercado Bolsista Nacional: de 1973 à UEM", *in Bolsa de Valores de Lisboa-Estudos e Artigos*, Agosto 1998, pp. 5-13.

COSTA, José Rodrigues da e Maria Eugénia Mata. 2009. "The Equity Risk Premium: The Portuguese Carnation Revolution and the Lisbon Stock-Exchange". *Zeitschrift für Unternehmengeschiste/ Journal of Business History*, n.º 1, pp. 29-47.

COSTA, José C., Maria Eugénia Mata, David Justino. 2009. "Portuguese Average Cost of Capital" Lisboa: Faculdade de Economia da UNL (http://fesrvsd.fe.unl.pt/WPFEUNL/WP2009/wp543.pdf).

DAVIS, Gerald. 2012. "Politics and financial markets" in Karin Knorr Cetina e Alex Preda (dir.). *Oxford Handbook of the Sociology of finance*. Oxford: Oxford University Press, pp. 33-51.

FERREIRA, Abel Sequeira. 2013. *24 Recomendações para a dinamização do mercado português*. Lisboa: Associação de Empresas Emitentes de Valores Cotados em Mercado.

FILHO, Ary. 1986. "A Natureza jurídica das actividades das Bolsas de Valores" in *Revista de Administração de Empresas*. n. 26 (1), pp. 5-15.

JUSTINO, David. 1994. *História da Bolsa de Lisboa*. Lisboa: Bolsa de Valores de Lisboa.

MACHADO, José Pedro. 1974. "Posturas do Concelho de Lisboa (século XIV)" in *Documentos para o Estudo da História e da Cultura dos Portugueses*. n. 1. Lisboa: Sociedade de Língua Portuguesa.

PORTES, Alejandro 2009. *Las Instituciones en el Desarrollo Latinoamericano*. Cidade do México: Siglo XXI Editores.

TEIXEIRA dos Santos, Fernando. 2001. "Mercado de capitais português – um olhar sobre o passado a pensar no século XXI". Artigo para *O Economista* – Anuário 2001, disponível em http://www.cmvm.pt/CMVM/A%20CMVM/Conferencias/Intervencoes/Documents/5d0b92f294e64617a2d5bd48ab0518e2200106Economista.pdf

TEIXEIRA dos Santos, Fernando. 2001. "A evolução do Mercado de Capitais Português" disponível em http://www.cmvm.pt/CMVM/A%20CMVM/Conferencias/Intervencoes/Documents/58ee22e0dc804950ada7a5517f16cd1a200104EcoPura.pdf

VILLALOBOS, Luís e Raquel Correia. 2011. "ENTREVISTA. Presidente da Euronext Lisboa: Mercados da dívida deveriam ter uma 'maior transparência'". *Público online*. 12 de Setembro. https://www.publico.pt/economia/noticia/presidente-da-euronext-lisboa-mercados-da-divida-deveriam-ter-uma-maior-transparencia-1511488

Websites

www.isp.pt/

https://www.euronext.com/

http://www.emitentes.pt/

https://www.bportugal.pt/

http://www.peprobe.com

http://www.cmvm.pt/

http://www.ine.pt/

Glossário

Mercado à vista – *spot market* ou *cash market* é um termo genérico usado para se designar mercados onde se negoceiam activos para entrega imediata (normalmente o 3.º dia útil seguinte), por oposição a mercados onde se negoceiam activos para entrega futura, designados por mercados a prazo ou mercados de futuros.

Mercado de Futuros – Mercado organizado no qual são negociados activos para entrega e liquidação futura.

Mercado de Derivados – Um produto derivado é um instrumento cujo valor depende do valor de uma determinada variável subjacente (activo subjacente). As variáveis subjacentes mais comuns são os preços de activos transaccionáveis (acções, obrigações, divisas, mercadorias, metais preciosos), taxas de referência, índices accionistas, ou um contrato de futuros.

Hedgers: utilizam **estratégias de cobertura** (*hedging*) para cobrir riscos associados a posições em activos detidos.

Alternext: Mercado accionista vocacionado para a participação de PME. Nasceu em 17 de Maio de 2005 no seio do maior e mais líquido mercado accionista mundial – o *NYSE Euronext*. Países que o integram: Bélgica, França, Holanda e Portugal.

NYSE Euronext: Grupo de Bolsas de Valores da Europa e dos Estados Unidos da América, com representações na Bélgica, em França, na Holanda, em Portugal, no Reino Unido e nos Estados Unidos da América (NYSE). A *Euronext* foi formada em 22 de Setembro de 2000.

Capítulo 4

Etnografia Institucional: uma Análise dos Correios de Portugal

Roselane Gomes Bezerra

Apresentação

> *Felizmente os CTT foram fundamentais e continuam a ser fundamentais para o serviço universal, que é um serviço que tem a ver ainda com um Portugal envelhecido e pobre na periferia, e em que o carteiro continua a ser praticamente a ligação diária* (Entrevista 28-09-12).

Exercendo uma atividade estratégica no setor das telecomunicações, pelo facto de as suas atividades abrangerem todo o território nacional e também se realizarem à escala internacional, os Correios de Portugal se posicionam como um serviço que acompanha a história do país tendo sido muito importante para a coesão nacional. Nesse sentido, se um dos objetivos do projeto *VALID* foi avaliar a relação entre o funcionamento das instituições e o desenvolvimento da sociedade, nomeadamente no tocante à contribuição dos aspetos institucionais e organizacionais para a modernização dos países, a narrativa acima confirma o Grupo CTT como uma empresa exemplar para os propósitos dessa investigação.

O desenvolvimento tecnológico, a liberalização, concluída em 2012, e o anúncio da privatização, no ano de 2013, têm contribuído para uma profunda transformação nos serviços postais em Portugal. O Grupo CTT enfrenta o desafio de converter a liberalização e a inovação tecnológica numa mais-valia no sentido de continuar a colaborar para o desenvolvimento das comunicações num mercado concorrencial. No âmbito dessas mudanças, a instituição vem desenvolvendo ou adquirindo uma gama diversificada de empresas que oferecem diferentes produtos e serviços no setor das comunicações. Os Correios de Portugal apresentam-se como uma instituição que enfrenta constantes mudanças na sua estrutura interna e externa com a preocupação de ser uma empresa competitiva e que mantém um compromisso de cumprimento de valores éticos e sociais.

Como afirmou um dos diretores entrevistados "a empresa é longa, tem apetite de modernidade, mas por causa da extensão há entraves", isso evidencia a consciência da existência de pontos fortes e, também, de fragilidades da instituição, o que vai ao encontro dos critérios que conduzem esta investigação, ou seja, da pluralidade dos determinantes da qualidade institucional e da sua influência no desenvolvimento social e económico do país (Portes, 2009).

Percursos da Etnografia Institucional no Grupo CTT

O método etnográfico abrangeu atos de múltiplas subjetividades, desde a formulação das questões, à seleção de informações e interpretação de documentos e de narrativas. Dessa forma, a elaboração do presente capítulo inclui, no mínimo, uma tradução da "experiência" para a forma textual – como informa James Clifford (1998) a escrita etnográfica encena uma estratégia específica de autoridade.

A partir de um roteiro pré-estabelecido, as entrevistas apresentavam como objetivo geral compreender as condições institucionais dos Correios de Portugal e a capacidade da instituição em promover o desenvolvimento do país. Foram realizadas catorze entrevistas com diretores de empresas do Grupo CTT e/ou administradores com poder de decisão dentro da instituição. Foram entrevistados também o secretário-geral adjunto e o coordenador geral dos dois maiores sindicatos dos CTT e o coordenador da Comissão dos Trabalhadores. Um antigo dirigente do Grupo e um ex-administrador também foram entrevistados, totalizando 19 entrevistas realizadas entre os meses de novembro de 2012 e março de 2013.

Foi aplicado, também, um inquérito por questionário aos funcionários dos Correios de Portugal. O inquérito obteve 559 respostas e foi focado nas práticas, atitudes e valores dos mesmos.

Como afirmou Portes (2009), em relação ao Sistema Postal na América Latina, os Correios de Portugal são também um serviço público tradicional que cumpre uma função integradora da nação assegurando vínculos de comunicação até aos mais remotos confins. Entretanto, um outro aspeto importante no estudo comparado de algumas instituições Latino-Americanas foi a constatação de uma degeneração no Sistema Postal comprometendo as metas institucionais. No caso de Portugal, o Sistema Postal também atravessa um momento de transformação que pode comprometer os objetivos institucionais. No âmbito dessas mudanças presenciamos um cenário de intensa mobilização dos administradores para tornar os efeitos dessas transformações, decorrentes da liberalização, do processo de privatização e do desenvolvimento tecnológico e toda a instabilidade social e económica do país, o menos degradante possível para a instituição. O discurso dos administradores enfatiza também a continuidade da sustentabilidade da empresa.

A investigação etnográfica nos Correios de Portugal esteve atenta a reestruturação da empresa, decorrente do processo de privatização. Especialmente, com a mudança do Conselho de Administração, ocorrida em agosto de 2012. O novo Conselho teve como objetivo concluir esse processo. No período da investigação, a instituição estava a apresentar constantes alterações do modelo organizacional. Foram identificadas também três modificações no organograma da empresa entre agosto de 2012 e março de 2013.

Estabelecemos o período de julho de 2012 a julho de 2013 como o nosso "tempo etnográfico", ou seja, o tempo que delimita a recolha de dados para a análise dos determinantes institucionais e da apresentação da "tabela de verdade" (tabela-resumo da avaliação final).

Fundamentada na análise documental, e em fontes históricas, apresentamos a seguir uma abordagem diacrónica dos Correios de Portugal[1]. A visualização de dados e factos que compõem a trajetória dessa instituição poderá contribuir para um melhor entendimento do Grupo CTT na conjuntura atual.

1 Foram consultadas as seguintes fontes: Confraria *et al.* (2009), Confraria (2010), Marques e Rollo (1991), Rollo (2009), Rosa (2012), Santos e Teixeira (2009).

A trajetória dos Correios de Portugal

Antes da existência oficial do sistema de correios em Portugal, no início do século XVI, era comum a utilização de almocreves, que eram comerciantes ambulantes, de escudeiros, de moços de estrabaria, barqueiros, carreteiros ou caminheiros, para o transporte de mercadorias e também para o envio de cartas, recados ou notícias. No caso de correspondências importantes, estas ficavam a cargo da alta-nobreza. A Igreja e a nobreza utilizavam os seus criados e a universidade os seus mensageiros para o envio de suas correspondências. Algumas dessas práticas mantiveram-se até meados do século XIX. Porém, em 1520, consolidou-se o estabelecimento de um serviço público de correios em Portugal. Nessa data ocorreu a criação do Correio Público em Portugal, pelo rei D. Manuel I, que nomeou Luís Homem para o cargo de Correio-Mor. Este serviço podia ser utilizado tanto pela Coroa como pelos particulares.

Entre 1606 a 1797, o cargo de Correio-Mor esteve nas mãos de Luís Gomes da Mata e de seus descendentes, este fidalgo "o comprou a Filipe II, tendo-se verificado assim uma autêntica 'privatização' do serviço de correio"[2]. Só em 1797, o Estado adquiriu novamente a responsabilidade de funcionamento dos correios como um serviço público. Desta forma, verifica-se que o serviço postal em Portugal teve, até ao final do século XVIII, duas dinastias, a primeira era de nomeação régia (1520 a 1606) e a segunda da família Mata (1606 a 1797)[3].

Em Dezembro de 1805, por decreto do príncipe regente, as ruas de Lisboa ganharam um letreiro mandado colocar em cada esquina. Ou seja, foi graças aos correios que se iniciou a afixação dos nomes e números nas ruas de Lisboa. Nesse período, decretou-se a distribuição domiciliária de correspondências em Lisboa e arredores, mas a implementação desse serviço não foi imediata e a entrega continuou como era antes ou seja: "à chegada das malas procedia-se a elaboração de uma lista afixada no edifício dos correios onde constavam os nomes dos destinatários das cartas"[4]. Só em 1821 iniciou a distribuição domiciliária de correspondências na cidade de Lisboa. Os recetáculos também foram implementados no início do século XIX, mas só foram utilizados alguns anos depois. Esses recetores foram bastante criticados pela impressa da época, noticiados como "monstros de ferro".

2 http://pt.shvoong.com/humanities/history/2045600-correios-em-portugal/#ixzz21wlI1ARw
3 Fonte: http://pt.wikipedia.org/wiki/Correio-mor
4 Idem

O Ministro Fontes Pereira de Melo, em 1852, desenvolveu uma grande reforma postal, reorganizando profundamente os correios de Portugal "dando-lhes um carácter verdadeiramente público"[5]. O surgimento do selo postal foi uma das mais importantes medidas do aperfeiçoamento dos correios. A primeira emissão do selo postal em Portugal ocorreu em 1853 e reproduziu a esfinge de D. Maria II.

A primeira linha telegráfica dos correios de Portugal foi inaugurada em 1855, entre Lisboa e Sintra, modernizando os sistemas de comunicação. Mas, a grande revolução operada no funcionamento dos correios foi a criação do caminho-de-ferro, pois assim as diligências deram lugar ao comboio. O serviço de ambulâncias postais ferroviárias foi inaugurado em 1866[6].

A Direção-Geral dos Correios e a Direção-Geral dos Telefones fundem-se numa só empresa em 1880, ano em que surge também a posta rural. Também nessa época, em 1882, foram inauguradas as redes telefónicas de Lisboa e Porto.

Em 1911, foi definida uma maior autonomia administrativa e financeira aos Correios. Este serviço passou a constituir a Administração-Geral dos Correios, Telégrafos e Telefones, ou seja CTT, e foi-lhe atribuída a responsabilidade de assegurar os serviços em exclusividade.

Em 1969 foi publicado o Decreto-Lei de transformação dos CTT na Empresa Pública Correios e Telecomunicações de Portugal. No final da década, em 1978, teve início a mecanização dos Correios e a introdução do Código Postal. Nos anos 1990, ocorreu a implementação da informatização da rede de Estações de Correios, com a utilização de *software* desenvolvido em Portugal[7].

Uma grande mudança no sistema dos correios de Portugal aconteceu em 1992, com a adoção de um modelo mais empresarial, que deu origem a duas empresas: os CTT Correios e a Telecom. Como resultado deste processo, os correios tornaram-se uma "empresa moderna com uma gama diversificada de produtos e serviços postais"[8].

Outro facto importante para a trajetória dos Correios de Portugal é a sua inserção no mundo empresarial moderno, como informa esse entrevistado:

5 Fonte: http://www.filatelicamente.online.pt/c001/artigo_pdf/revista900_1.pdf
6 Idem
7 Idem
8 Idem

> "Depois da separação, as empresas passaram a funcionar com o mundo moderno. Em 1990, eram 24 mil pessoas a trabalhar, tinham 14 mil balcões; hoje são cerca de 14 mil pessoas. Os CTT tiveram nessa altura, da separação, 1991, um conjunto de dirigentes que queriam modernizar os CTT, começaram a utilizar novos termos como *clientes* no lugar de *utentes*. Foi um Conselho de Administração que trouxe para a casa a visão do *marketing*" (Entrevista 17-10-12).

Desde o tempo de el-rei D. Manuel I, Correios de Portugal vem se adaptando à evolução da sociedade e atendendo às novas exigências do mercado. Durante estes cinco séculos de atividades, os correios granjearam um grande respeito e consideração por parte dos portugueses e de organizações internacionais dando um forte contributo para o desenvolvimento do país. Especialmente no âmbito da expansão económica no pós-25 de abril. Como informou um entrevistado:

> "nos anos 1970, com o início da burocratização das empresas, os CTT foram fundamentais, sem um sistema de correios bem organizado o desenvolvimento do país estaria comprometido" (Entrevista 28-09-12).

A trajetória dos Correios de Portugal, após o 25 de abril, pode ser sintetizada por meio das seguintes fases: produtividade, rentabilidade, viabilidade e sustentabilidade. Nas palavras de um diretor:

> "Os anos 1970 são anos de infraestruturas, da oferta, de dotar o país de boas redes de comunicações quer de telecomunicações, quer de correios; depois, há ali uma fase que é uma fase mais de produtividade; depois há ali uma terceira fase, que é uma fase mais de rentabilidade e de viabilidade do próprio serviço postal; e neste momento, agora nos anos 2000, estamos numa fase de maior desenvolvimento, mais integrado, já com componentes também de sustentabilidade do próprio negócio, e também já de preparação para a privatização, para o *sharing*. Para uma fase que é deixarmos de ser uma empresa pública e passarmos a ser uma empresa privada, mas sempre com obrigação de prestar um serviço público e universal" (Entrevista 30-11-12).

Estrutura Organizacional

A estrutura organizacional dos Correios de Portugal vem passando por algumas mudanças ao longo das últimas décadas. A necessidade da criação de novas empresas para compor o Grupo CTT ocorreu após a separação entre os Correios e as Telecomunicações; com essa cisão, os CTT tiveram de encontrar uma nova vocação, a qual se baseou no aprofundamento do conceito do serviço e da criação do conceito de produto. Segundo o depoimento de um diretor, até aos anos 1980 os correios tinham a perceção que forneciam um serviço, e que eram um serviço público; mas não tinham bem o conceito de produto, portanto a importância do *marketing* na empresa cresceu nesses anos quando houve a necessidade de assumir produtos e orientar esses mesmos produtos para as necessidades da sociedade ou aproveitar oportunidades que o desenvolvimento da sociedade criava.

O Grupo CTT tem como objetivos estratégicos continuar a assegurar a prestação do serviço universal e promover o crescimento com criação de valor para o acionista, ou seja, o Estado, mantendo a liderança nos negócios atuais[9]. Está a ser imprescindível o desenvolvimento de novas áreas de negócios, gerando crescimento através da inovação. Segundo o Relatório e Contas do primeiro semestre de 2012, os principais desafios do Grupo estão a ser: "Regulação, Globalização, Liberalização, Novas tecnologias e Novos Negócios, Internacionalização, Concorrência, Alterações climáticas, Portefólio desbalanceado, Crise económica e Privatização"[10].

No tocante a estrutura interna, o Conselho de Administração é nomeado pelo Governo e os diretores de primeira linha são nomeados pelo CA. O Grupo CTT empregava no primeiro semestre de 2012 um total de 12.462 funcionários.

A partir de uma análise dos organogramas do Grupo CTT, de 2005 até 2013, percebemos que os três últimos organogramas expressam modificações decorrentes do momento de transformação que a instituição está a vivenciar. São modificações no tocante aos serviços prestados pelas novas empresas do Grupo, especialmente: CEP/ *Courier, Express e Parcels*, Soluções Empresariais e Serviços Digitais.

9 A privatização da empresa ocorreu depois de concluída a presente observação.
10 Fonte: http://www.ctt.pt/fectt/export/download/grupoctt/infofin/Relatorio_e_Contas_1Sem_2012.pdf

Aspetos Institucionais do Grupo CTT

A crise económica e a implementação de reformas estruturais na área das finanças públicas, ditadas pelo Memorando de Entendimento entre o Estado Português e a "Troika", ou seja, o Fundo Monetário Internacional, a Comissão Europeia e o Banco Central Europeu, a partir de abril de 2011, geraram mudanças no Setor Empresarial do Estado (SEE) com medidas no domínio da redução de gastos, da maximização da eficiência operacional e da otimização e redução das estruturas de custos. No caso do Grupo CTT, as principais mudanças foram decorrentes da imposição da privatização para o ano de 2013.

No âmbito do período estabelecido para a investigação etnográfica, a conjuntura nacional influenciou o desempenho institucional dos CTT, especialmente quanto a meritocracia, tendo em vista que, desde o ano de 2005, a progressão na carreira no setor público foi suspensa[11] e o orçamento do Estado para 2012 manteve o congelamento salarial, das promoções e progressões aplicado aos trabalhadores do setor público como uma estratégia de redução da despesa[12]. Vale ressaltar, que essas medidas foram prorrogadas para o ano de 2013.

Além dessas medidas que impedem a progressão na carreira e o recrutamento de novos funcionários, a liberalização total do setor postal, concluída em abril de 2012, também contribuiu para modificações no desempenho institucional, especialmente com o início da livre concorrência no mercado postal.

Por fim, podemos afirmar que os aspetos institucionais do Grupo CTT vão ao encontro da realidade do Sistema Postal do restante da Europa e tem como características a substituição eletrónica, a expansão do Correio de encomendas e a liberalização. Segundo uma diretora entrevistada, um outro pilar para o crescimento dessa instituição é o investimento na área dos serviços financeiros.

Uma melhor perceção dos aspetos institucionais do Grupo CTT passa pela análise sincrónica da adequação institucional, especialmente quanto ao cumprimento dos objetivos do Grupo CTT e da contribuição deste para o desenvolvimento do país. Nesse sentido, os depoimentos de diretores, administradores e sindicalistas, assim como as informações apresentadas pelos

11 A Lei n.º 43/2005 de 29 de agosto determina a não contagem do tempo de serviço para efeitos de progressão nas carreiras e o congelamento do montante de todos os suplementos remuneratórios de todos os funcionários. Fonte: http://www.ipv.pt/secretaria/lei432005.pdf.

12 http://www.jn.pt/PaginaInicial/Economia/Interior.aspx?content_id=2063299

funcionários inquiridos, foram fundamentais para uma compreensão mais ponderada a respeito da instituição.

Adequação Institucional: Cumprimento dos objetivos do Grupo CTT

> *A instituição vem cumprindo com os seus objetivos, é um serviço de qualidade, isso é fundamental, é um serviço de sustentabilidade com sustentabilidade empresarial é um serviço que tem tido em vista a responsabilidade social e obviamente é um serviço que chega a toda a parte, é universal e cumpre as regras de um serviço universal* (Entrevista 28-09-12).

O exame dos depoimentos dos diretores e administradores mostrou que existe quase uma unanimidade na afirmação de que a instituição é cumpridora dos seus objetivos. O carácter positivo dessas respostas está assente nas seguintes variáveis: "Qualidade do serviço (comparados com a Europa e o mundo)", "Sustentabilidade", "Cumprimento das regras de um serviço universal", "Resultados positivos, Modernização e tradição de serviço público", "Nunca recorrem ao dinheiro do Estado para investimentos" e "Cumprimento dos objetivos em tempo de mudança".

Um outro ponto abordado foi a relação dos trabalhadores com a instituição; segundo depoimentos, os colaboradores respondem aos desafios de transformação e "vestem a camisola dos CTT".

No "tempo etnográfico" da investigação, as narrativas apontam para as transformações que a instituição está a vivenciar. Existem afirmações de que houve uma mudança no conceito da instituição que passou a ser um grupo com respostas específicas para cada segmento. Fala-se também que a diversificação é uma necessidade de responder a concorrência em segmentos específicos do mercado.

O facto é que no contexto atual, os objetivos do grupo CTT estão a ser reformulados, no sentido de estar em elaboração um novo plano estratégico, porém este não se diferencia substancialmente dos objetivos iniciais.

A transformação do conceito de empresa pública para privada está a exigir outros objetivos relacionados a uma maior rentabilidade e diversidade da oferta de serviços. Nesse sentido, os serviços financeiros e expresso estão a ser muito importantes para o novo conceito de empresa.

Ao falar dos objetivos dos Correios de Portugal, não podemos deixar de sublinhar que o grande desafio para o serviço postal em todo o mundo é a diminuição do número de correspondências físicas; porém, no caso dos Correios de Portugal, a estratégia utilizada para contornar esse facto tem sido a criação de novas áreas de negócios. Ao investir em outras alternativas, o Grupo CTT tem demonstrado que não estamos diante do fim dos correios, mas sim diante de um novo modelo de empresa de correios, baseado em diversos serviços.

Em relação às dificuldades para o cumprimento dos objetivos atuais, são enfatizados os seguintes indícios: "A crise financeira", "O desenvolvimento tecnológico" e "Alguma dependência política do Estado, a qual é decorrente do facto de os conselhos de administração serem nomeados pelo governo".

A avaliação positiva em relação ao cumprimento dos objetivos do Grupo CTT é revelada também no facto de que mesmo existindo um contexto de dificuldades e mudanças, atestado em diferentes depoimentos, a instituição continua a conquistar diversos prémios internacionais, como por exemplo a Marca de Excelência *Superbrands* 2012[13].

Para compor uma perceção mais ampla sobre a adequação institucional do Grupo CTT, é importante salientar que, do ponto de vista dos sindicalistas e do presidente da Comissão dos Trabalhadores, o processo de privatização transformou-se no principal objetivo da empresa, no momento atual. As narrativas desses dirigentes fixam no passado um melhor cumprimento dos objetivos dos CTT. Nesse sentido, foi afirmado que nos anos 1980, os CTT foram uma das empresas de correio a nível mundial, que melhor cumpriu a sua obrigação, tanto em padrões de qualidade, como de eficiência. Os anos 1990 são apontados como uma fase de transição; nesse período, os CTT passaram a adotar um conceito de empresa privada, onde a gestão passou a ter uma preocupação com o lucro. No contexto atual, esses entrevistados afirmaram que os CTT continuam a cumprir o seu objetivo na sociedade, mas com algumas deficiências em termos da qualidade do serviço.

As respostas ao inquérito confirmam as declarações de diretores, administradores e sindicalistas. Um largo percentual afirmou que a instituição é cumpridora dos objetivos para os quais foi criada. Das 559 respostas ao

13 Fonte: http://www.ctt.pt/fectt/export/download/grupoctt/infofin/CTT2012_RelatorioContas.pdf.

inquérito, 98 (18%) concordam em absoluto e 377 (67%) concordam com a afirmação: "Os CTT cumprem, de um modo geral, os propósitos para os quais foram criados". Ressaltamos ainda que 42 respostas (8%) não concordam nem discordam e somente 22 (4%) discordam e 6 (1%) discordam em absoluto. Duas pessoas (0%) optaram pela alternativa "Não sabe" e 12 (2%) não responderam.

A partir da utilização do método de Análise Qualitativa Comparada (QCA), consideramos que a adequação institucional retrata um cumprimento satisfatório dos objetivos do Grupo CTT pelo que a classificamos com 4.

Contribuição para o desenvolvimento do país

Os CTT são um grande fator de coesão nacional
(Entrevista 30-11-12).

As narrativas dos entrevistados sobre o papel da instituição para o desenvolvimento do país apresentam muitas referências a contribuição dos Correios em diversas fases da história de Portugal. Como informa um entrevistado:

> "O Grupo CTT tem toda a importância para o desenvolvimento do país, não se pode imaginar a nossa economia nem a história de Portugal sem os CTT, é uma empresa que já tem 500 anos" (Entrevista 28-01-13).

Entre as diversas fases da história da instituição e também do país, os anos 1970 tem um destaque especial, nomeadamente quanto ao papel da instituição no desenvolvimento económico, pois foi no pós-25 de abril que se deu uma maior burocratização das empresas e segundo um entrevistado: "sem um sistema de correios bem organizado o desenvolvimento do país estaria comprometido" (Entrevista 30-11-12). Alguns entrevistados informam também que a instituição CTT foi fundamental na ligação entre os emigrantes e o país antes do 25 de abril.

Em termos políticos, há algumas críticas à estratégia do governo de separação dos correios das telecomunicações em 1992, com afirmações do tipo:

> "O governo descapitalizou os CTT no momento da separação"

ou

"o grande desafio dos CTT foi ser uma empresa rentável depois da separação das telecomunicações, em 1992, e isso foi conseguido" (Entrevistas 28-11 e 17-10-2012).

No tocante ao desenvolvimento social, é relevante o facto de ser um serviço universal e fazer uma ligação entre todo o território português. Muitos entrevistados afirmam que os CTT são um fator de coesão nacional.

Os serviços financeiros do Grupo CTT são apontados como uma importante área de negócio para a instituição e para o país. Alguns entrevistados lamentaram a não continuidade do Banco Postal[14] e falaram da importância dos CTT na captação de poupança dos portugueses, com os certificados de aforro. Quanto ao desenvolvimento económico muitos entrevistados ressaltam a credibilidade da instituição para os portugueses.

No momento atual (2013), ocorre uma reestruturação do Grupo e existe muita expectativa quanto ao modelo da privatização. Mas, mesmo nessa conjuntura, o Grupo CTT continua a ser avaliado como importante para o desenvolvimento económico, social e político do país. São recorrentes narrativas que ressaltam os seguintes aspetos: "Os CTT são um dos maiores empregadores no país", "Tem um peso social, no sentido de estabelecer um contacto direto com a população mais idosa e isolada", e "Tem um papel fundamental no apoio ao Estado e às outras empresas, por meio de uma rede de serviços universal capaz de fazer a ligação das empresas com o cidadão, de forma a aligeirar os custos e a tornar eficientes as empresas".

Outro dado relevante é o contributo para a racionalização dos serviços do Estado, que necessita fazer reduções de custos por via do seu défice. A descentralização de serviços é outro fator apontado como importante para o desenvolvimento do país. Os CTT estão em 100% do território, tem uma rede de distribuição de mais de 200 mil quilómetros por dia e entrega mais de 5 milhões de objetos diariamente.

14 Segundo um diretor entrevistado já houve alguns projetos para o Banco Postal. Em meados dos anos 2000, o acionista, ou seja o Estado, decidiu que o Banco Postal seria feito com a Caixa Geral de Depósitos; esse projeto foi iniciado, mas passado pouco tempo acabou. Na opinião desse entrevistado, era preciso um parceiro que necessitasse de uma rede de distribuição, algo que a Caixa não precisava, porque já tem uma rede de distribuição tão grande e tão forte como a dos CTT. Portanto seria necessário um parceiro que precisasse de uma rede como a dos CTT (Entrevista 25-02-13).

Alguns entrevistados mencionaram que o negócio dos CTT está muito ligado ao Produto Interno Bruto do país, ou seja o operador postal é um bom indicativo do estado da economia. Como informa esse entrevistado:

> "há mais tráfego, encomendas, comunicações, correspondência, quanto mais pujante for a economia; se a economia não é tão pujante, não há tantas comunicações, portanto as próprias empresas também começam a reduzir nos custos" (Entrevista 28-01-13).

Nesse contexto, de crise económica do país, são recorrentes os depoimentos de que o Grupo CTT está a desenvolver alternativas aos negócios tradicionais, que estão em declínio e estão a investir nas áreas de serviços financeiros e soluções empresariais, como a desmaterialização documental. Há informações também sobre a consolidação da área de expresso em Portugal e Espanha e do alargamento do mercado por via da internacionalização.

Outra medida para ajudar a superar a crise foi o ressurgimento do projeto do Banco Postal. A inclusão de uma licença bancária que tornará os Correios a quarta maior instituição bancária do País só em estações, consideradas lojas próprias, a que acrescenta a rede de parceiros[15]. Nesse sentido, está a ser preparado um dossiê sobre o que poderia ser um Banco Postal dos Correios de Portugal[16].

Apesar dos sindicalistas e do presidente daf Comissão dos Trabalhadores apontarem uma diminuição na qualidade dos serviços dos CTT, nos últimos anos, os seus depoimentos reforçam a importante contribuição do Grupo CTT para o desenvolvimento do país. Esse contributo é, especialmente, decorrente da prestação de um serviço de utilidade pública e de qualidade, da coesão nacional e da diminuição das assimetrias regionais, falam também que existe uma confiança dos utentes nos serviços dos CTT.

Essa apreciação positiva foi confirmada pela quase totalidade dos funcionários inquiridos. Questionados se "o funcionamento adequado dos CTT é essencial para Portugal", 360 (64,4%) funcionários responderam que "concordam em absoluto" e 176 (31,5%) afirmaram que "concordam". Ou seja, 95,9%

15 Fonte:http://economico.sapo.pt/noticias/banco-postal-dos-ctt-tera-a-quarta-maior-rede-de-balcoes
16 Fonte:http://expresso.sapo.pt/ctt-estamos-a-preparar-um-dossie-sobre-o-banco-postal-presidente=f812233

das respostas foram positivas e 2%, 11 pessoas, optaram pela alternativa "não concorda nem discorda". Somente 1 (0,2%) funcionário optou por "discorda" e 1 (0,2%) por "discorda em absoluto". Outras respostas foram: "não sabe", 2 (0,2%), e N/R, 8 (1,4%).

A partir dessas avaliações positivas a classificação da "Contribuição para o desenvolvimento do país" foi de 5.

Desempenho Institucional: Determinantes Internos

Critérios meritocráticos

> *Se eu não reconhecer competência e mérito na minha chefia, tenho sempre alguma relutância e o meu contributo tem sempre alguma possibilidade de não ser o mais adequado* (Entrevista 17-10-12).

O orçamento do Estado para 2012 manteve o congelamento salarial e das promoções e progressões, aplicado aos trabalhadores do setor público[17]. Por essa razão, o critério meritocrático é um determinante interno que não pode ser avaliado na atual conjuntura da instituição. Entretanto, numa perspetiva diacrónica, os entrevistados definiram o critério meritocrático com os seguintes depoimentos: "É a linha de pensamento da instituição", "Está na grande maioria das promoções", "A meritocracia é consoante as administrações", "O mérito é necessário para a permanência nos cargos", "Está presente no processo de avaliação de desempenho anual", "Existe em 90% das nomeações", "No Acordo de Empresa de 2008 a progressão por tempo de serviço foi substituída por uma avaliação de desempenho, aumentando assim, o critério meritocrático", "A instituição reconhece o mérito nas pessoas, o problema é que por vezes não há as condições financeiras que todos nós desejaríamos para poder dar as pessoas", "Promoções por mérito, quando as havia, eram de fixação de objetivos", "Há de tudo um pouco, como em todas as empresas. Nos últimos anos, eu acho que os CTT têm evoluído positivamente, ou seja, cada vez temos colaboradores mais formados e que crescem e têm possibilidade de crescer dentro da empresa".

17 Fonte: http://www.jn.pt/PaginaInicial/Economia/Interior.aspx?content_id=2063299

A partir dessas informações é percetível que o critério meritocrático existe como uma filosofia da empresa, mas não esteve presente de forma estável na instituição. Essa questão foi definida também por meio de críticas à falta da gestão individual da carreira de um funcionário. Como pode ser visto nesse depoimento:

> "Os CTT pecam por até agora, não sei se vai mudar (...) por não existir essa gestão individualizada da carreira de cada um, com perspetivas futuras" (Entrevista 28-01-13).

Segundo alguns informantes, há ainda outros critérios utilizados para as promoções na instituição, o que confirma a fragilidade do critério meritocrático, como: "Escolha ou seleção", "Confiança", "A cor do governo", "Favorzinho", "Componente política, oportunidade", "Relacionamento pessoal e político", "Simpatia pessoal", "Opiniões pessoais, gostos pessoais, ligações pessoais e influência política", "Mesmo com mérito é difícil progredir é uma cultura da empresa", "Os CTT estão com poucos instrumentos motivacionais", "O preenchimento de cargos foi sempre feito de uma forma muito curiosa, foi sempre revestido de processos de recrutamento e seleção que visavam promover o mérito e a competência, mas na verdade isso acontecia em 10% dos casos, porque 90% das nomeações eram o resultado depois das nomeações de todos, ou seja, políticas".

Segundo dirigentes dos sindicatos e da Comissão dos Trabalhadores a Avaliação de Desempenho, celebrada no Acordo de Empresa de 2008, não é um processo fiável. Para um entrevistado:

> "[O Acordo] não tem bases concretas e pontos de avaliação perfeitamente definidos em que o trabalhador seja avaliado em função da sua prestação do serviço. O trabalhador é avaliado em função dos olhos que tem, em função dos amigos que tem, em função do partido político, muita coisa, mas não em função da sua atividade profissional" (Entrevista 21-02-13).

Os dirigentes afirmaram que não existe uma grande dinâmica na ocupação dos cargos de diretores, de primeira e de segunda linha, e, quando há uma substituição, o antigo diretor, geralmente, não volta a ocupar cargos inferiores. Para esse episódio foi utilizada a expressão "prateleira dourada". Essa metáfora explica o caso de diretores que são exonerados, com uma mudança de administração, mas permanecem na empresa sem trabalho atribuído (Entrevista 21-02-13).

Outra expressão utilizada foi "postalistas" – esse léxico define os funcionários antigos da empresa. O depoimento a seguir explica que no momento atual alguns desses "postalistas" estão a ser "convidados" a deixar a empresa:

> "Nós costumamos chamar os postalistas àquelas pessoas que começaram a sua carreira profissional nos CTT, que conhecem a empresa de cima a baixo, são muito poucos, todas essas pessoas têm sido afastadas" (Entrevista 21-02-13).

Para outro informante, a empresa é muito burocrática e muito regulamentada, mas poucas vezes as promoções são feitas por mérito. Porém, há também depoimentos, entre sindicalistas, de que o critério meritocrático sempre foi respeitado na instituição.

As respostas ao inquérito mostram que o mérito é um atributo dos funcionários da instituição, ou seja, 98 (18%) "concordam em absoluto" e 315 (56%) inquiridos "concordam" com a afirmação de que os "colaboradores dos CTT executam as suas tarefas de forma competente". Mas, quando a questão se refere ao mérito dos administradores, as respostas positivas têm um índice bem mais baixo. Ou seja, somente 15 (3%) assinalaram a alternativa "concorda em absoluto" e 151 (27%) "concordam" com a afirmação de que "a maioria dos gestores/administradores dos CTT é composta por pessoas honestas e competentes".

Uma outra questão do inquérito que veio confirmar os depoimentos sobre a fragilidade da meritocracia na instituição é a seguinte: "se seguirem as regras e se fizerem o seu trabalho de modo competente, as pessoas são promovidas nos CTT"; 340 (61%) funcionários assinalaram que essa afirmação é falsa e somente 61 (11%), que é verdadeira.

A partir desses diferentes pontos de vista podemos concluir que o mérito tem aspeto ambíguo na instituição. Numa perspetiva diacrónica, a nossa avaliação a respeito do critério meritocrático foi 2.

Imunidade à corrupção e ao suborno

Eu não posso dizer que a empresa é limpa, mas também não posso dizer que a empresa é corrupta porque ambas as coisas são erradas (Entrevista 28-09-12).

Essa questão foi desenvolvida com uma certa ambiguidade por parte dos entrevistados. Destaco a seguir alguns sentidos referentes à definição de "imunidade a corrupção" dentro da instituição. Para a análise dos discursos, utilizei como expressões-chaves as afirmações proferidas por um entrevistado: "a empresa não é limpa" ou "a empresa não é corrupta". A partir dessas expressões identifiquei outras afirmações que as justificam.

A empresa não é limpa	A empresa não é corrupta
Há palmadas [vigarices].	A empresa é muito dura em termos de punição.
Pequenos favores.	Formalidade nos concursos.
Um processo em tribunal nesse momento.	Não existem práticas de corrupção.
Situações moralmente e socialmente reprováveis.	Uma empresa muito escrutinada, pelo Tribunal Constitucional, pelas Inspeções Gerais de Finanças, pela Inspeção-Geral das Obras Públicas e Comunicações.
Relações político-económicas.	Código de Ética desde 2006.
Há vinganças políticas nesse tipo de organização, pode haver factos de natureza política.	É uma empresa de confiança, credibilidade.
Quando muda a administração, começam a criar *complôs*. "Como afirmações de que o CA anterior fazia negócios mais escuros... "	Corrupção é despedimento.
Casos pontuais a nível das estações de correios.	Não há estruturas montadas de corrupção.
Em 2003 e 2004 existiu corrupção e suborno.	Há mecanismos de controlo interno muito bem desenvolvidos.
Existem casos pontuais, são 13 mil funcionários, é muito residual.	Há casos pontuais, que se resolvem com despedimentos.
Imune nunca está porque nós somos 11 mil ou 12 mil trabalhadores, portanto somos uma amostra do país.	Aqui os trabalhadores fazem carreira, querem começar e se reformar nos CTT. Essa visão passa de pai para filho.

Segundo dirigentes da Comissão dos Trabalhadores e dos sindicatos, a empresa não está imune a corrupção e ao suborno. Essa afirmação é justificada pelo facto de os CTT ser uma instituição muito ligada ao setor público. Mas, esse facto é visto como situações cíclicas e ligadas a corrupção partidária ou de grupos económicos.

Há algumas referências aos anos de 2003 e de 2004 como sendo um período em que a empresa não esteve imune a corrupção e ao suborno. Mas, por outro lado, um dirigente afirmou não ter conhecimento de corrupção, porque se tivesse denunciavam, como denunciaram um caso que estava a ser julgado em tribunal[18].

A partir da análise dos depoimentos percebemos que a corrupção ou suborno é detetado em casos pontuais e, segundo os entrevistados, estes são punidos com rigor. Para além das afirmações de que tudo é muito escrutinado dentro da instituição, falaram também dos valores da marca e do facto de se posicionarem no mercado como uma empresa credível. Porém, muitos informantes afirmaram que não há nenhuma empresa imune a essas práticas.

Nas respostas ao inquérito, metade dos inquiridos acreditam que os colaboradores são imunes ao suborno ou à corrupção. Nesse sentido, solicitados a optar se a afirmação, "a maioria dos colaboradores dos CTT é imune ao suborno ou à corrupção", as respostam foram as seguintes: 281 (50%) assinalou como verdadeira e 69 (12%) como falsa; porém, um número significativo, 159 (29%), respondeu "não sabe", 37 (7%), "nem uma, nem outra" e 13 (2%) não responderam.

Outra questão que se refere a essa determinante foi em relação a ascensão na carreira. Foi perguntado se "as promoções nos CTT dependem, essencialmente, das relações pessoais". Os inquiridos responderam da seguinte forma: 115 (21%) "concordam em absoluto" e 188 (34%) "concordam". Um número considerável de inquiridos, 120 (21%), responderam "não concorda nem discorda", e somente 79 (14%) "discorda" e 11 (2%) "discorda em absoluto", 37 (7%) optou por "não sabe" e 9 (2%) por não responder.

A partir dessas informações, a nossa avaliação sobre "imunidade à corrupção e ao suborno" foi de 3,5.

18 O presidente dos CTT entre 2002 e 2005 foi acusado, juntamente com dois ex-administradores, de ter prejudicado os Correios em 13,5 milhões de euros num negócio de venda de dois imóveis da empresa. Porém, em junho de 2013, o presidente e os dois antigos administradores dos CTT foram absolvidos pelo Tribunal de Coimbra dos crimes de gestão danosa e de participação económica em negócio.

Ausência de ilhas de poder

> *Dentro da tecnoestrutura existem várias ilhas de poder, eu diria que é o grande ponto fraco da instituição, e esse poder existe quer por razões de amizade pessoal ou de antiguidade, quer por razões de setor* (Entrevista 28-09-12).

Existe praticamente um consenso na afirmação da existência de ilhas de poder dentro da instituição. Muitos entrevistados definem as "ilhas de poder" como "quintas". Um entrevistado informou que as ilhas ou "quintas" existem na instituição e cada uma tem o seu "territoriozinho":

> "Isso é um arquipélago. Tem muitas ilhas, tem chefe, e adjunto do chefe, e chefe do adjunto do chefe, tem demais" (Entrevista 04-03-13).

Um aspeto que deve ser destacado, a partir da confirmação da existência de ilhas de poder, são afirmações de que as direções trabalham sozinhas, não se unem e isso prejudica o desenvolvimento da instituição.

Alguns entrevistados também apontam como aspetos negativos dessas "ilhas" o adiamento de tomadas de decisões ou decisões precipitadas a partir do poder de certos grupos que existem na instituição. As ilhas de poder são vistas como um grande obstáculo para o desenvolvimento da instituição.

Existem também afirmações de que as "ilhas", também chamadas "castelos", não chegam a ser um defeito, é algo natural nas instituições, como pode ser visto nesse depoimento:

> "Isso é natural, digamos que as pessoas, tendem a manter-se nos seus cargos (...), na minha experiência profissional, em todas as empresas, públicas, privadas, e mesmo nas multinacionais, e mesmo na administração pública, essas ilhas, esses castelos, que aliás muitas vezes ouvimos falar deles, até nos próprios meios de comunicação, e de uma forma clara pelos responsáveis políticos, isso existe, eu não vejo mal nisso, quer dizer, eu acho que isso é uma coisa mais ou menos natural, que é incontornável, que é incontornável, o que eu... para lhe dar uma ideia, a mim não me preocupa que haja essas ilhas, o que me preocupa é se não há pontes entre as ilhas (...). Nalguns casos conseguem-se fazer essas pontes,

umas mais estreitas, outras mais largas, mas pronto, eu diria que estamos a falar de uma organização humana, todas as organizações onde há pessoas, há esse tipo de situações." (Entrevista 28-01-13).

Há uma grande diversificação nos interesses dos grupos identificados como "ilhas". As "ilhas de especificação técnica/profissional" podem ser definidas por meio de um poder positivo; segundo informações, faz parte da cultura da empresa reconhecer o mérito de bons profissionais, ou seja, se estes apresentarem boas ideias passam a ser respeitados e reúnem pessoas em seu entorno.

A análise das entrevistas está a mostrar que os Sindicatos e a Comissão dos Trabalhadores são identificados como "ilhas" com um poder negativo ou até "destrutivo" para a instituição. Segundo um entrevistado há um sindicalismo muito "primitivo". Entretanto, alguns entrevistados reconhecem esses grupos como "ilhas de poder", porém lhes atribuem um valor positivo na relação com a instituição.

As "ilhas" apontadas como mais prejudiciais a empresa são de natureza político-partidária, o poder destas "ilhas" está diretamente relacionado com as mudanças dos Conselhos de Administração. Igualmente prejudiciais, segundo os entrevistados, são os grupos que possuem interesses comuns e têm poder de decisão na empresa, ou seja os *lobbies*.

As "ilhas" que se formam a partir de relações pessoais são apontadas como comuns a todas as instituições e podem não prejudicar o funcionamento da instituição. Segundo alguns entrevistados, as "ilhas" dos funcionários antigos, que estão nas direções, são "focos de poder", "não há união de poder". Ou seja, "mudam de cadeira", mas são sempre os mesmos e só vão embora quando chegarem ao limite de idade.

Segundo os dirigentes da Comissão dos Trabalhadores e dos Sindicatos, há várias "ilhas de poder" e isso prejudica o desenvolvimento da instituição. No ponto de vista desses entrevistados, as "ilhas" são prejudiciais a empresa porque se a administração tem um projeto, toda a linha hierárquica deveria seguir esse projeto, mas isso não acontece nos CTT.

No inquérito, essa questão foi abordada por meio da seguinte afirmação: "Existem grupos no seio dos CTT que agem de acordo com interesses próprios, mesmo que estes prejudiquem os objetivos mais amplos da organização".

Mais da metade dos inquiridos, 288 (52%), assinalou que essa afirmação era "verdadeira" e somente 62 (11%) como sendo "falsa". Entretanto um número relevante, ou seja 165 (30%), optou pela alternativa "não sabe", 17 (3%) assinalou "nem uma, nem outra" e 27 (5%) não responderam.

A partir da análise das informações a classificação do determinando "Ausência de ilhas de poder" foi demasiado baixa: 1.

Desempenho Institucional: Determinantes Externos

Flexibilidade tecnológica e abertura a inovações

> *Nós não fazemos inovação de uma maneira organizada ou estruturada, temos alguns núcleos de competência, há matérias em que somos mesmo muito bons em termos internacionais, mas não fazemos a gestão da inovação* (Entrevista 27-11-12).

Muitos entrevistados declararam que há flexibilidade tecnológica e abertura a inovações e isso ocorre devido a presença de profissionais competentes, que fazem dos CTT uma empresa inovadora. Segundo um entrevistado existe a inovação tecnológica a nível dos equipamentos, do tratamento, dos sistemas de distribuição e também a nível dos produtos.

> "Tudo o que é a chamada fileira digital dos produtos, correios, correio híbrido, correio eletrónico, do *mail manager*, sistemas de georreferenciação geográfica, etc., nós somos um *case study* até a nível mundial, podemos considerar que somos muito inovadores e que somos conhecidos como um operador inovador (...) Inovador e com qualidade" (Entrevista 30-11-12).

A inovação tecnológica tem sido um dos grandes desafios que o Grupo CTT enfrenta nos últimos anos. Cada uma das unidades de negócio do Grupo é responsável por inovar, apesar de haver na área da estratégia um pensar a inovação mais organizado, baseado no desenvolvimento tecnológico da instituição.

Segundo um entrevistado, cada área de negócio deve conter a inovação e acrescentar valor, portanto a inovação é um aspeto fundamental da gestão dessas unidades de negócio. As tecnologias de informação acabam por ser a forma de proporcionar muitas vezes a inovação. As unidades de negócio contam com as competências da casa mãe, que tem uma área de tecnologias de informação e que depois faz pelo interface, pelos parceiros de mercado.

A área de Soluções Empresariais tem um setor de desenvolvimento aplicacional, que proporciona autonomia, a flexibilidade e a capacidade de criar, que vem do facto de essa área ter internamente um *know how* e *expertise* necessários para fazer esses desenvolvimentos tecnológicos e aportar esse valor mais diferenciador no mercado.

A Mailtec, empresa do Grupo CTT desde 2005, é fornecedora de novas tecnologias dentro do grupo. As competências dessa empresa estão relacionadas com a presença da *web*, na internet, a gestão de conteúdos e plataformas de gestão documental. Segundo um entrevistado, a Mailtec só não fornece esses serviços para outras áreas de negócios quando não é possível fazê-lo de forma competitiva. Nesse caso, as outras empresas são livres de poder ir comprar ao mercado.

A Mailtec foi definida como uma empresa que faz a diferença no Grupo:

> "Apesar de não sermos uma empresa de tecnologias, nós próprios conseguimos, inclusivamente dentro dos nossos congéneres a nível mundial, que olhem para nós como sendo uma empresa que tem exemplos de soluções implementadas, que eles querem saber como funcionam, inclusivamente alguns deles até nos pedem propostas de prestação de serviços para irmos implementar nos países deles aquilo que cá temos" (Entrevista 21-03-13).

No momento atual, há uma grande abertura às novas tecnologias e nesse sentido têm sido lançados novos produtos, como por exemplo a Via CTT (Caixa postal eletrónica):

> "que é uma caixa de correio eletrónica assente numa plataforma tecnológica robusta e segura, que permite aos utilizadores receber, gratuitamente, em formato digital, a correspondência de um conjunto de

entidades previamente selecionadas. Possibilita ainda efetuar pagamentos ou programá-los e arquivar os documentos recebidos. Ultrapassou no final de 2012, mais de 1 milhão de utilizadores registados e 50 entidades expedidoras"[19].

Na parte do correio, os CTT são apontados, por alguns entrevistados, como um operador postal bastante tecnológico e que evoluiu muito nos últimos anos. No último ano, existiu também, uma grande aposta na parte tecnológica para os produtos financeiros.

Atualmente o Grupo CTT está a investir também no *e-commerce*, comércio eletrónico. "A CTT Expresso está a desenvolver uma solução de *e-commerce* para responder às necessidades do mercado"[20].

Numa perspetiva diacrónica, houve uma grande inovação tecnológica dos CTT nos últimos 20 anos, nessa altura automatizaram grande parte das operações de correio. Hoje os CTT são apontados como um dos operadores postais mais avançados, com lojas e estações completamente informatizadas. Segundo um entrevistado:

> "Há produtos que são essencialmente baseados em tecnologia, portanto, eu considero que é dos operadores postais mais avançados que eu conheço" (Entrevista 23-01-13).

Apesar do reconhecimento da presença de profissionais competentes dentro da instituição e da existência de boas iniciativas de serviços e negócios no âmbito das novas tecnologias, alguns entrevistados teceram críticas sobre a gestão da inovação. Alguns entrevistados afirmam também que os CTT deveriam ter feito muito mais em termos de inovação tecnológica.

A partir da análise das entrevistas constatei que algumas críticas denotam a existência de pessoas com pensamentos divergentes dentro da empresa, especialmente quando se trata de defender o desenvolvimento de tecnologias na empresa ou de fazer *outsourcing*.

Para alguns entrevistados, fazer *outsourcing* gera processos mais complexos e esse aspeto pode ser inibidor do ponto de vista da velocidade e do *time*

19 Fonte: http://www.ctt.pt/fectt/export/download/grupoctt/infofin/CTT2012_RelatorioContas.pdf.
20 Fonte: http://www.ctt.pt/fectt/export/download/grupoctt/infofin/CTT2012_RelatorioContas.pdf.

to market, por esse motivo existe a necessidade de ter algumas competências internas na área de inovação. Nesse sentido, um entrevistado afirmou que algum declínio que houve, na inovação tecnológica, tem muito a ver com a decisão de fazer *outsourcing*, de algumas áreas e funções que eram críticas. No ponto de vista desse diretor: "a gestão tem sido de modas". Por outro lado, um outro diretor afirmou que "nos tempos modernos as empresas não têm tecnologias próprias, isso já passou".

Segundo dirigentes da Comissão dos Trabalhadores e dos Sindicatos, o Grupo CTT tem vindo a desenvolver muito bem algumas áreas, nomeadamente na preparação do correio, nos negócios que levam a controlar todo o sistema de produção de correio até à sua distribuição. Em termos de equipamentos, os CTT estão muito à frente da grande maioria dos países, e mesmo em termos de desenvolvimento de aplicações informáticas para as estações, neste momento os CTT funcionam com uma aplicação informática que foi desenvolvida dentro da empresa.

> "Em termos tecnológicos, estamos no topo dos países desenvolvidos, em termos de correio, poucos países têm o correio desenvolvido como nós temos" (Entrevista 21-02-13).

Os colaboradores que responderam ao inquérito reafirmam a opinião de que há flexibilidade tecnológica e abertura a inovação na instituição. Para a questão: "De uma forma geral, os CTT procuram estar atualizados no que respeita ao uso de novas tecnologias e à atualização de procedimentos", 100 pessoas (18%) responderam "concorda em absoluto", 351 (63%) que "concorda", 57 (10%) "não concorda nem discorda", e somente 29 (5%) optou por "discorda" e 5 (1%) "discorda em absoluto", 7 (1%) pessoas assinalaram "não sabe" e 10 (2%) não responderam.

O fator, "Flexibilidade tecnológica e abertura a inovações", mereceu, em suma, uma boa avaliação e foi classificado com 4.

Pró-atividade

Mais importante do que apresentar bons indicadores, que sejam reconhecidos pelos reguladores, é termos bons indicadores de qualidade que sejam reconhecidos pelos clientes. Se os clientes estiverem satisfeitos, o regulador também há de estar (Entrevista 30-11-12).

Existe quase uma unanimidade na afirmação de que a empresa é pró-ativa, entretanto essa afirmação muitas vezes é seguida da declaração de que poderia ser mais. Alguns entrevistados declaram que a pró-atividade é demonstrada nos constantes resultados positivos que fazem dos CTT um Grupo de referência em termos mundiais. Afirmam também que se a empresa não fosse pró-ativa não teria capacidade de inovação e não sobreviveria num mercado concorrencial.

A insatisfação com a pró-atividade é justificada a partir das seguintes afirmações: "Nem todos são pró-ativos dentro da instituição", "Há áreas que poderiam ser mais pró-ativas", "A pró-atividade depende das administrações", "As ilhas de poder são um obstáculo para a pró-atividade" e "Algumas pessoas priorizam as suas carreiras individuais".

Existe uma avaliação positiva quanto a capacidade da instituição conectar-se eficientemente com seus clientes. Nesse sentido, afirmam que há um painel permanente segundo as regras da ANACON[21] e também processos de avaliações de serviço e interação com os clientes. Essa preocupação com a satisfação é justificada pelo facto de a única receita da empresa estar relacionada com as vendas.

A diminuição da burocratização da empresa, nos últimos anos, foi um outro ponto abordado. Esse facto contribui para uma avaliação positiva da pró-atividade e da eficiência na relação com os clientes. Segundo um depoimento, os estudos de mercado realizados anualmente, demonstram essa avaliação positiva:

"Nós todos os anos fazemos estudos de mercado, e uma das variáveis que conta para a avaliação de desempenho era a avaliação que os nossos

21 Está publicado no *site* da ANACOM o Relatório sobre os níveis de qualidade do serviço postal universal dos CTT – Correios de Portugal, S.A., referente ao ano de 2010. Fonte: http://www.anacom.pt/render.jsp?categoryId=347764.

interlocutores faziam do Grupo CTT e da equipa em si, e sempre foi uma avaliação muito boa, todos os clientes e nossos interlocutores vêm a forma positiva como os CTT têm evoluído nos últimos anos, em termos tecnológicos, em termos até do próprio relacionamento, ter deixado de ser burocrático e passar a ser um relacionamento mais pessoal" (Entrevista 25-02-13).

Na atual conjuntura, os CTT estão passando por uma série de reestruturações o que dá indícios de uma maior pró-atividade. Como pode ser visto no depoimento a seguir:

"Os CTT são uma empresa cada vez mais pró-ativa. Quando eu falo de pró-atividade, eu falo em duas vertentes principais: falo na questão comercial, porque vender correio, como lhe dizia, não é preciso muita pró-atividade, ou o cliente precisa, ou não precisa, mas para vender outras coisas, a pró-atividade tem que ser enorme, e portanto nós estamos todos a crescer nesse sentido. No que diz respeito à inovação, a mesma coisa." (Entrevista 21-03-13).

Os dirigentes da Comissão dos Trabalhadores e dos Sindicatos partilham da opinião de que o Grupo CTT é uma instituição pró-ativa, mas que poderia inovar ainda mais. Apesar de reconhecerem os CTT como uma empresa que tem estado no topo da inovação em muitas matérias, poderiam inovar mais em termos de serviços, de forma a tornar a empresa mais rentável, com mais serviços e com mais captação de pessoas e de trabalho.

A auscultação aos clientes faz parte das obrigações dos CTT, segundo o contrato de concessão. Entretanto, segundo um dirigente tem-se vindo a verificar ao longo dos anos, e principalmente desde 2002, uma redução significativa do número de trabalhadores e uma quebra de serviço, uma quebra na qualidade do serviço.

Os colaboradores que responderam ao inquérito avaliaram positivamente a afirmação de que "os CTT fazem tudo o que está ao seu alcance para prestar um serviço que satisfaça os seus utentes/clientes". Para essa questão, 95 (17%) pessoas assinalaram "concorda em absoluto" e 280 (50%) "concorda", somente 73 (13%) pessoas optaram por "discorda" e 12 (2%) "discorda em absoluto".

As demais respostas foram 81 (15%) "não concorda nem discorda" e 7 (1%) "não sabe".

Para uma outra questão relacionada ao *feedback* a resposta foi ambígua, com o destaque para um elevado número de respostas "não sabe". Nesse sentido, foi questionado se "os líderes dos CTT procuram ativamente o *feedback* das pessoas que interagem com a instituição ou que usam os seus serviços". As respostas foram as seguintes: 171 (31%) "verdadeira", 166 (30%) "falsa", 66 (12%) "nem uma, nem outra", 142 (25%) "não sabe" e 14 (2%) não responderam.

Em conclusão, este fator também mereceu pontuação elevada: "pró-atividade" = 4.

Aliados externos

> *"O Estado não tem sido um entrave, senão a empresa não evoluía da forma como evoluiu. Se me diz assim, há coisas onde o Estado deveria ser mais flexível, há, (...), se calhar estamos a exagerar em termos do nível de interferência do Estado na gestão da empresa"* (Entrevista 14-02-13).

A partir das análises das entrevistas são percetíveis depoimentos que ressaltam pontos positivos, ou benefícios, pelo facto de a empresa ser de capital público, mas também afirmações que denunciam aspetos negativos dessa relação, nomeadamente quanto a ligação entre partidos políticos, grupos económicos e a administração da instituição.

Segundo alguns depoimentos, a administração da empresa pode ser dependente de um poder de natureza política e/ou económico. As informações de um entrevistado declaram que:

> "os gestores de topo, infelizmente como a maior parte das empresas públicas em Portugal, são frequentemente determinados por relações de poder político ou económico pré-estabelecido" (Entrevista 17-10-12).

Segundo um entrevistado, os grandes grupos económicos têm tanto ou mais poder de influência que os interesses político-partidários. Essas relações são definidas pelos termos "amizade económica" ou "família", e vai além do partido político como determinante.

No momento atual, a empresa está a desenvolver o processo de privatização cujo modelo será definido pelo Estado. Os diretores entrevistados afirmaram não ter nenhum conhecimento de como decorrerá esse processo; questionados se a privatização pode reforçar, ou pelo contrário, comprometer o desempenho da empresa, foram apontados alguns aspetos positivos que poderão decorrer da privatização, nomeadamente: "A entrada de mais dinheiro para o país", "A transformação dos CTT numa empresa de referência – entrar no mercado bolsista", "Novas práticas de *governance*, de gestão empresarial", "Tornar a empresa menos dependente do poder político", "Mais competência na gestão", "A manutenção das obrigações do serviço universal", "Flexibilidade laboral", "Soltar as amarras do Estado para se desenvolver" e "Facilitar a internacionalização da empresa".

Um aspeto negativo aludido por um entrevistado é referente a prestação social; no seu ponto de vista, com a privatização, o Estado vai ser menos exigente em termos de um futuro contrato de concessão do que é atualmente.

Os dirigentes da Comissão dos Trabalhadores e dos Sindicatos reconhecem que há interesses políticos e de grupos económicos na gestão dos CTT, porém acreditam que a privatização não é um bom caminho. Nesse sentido, afirmam que nenhum caso de privatização dos Correios na Europa foi satisfatório, seja na melhoria da qualidade do serviço aos utentes ou na qualidade das condições de trabalho para os funcionários, pelo contrário, existiu muito desemprego.

Esse tema foi avaliado no inquérito por meio da seguinte afirmação: "Há uma boa cooperação institucional entre os CTT e os decisores de topo da administração pública e do Estado português". As respostas indicaram uma tendência em concordar com essa afirmação, 40 (7%) "concorda em absoluto" e 141 (25%) "concorda", somente, 73 (13%) "discorda" e 20 (4%) "discorda em absoluto", porém um elevado número de inquiridos demonstra não ter conhecimento desse tema, optando pela alternativa "não sabe", 115 (21%) ou avaliam de forma neutra, assinalando "não concorda nem discorda", 157 (28%), e 13 (2%) não responderam.

A avaliação deste fator, "Aliados externos ou o poder da instituição e de seus aliados para impedir interesses particulares da classe dominante", foi 2.

Conclusões

A capacidade de reinventar-se foi fundamental para que os Correios de Portugal chegassem ao século XXI a cumprir com os seus objetivos e a contribuir para o desenvolvimento do país. A adequação institucional tem no conceito de "grupo" um caso exemplar da tentativa da instituição em encontrar respostas específicas para diversos segmentos. Hoje, o Grupo CTT apresenta-se como uma empresa com um conjunto de valências que está a redefinir um modelo de correios, com serviços e produtos que buscam acompanhar o desenvolvimento da sociedade e a satisfazer necessidades.

A análise dos determinantes do desempenho institucional revelou que a pró-atividade e a flexibilidade tecnológica são os critérios mais positivos da instituição e que estão a contribuir para a evolução da empresa, há relatos de que foram as ações pró-ativas que impulsionaram mudanças importantes nos CTT, nas últimas décadas. Por outro lado, os critérios relacionados a existência de ilhas de poder e a relação com os aliados externos ou o poder da instituição e de seus aliados, para impedir interesses particulares da classe dominante, foram apontados como os determinantes de maior fragilidade da instituição.

A imunidade a corrupção foi o determinante do desempenho institucional que apresentou uma maior ambiguidade nas narrativas dos entrevistados. A investigação constatou que esse critério está presente na instituição, contudo, existiu entre os entrevistados, quase uma unanimidade, na afirmação de que não há empresas imunes a corrupção. Na avaliação desse critério emerge uma outra questão importante no desempenho de uma instituição e de sua contribuição para o desenvolvimento do país. Essa questão refere-se ao que é considerado corrupção. Nesse sentido, a definição desse determinante é permeado por uma perceção pessoal, social ou cultural, que faz com que um determinado ato seja apontado como "demasiado comum" ou como "inaceitável".

O contexto económico do país, especialmente no tocante ao congelamento salarial e das promoções e progressões, aplicado aos trabalhadores do setor público, dificultaram uma análise sincrónica do critério meritocrático. Porém, ao reportar-se ao passado da instituição, a maioria dos entrevistados apontaram aspetos negativos desse critério no desempenho institucional.

A etnografia institucional nos Correios de Portugal demonstrou que estamos diante de uma empresa que atravessa uma profunda transformação, decorrente do desenvolvimento tecnológico, mas também por decisões políticas, externas a instituição, como a liberalização do setor postal e a privatização. Por fim, a investigação revelou que os CTT, ao longo de sua trajetória, possui uma importante capacidade de adaptação as transformações sociais e políticas do país e têm agora o desafio de responder se a privatização irá reforçar ou, pelo contrário, comprometer o desempenho da empresa e em particular o seu contributo para o desenvolvimento nacional.

Avaliação	**Escala Binária**	**Escala de 1 a 5**
Determinantes:		
Meritocracia	0	2
Imunidade a Corrupção	1	3,5
Ausência de Ilhas de Poder	0	1
Pró-atividade	1	4
Flexibilidade Tecnológica	1	4
Aliados Externos	0	2
Resultados:		
Adequação Institucional	1	4
Contribuição para o Desenvolvimento	1	5

Referências

CLIFFORD, James. 1998. *A Experiência Etnográfica – Antropologia e literatura no século* XX. Rio de Janeiro: Ed. UFRJ.

CONFRARIA, João *et al.* 2009. *As Comunicações na Idade Contemporânea. Cartas, Telégrafo e Telefones,* Lisboa: Fundação Portuguesa das Comunicações.

CONFRARIA, João. 2010. *O Interesse Público na Política de Comunicações, 1910 – 2010,* Lisboa: Fundação Portuguesa das Comunicações.

MARQUES, A. H. De Oliveira e Maria Fernanda Rollo. 1991. "Os Meios de Circulação e de Distribuição" in Joel Serrão e A. H. De Oliveira Marques (dir.). *Nova História de Portugal,* vol. XI, *Portugal da Monarquia para a República.* Lisboa: Editorial Presença.

PORTES, Alejandro (coord.). 2009. *Las Instituciones en el Desarrollo Latinoamericano: Un Estudio Comparado.* Cidade do México: Siglo XXI.

ROLLO, Maria Fernanda (coord.). 2009. *História das Telecomunicações em Portugal da Direcção Geral dos Telégrafos do Reino à Portugal Telecom.* Lisboa: Tinta da China.

ROSA, Eugénio. 2012. *Grupos económicos e desenvolvimento em Portugal no contexto da globalização.* ISEG-UTL. Tese de doutoramento.

SANTOS, Alva G. (coord.) e Maria Teresa Teixeira (coord. exec.). 2009. *Guia de Fontes Documentais – História das Comunicações em Portugal.* Lisboa: Fundação Portuguesa das Comunicações.

Websites

http://www.filatelicamente.online.pt/c001/artigo_pdf/revista900_1.pdf

http://pt.shvoong.com/humanities/history/2045600-correios-em-portugal/#ixzz21wIl1ARw

http://pt.wikipedia.org/wiki/Correio-mor

http://www.ctt.pt/fectt/wcmservlet/ctt/institucional/grupoctt/quemsomos/governo_sociedade/estruturaorganizacional.html.

http://www.ctt.pt/fectt/export/download/grupoctt/infofin/Relatorio_e_Contas_1Sem_2012.pdf

http://filatelica.aac.uc.pt/ambulancias.php

http://www.ctt.pt/fectt/export/download/grupoctt/infofin/CTT2012_RelatorioContas.pdf.

http://www.ipv.pt/secretaria/lei432005.pdf.

http://www.jn.pt/PaginaInicial/Economia/Interior.aspx?content_id=2063299

http://www.ctt.pt/fectt/wcmservlet/ctt/institucional/grupoctt/info_financeira/relatorio_contas.html

http://economico.sapo.pt/noticias/banco-postal-dos-ctt-tera-a-quarta-maior-rede-de-balcoes

http://expresso.sapo.pt/ctt-estamos-a-preparar-um-dossie-sobre-o-banco-postal-presidente=f812233

http://www.jn.pt/PaginaInicial/Economia/Interior.aspx?content_id=2063299

http://www.anacom.pt/render.jsp?categoryId=347764.

http://imagensdemarca.sapo.pt/atualidade/portugueses-com-marcas-que-mais-confiam/

Capítulo 5

EDP - Energias de Portugal. De empresa pública monopolista a conglomerado económico privado

Nuno Vaz da Silva

Introdução

Neste capítulo proponho-me identificar os valores fundamentais para a cultura institucional da EDP e qual o impacto da sua actividade no desenvolvimento socioeconómico em Portugal. A profunda transformação que a instituição sofreu com as sucessivas operações de privatização originou alterações significativas na estrutura organizacional e na matriz sociocultural da empresa. A evolução de instituição monopolista mononegócio para um conglomerado económico é um dos aspectos mais significativos dessa alteração que ocorreu não apenas de forma endógena mas também devido a imposições legais externas.

As informações contidas neste relatório foram obtidas em relatórios internos e externos à instituição, entrevistas a diversos *stakeholders*, visitas a delegações da empresa e outros locais de interesse relevante, consulta de normas internas e regulamentação, notícias e notas de imprensa, legislação e diversas fontes bibliográficas.

Foi ainda efectuado um questionário (confidencial) a 288 colaboradores do Grupo EDP.

Para caracterizar o contributo da instituição para o desenvolvimento, este capítulo está dividido em 5 grandes temas. No primeiro, analiso a relevância específica do bem de consumo "energia eléctrica" e descrevo a evolução histórica do sector em Portugal. Na segunda secção apresento o percurso da empresa e as suas principais estratégias, enquanto o terceiro é dedicado ao estado da arte do mercado eléctrico em Portugal. No quarto ponto são avaliados os factores internos e externos associados à promoção do desenvolvimento por parte da instituição. Por fim, no último capítulo analiso o contributo específico do Grupo EDP para o desenvolvimento, o impacto da crise orçamental na empresa e concluo sobre a correspondência entre a organização e a instituição EDP.

Energia Eléctrica – um bem de primeira necessidade?

Para conhecer uma empresa que se dedica à produção e comercialização da energia eléctrica, é imprescindível compreender o sector, explorar a história da instituição e identificar os factores determinantes da sua cultura institucional.

A energia ocupa um papel determinante nas agendas políticas e na cultura social da era moderna, podendo ser considerada um recurso essencial à semelhança da água, do ar e da terra, conforme defendido pelo reconhecido economista E. Schumacher[1]. No seu livro *Small is Beautiful*, o autor equipara a energia no mundo mecânico à consciência para o mundo humano afirmando que, se a energia falha, tudo falha (Schumacher, 1975: 99).

A energia está na génese de algumas das grandes transformações sociais da era moderna, como a revolução industrial ou a evolução tecnológica. Joseph A. Schumpeter, na sua publicação sobre os ciclos económicos do "neomercantilista" Kondratieff, defende que os processos de inovação e desenvolvimento se devem ao papel do capital na busca de novos mercados. Segundo Schumpeter, o primeiro ciclo (1786-1842) foi caracterizado pelo carvão, as máquinas a vapor e o algodão; o segundo (1843-1897), por uma forte aposta nas vias de comunicação que atraiu inúmeros investimentos; e o terceiro (a partir de 1897) pela electrificação e a propagação de carros com motor de combustão (Schumpeter, 1964).

A massificação da utilização da energia e o recurso a novas fontes de produção têm contribuído para a adopção de novos estilos de vida, novos padrões de consumo e, por consequência, novos equilíbrios no sistema democrático (Agustoni e Maretti 2012: 400). Os Governos nacionais assumem-se fundamentalmente como *pivots* que necessitam de promover o equilíbrio entre as novas políticas energéticas e a necessidade de cumprir as metas de sustentabilidade,

1 Vd. Agustoni e Maretti (2012).

o interesse dos accionistas das empresas eléctricas em maximizar o lucro e os consumidores que pretendem ser bem servidos mas a preços tendencialmente reduzidos. Os preços da electricidade têm sido, e provavelmente continuarão a ser, um tema polémico neste equilíbrio de forças, onde o custo final da sustentabilidade recairá sobre o consumidor (PWC s/d). As empresas energéticas não ficaram indiferentes a uma crescente vaga de políticas de responsabilidade social. A estratégia de criação de organismos ligados ao terceiro sector tem diversas motivações como a necessidade de aproximação aos *stakeholders*, a obtenção de mais valias pela presença em *rankings* internacionais de boas práticas, a distribuição de lucros com consciência social, a promoção do espírito de equipa dos próprios colaboradores e principalmente a transformação de uma imagem de negócios para uma cultura de parceria nas regiões onde desempenham as suas actividades.

Um dos maiores desafios dos *players* do mercado energético tem sido a sucessiva liberalização imposta em alguns segmentos do negócio que provocou uma mudança substancial na estrutura e organização das empresas eléctricas. A particularidade do bem transaccionado, as interacções entre os *players* e a necessidade de garantir a estabilidade e qualidade do fornecimento, representam, em conjunto, a especificidade própria da electricidade que tem vindo a evoluir em paralelo com as grandes discussões político-ideológicas.

A origem da electricidade em Portugal

A introdução da electricidade em Portugal foi um processo gradual e que incluiu o desenvolvimento simultâneo de outras tecnologias como a telegrafia eléctrica e o telefone. As primeiras experiências de iluminação pública em Portugal ocorreram em festividades, espectáculos ou datas comemorativas, como aconteceu na cidadela de Cascais, por ocasião do aniversário do príncipe D. Carlos, em 1878. Nesse mesmo ano, foi introduzida iluminação pública na zona cosmopolita do Chiado (Heitor *et al.*, 2004). A iluminação era então produzida por uma pequena estação geradora móvel a carvão da Casa Real (Faria *et al.*, 2007).

Decorreram mais de 10 anos até que, em 1889, foi inaugurada em Lisboa a primeira instalação produtora de electricidade, na Avenida da Liberdade, e que permitia a alimentação de uma pequena rede eléctrica entre a Rotunda e os Restauradores. Esta central pertencia à Companhia Gás de Lisboa, empresa que veio intrometer-se no mercado monopolista da distribuição e comercialização de gás dominado pela Companhia Lisbonense de Iluminação a Gás. Estas duas empresas acabariam por se fundir em 1891 nas Companhias Reunidas de Gás e Electricidade (CRGE).

Em 1908, Portugal consumia apenas cerca de 1/7 da energia consumida na Bélgica, o que é demonstrativo do atraso na difusão da energia eléctrica em Portugal quando comparado com outros países europeus. O desenvolvimento da energia eléctrica foi essencial para a industrialização do país. Contudo, dado que a grande maioria das centrais eram alimentadas a carvão importado do estrangeiro, houve desde cedo um desequilíbrio da balança comercial (Marques e Serrão, 1991).

Nas primeiras décadas do séc. XX, as instalações eléctricas foram-se multiplicando por todo o país, mas sem qualquer estratégica na interligação das redes.

Desde os primórdios da electricidade em Portugal que houve o recurso a capital e trabalho estrangeiro. Para além dos elevados custos financeiros, em Portugal não existiam técnicos especializados na área e só em 1911, com a criação do Instituto Superior Técnico, Portugal passou a formar especialistas em mecânica, química industrial e engenharia civil e electricidade (Matos e Ferreira da Silva, 2008).

Em 1920, apenas 1/10 das residências tinham contador de electricidade, o que era um indicador da preferência dos cidadãos pelo gás que utilizavam para a iluminação, para cozinhar e para aquecimento. Até 1930 houve uma grande alteração na produção de energia em Portugal. O número de centrais produtoras passou de 39 para 395 e o peso relativo da produção hidroeléctrica também aumentou para 24%, possibilitando uma maior utilização dos recursos nacionais. Apesar desta evolução, Portugal estava ainda bastante atrás de outros países no consumo per capita de energia (29kw em Portugal face a 100kw em Espanha, 560 kW nos Estados Unidos e 975 kW no Canadá).

Contributo do Estado para o desenvolvimento do sector eléctrico

A intervenção do Estado foi decisiva para o processo de electrificação, contribuindo para a diminuição dos agentes envolvidos no sector, promovendo fusões ou criando áreas de intervenção específica para determinadas companhias. Essa intervenção permitiu ainda reduzir a excessiva dependência da importação do carvão britânico, também apelidado de "hulha negra", que alimentava as centrais termoeléctricas.

Um importante marco na electrificação em Portugal surge em 1944 com a "Lei da Electrificação Nacional" que definiu as principais directrizes que deveriam orientar o esforço de electrificação, que se considerava fundamental para o crescimento económico do país. Na sequência da publicação da referida Lei, o Estado iniciou um ambicioso programa de barragens para aproveitamento eléctrico entre 1941 e 1966, suportado em dois diferentes planos de fomento. Esta política deu origem às primeiras grandes empresas produtoras nacionais. O objectivo da instalação das centrais hidroeléctricas veio a verificar-se mais abrangente, como pólo de promoção do fomento industrial e agrícola, e como ferramenta determinante para a electrificação dos caminhos de ferro. O investimento na energia hidroeléctrica permitiu ainda o desenvolvimento das regiões do interior, onde se realizaram a maioria dos investimentos (Henriques, 2005).

No decurso da implementação da Lei acima referida, foi constituída em 1947 a Companhia Nacional de Electricidade (CNE) que teve amissão de interligação e exploração das linhas de transporte da electricidade. Outra importante função desta sociedade foi a formação de técnicos qualificados, fomentando a construção no mercado interno da aparelhagem e acessórios necessários às obras. Paralelamente foi também criada a Empresa Termoeléctrica Portuguesa que assumiu a responsabilidade pela construção e exploração das principais centrais termoeléctricas. No final da década de 60, as empresas concessionárias de Produção e Transporte da rede eléctrica primária fundem-se numa única empresa, a Companhia Portuguesa de Electricidade (CPE). Ao mesmo tempo, uma grande parte do sector mantinha-se nas mãos de empresas e municípios, sendo resultante de diversas iniciativas avulsas que marcaram o sector da energia eléctrica.

Na década de 70 houve uma intensa discussão sobre a produção de energia nuclear, tendo sido até seleccionada a localidade de Ferrel, perto de Peniche, para a instalação da primeira central. Esta unidade de produção acabou por não ser construída devido a diversos factores, nomeadamente a intensa contestação popular. Embora uma análise superficial levasse à conclusão talvez surpreendente de que o choque petrolífero de 1973 não teve uma influência significativa na estrutura do sector eléctrico, este facto é explicado pela natureza das alterações políticas ocorridas no país. Com a revolução militar de 25 Abril de 1974 diversos sectores estratégicos foram nacionalizados, entre os quais o sector eléctrico, já decorria o ano de 1975 (Heitor *et al.*, 2004).

O contributo do Estado para o desenvolvimento do sector não termina com a nacionalização. Este foi apenas o ponto de viragem para uma profunda mutação do mercado eléctrico que a EDP não só ajudou a transformar como foi o mais importante agente dessa evolução, como veremos nos próximos capítulos.

A constituição da EDP e a transformação do sector

Em 1976, foram criadas empresas públicas para desenvolver a actividade de produção, transporte e distribuição de electricidade: EDP em Portugal Continental, EDA nos Açores e EEM na Madeira.

A EDP – Electricidade de Portugal, SA resultou da fusão das treze maiores empresas do sector eléctrico que tinham sido nacionalizadas em 1975 (*vd.* Matos *et al.* 2004, inter alii). Tratou-se de uma operação de concentração de âmbito nacional em contraponto com a fragmentação regional que vigorava até essa data. A EDP recebeu a hercúlea missão de electrificação do país, modernização da rede de distribuição, construção e gestão dos centros produtores e a unificação do tarifário, independentemente da região do país onde se situavam os seus clientes. A electricidade passou então a confundir-se com a empresa monopolista do sector, a EDP. Até meados da década de 80, a EDP incorporou um grande número de pequenas empresas, entidades municipais e até indivíduos singulares que produziam e comercializavam electricidade. O mercado eléctrico sofreu uma profunda alteração com a transição de várias centenas de entidades que coexistiam de forma autónoma para uma empresa monopolista a operar em exclusividade nas diversas actividades do sector, no continente (Figueira, 2013). Esta revolução, concluída apenas em Janeiro de 1989, possibilitou a estabilização do sector ao mesmo tempo que foi dotado de músculo financeiro para enfrentar as necessidades e as exigências da população.

Para se ter uma ideia da extensão da actividade de electrificação, entre 1976 e 1989 a EDP instalou 1.983 Km de linhas de alta tensão, 26.762 Km de média tensão e 58.382 Km de baixa tensão, levando a electricidade a inúmeros lugares, muitos deles com poucos residentes. Se em 1976 ainda havia 15,5%

da população portuguesa, cerca de 1.300.000 pessoas, a viver em áreas sem electricidade, em meados da década de 80, a rede de distribuição da EDP já cobria 97% do território de Portugal Continental. As décadas de 80 e 90 do séc. XX ficaram associadas a novos progressos, nomeadamente experiências de introdução da energia geotérmica em São Miguel ou parques eólicos como a instalação no Figueiral, em Santa Maria.

Foi ainda durante a década de 90 que se decidiu retomar a construção da barragem do Alqueva. Durante estes anos, o conceito de "desenvolvimento sustentável" ganha notoriedade, influenciando de forma absolutamente determinante as decisões futuras das instituições. A publicação do *Relatório Brundtland* em 1987 e os programas de ética na energia introduzidos na Cimeira da Terra, no Rio de Janeiro, em 1992, levaram a uma reorientação dos sistemas energéticos para processos de produção e consumo mais eficientes. A passagem para o séc. XXI assumiu a co-geração como uma fonte de produção com significado, facto que não é alheio à introdução do gás natural em Portugal. Com o apoio ao investimento em energias renováveis, foi também nesta fase que a energia eólica teve um crescimento muito significativo. A energia solar e a energia das ondas, apesar das condições naturais do país, não tiveram, na mudança de século, um aumento muito expressivo, mantendo uma presença pouco significativa no balanço energético nacional.

Por fim, a microgeração, tecnologia ainda disponibilizada no séc. XX, assume o desafio de ser a fonte de produção por excelência no futuro, encarando cada lar como um pólo de produção e inverte o conceito da rede de distribuição da energia eléctrica.

Uma empresa, vários enquadramentos societários

Como poderemos constatar, a EDP não foi uma empresa monopolista fechada em si mesma. A sua evolução e as inúmeras alterações societárias devem-se a decisões estratégicas e/ou decisões politicas, não sendo fácil apurar qual das duas vertentes teve um maior peso.

A EDP, que começou por ser uma Empresa Pública, viu o seu estatuto ser transformado sucessivamente por orientação governamental a partir de 1991, em Sociedade Anónima de capitais exclusivamente públicos e, seguidamente, Sociedade Anónima de capitais maioritariamente públicos. Com as diversas fases de privatização, a participação do Estado foi diminuindo, o que ocorreu em simultâneo com a progressiva liberalização do sector. Em 1994, depois de uma profunda reestruturação, foi constituído o Grupo EDP que apresenta nos dias de hoje um modelo de integração vertical.

A privatização da EDP foi efectuada de forma gradual, e politicamente estratégica, ao mesmo tempo que a instituição promoveu reestruturações internas. Durante este período, também ocorreram diversas alterações à legislação que implicaram, entre outros, a introdução de concorrência, a cisão de parcelas da actividade em diversas sociedades anónimas e a adaptação a um maior controlo regulatório. Por exemplo, a separação jurídica entre empresas de transporte e as de produção e distribuição resulta da liberalização do mercado energético europeu. As acções da EDP foram admitidas à negociação, em Junho de 1997, com a alienação de 179.960.000 acções representativas de 29.99% do capital da EDP. A empresa registou posteriormente diversas fases de reprivatização em 1998, 2000, 2004, 2005, 2007, 2012 e 2013.

No dia 11 de Maio de 2012, a *China Three Gorges International (Europe), S.A* constituiu uma participação qualificada de 21,35% do capital social que representam a 8.ª fase do processo de reprivatização da EDP. Em Fevereiro de 2013, a Parpública – Participações Públicas (SGPS) S.A. 4,144% do capital social da EDP , colocando um ponto final na participação accionista do Estado neste Grupo.

A EDP tem hoje uma estrutura accionista muito diversificada e apresenta-se como Sociedade Anónima, cujo capital social está disperso por diversos investidores privados. Tem um accionista principal (21,35% das acções) que entrou recentemente no capital da sociedade (*China Three Gorges*) e várias participações entre 2% a 6% do capital, para além do capital disperso em bolsa em pequenos e micro investidores. A entrada de um sócio com maior representatividade levou a algumas alterações dentro da EDP, como a participação de novos Administradores e uma maior vocação para ousar entrar em mercados até então por explorar. Com esta alteração, o Estado deixou também de deter a *Golden Share* que lhe conferia poderes especiais no que diz respeito ao governo da sociedade. A modernização da empresa e as suas reestruturações confundem-se com as sucessivas operações de privatização. A entrada de novos investidores com novas perspectivas empresariais e diferentes modelos de negócio foi fundamental para a alteração da cultura interna e para a modernização dos valores que a instituição promove.

A internacionalização e a evolução da marca EDP

As evoluções institucionais da empresa não foram apenas provocadas pelas alterações societárias ou pela intervenção do Estado. A necessidade de crescer e a consequente entrada em novos mercados transformaram uma empresa monopolista do sector eléctrico num conglomerado económico com interesses em diversos mercados e países. Essa evolução foi ainda incentivada pela legislação regulatória nacional e internacional.

Em 1996, o Grupo EDP dá os primeiros passos na internacionalização com a entrada no mercado brasileiro, ainda antes das sucessivas fases de privatização. A entrada em novos mercados obrigou a empresa a adaptar a sua cultura institucional mas também a estrutura organizacional. O organograma passou a reflectir uma instituição virada para o exterior, com uma missão bem mais ampla do que aquela que tinha em 1976, quando foi criada.

As alterações estruturais levaram a uma modernização contínua da filosofia empresarial do Grupo, facto que se estendeu ao *rebranding* sucessivo da própria marca. Em 2004, o sorriso passa a ser a imagem de marca da EDP e a empresa altera a sua designação para Energias de Portugal (veja-se a evolução da iconografia na página *web* da empresa). Neste ano, é criada a Fundação EDP, com a função de preservar e divulgar o património histórico do sector eléctrico. A criação desta Fundação é um marco muito importante no trajecto social da empresa que passou a olhar de outra forma para o chamado Terceiro Sector. Em 2006, a EDP muda o seu posicionamento e a sua assinatura passa para "sinta a nossa energia" que, em 2009, evolui para "viva a nossa energia" que traduz a visão de um consumidor com um papel cada vez mais activo e consciente no sector da energia. Em 2011, ano em que celebrou 35 anos, foi lançada a nova marca EDP. Embora a cor do logótipo se mantenha vermelha, este deixou de ser fixo para se poder desdobrar em sete imagens em torno do nome. Esta mudança de imagem pretendeu garantir a uniformidade nos diferentes mercados e sectores onde a empresa está presente e, ao mesmo tempo, tornar a marca mais jovem e moderna.

Em 2007, o Grupo EDP adquire um dos maiores produtores de energia eólica do mundo, a *Horizon Wind Energy* (LLC). Esta operação projectou a EDP no mercado internacional e foi fundamental para a alteração da filosofia de negócio do Grupo. Em 2010, a marca EDP figurava na 192.ª posição da lista das 500 maiores do mundo, sendo a marca portuguesa melhor posicionada com 3,2 mil milhões de euros.

O esforço de internacionalização desde 1996 foi notável mas os resultados foram igualmente bastante positivos. A prova mais significativa desse sucesso foi a obtenção, em 2011, de 60% dos resultados da empresa fora de Portugal.

Hoje, a EDP ocupa o 280.° lugar no ranking das marcas mais valiosas do mundo. De acordo com o estudo da consultora *Brand Finance*, divulgado em Março de 2011, a empresa vale cerca de 2.775 milhões de euros e é líder do ranking do *Top Portuguese Brands League Table 2012*.

A EDP é o maior produtor, distribuidor e comercializador de electricidade em Portugal, é a terceira maior empresa de produção de electricidade da Península Ibérica e um dos maiores distribuidores de gás. A EDP é ainda o terceiro maior operador mundial de energia eólica com centros produtores na Península Ibérica, nos Estados Unidos, no Brasil, na Polónia, na França, na Bélgica e na Roménia. A EDP está também representada no Brasil, onde tem actividades de produção, distribuição e comercialização de electricidade.

A EDP conta com representações em 13 países, através de 12.000 colaboradores. O Grupo tem cerca de 9.600.000 clientes de energia eléctrica e 1.300.000 clientes de gás. As diferentes actividades da EDP proporcionam a obtenção de volumes de negócios anuais de cerca de €14.605.000.000.

A reinvenção do negócio através dos investimentos

Mas o valor da marca EDP está também intimamente relacionado com a natureza e a simbologia dos seus investimentos. O Grupo EDP tem em curso o maior plano de investimentos em Portugal, no valor de €1.219.000.000 no triénio 2010 – 2012. Estes projectos, que a tornam a maior investidora portuguesa em CAPEX, estão associados ao Programa Nacional de Barragens com Elevado Potencial Hidroeléctrico (PNBEPH), aprovado pelo Governo em 2007. A EDP prevê que estes investimentos hídricos gerem mais de 30 mil empregos, directos e indirectos, com um contributo muito significativo para o desenvolvimento da economia nacional através de uma percentagem de incorporação nacional de cerca de 80% e um impacto na balança comercial estimado em 700 milhões de euros por ano.

Outros projectos dignos de realce são as *Smart Grids* e a Mobilidade Eléctrica. Com as novas formas de produção de energia eléctrica como o solar, a energia eólica e a cogeração, aumentaram as possibilidades de produção e multiplicaram-se os produtores. Hoje em dia é possível que um consumidor singular seja também produtor e que comercialize parte da sua produção à rede de distribuição. Mas este novo conceito de mercado eléctrico só foi realizável devido a um amplo conjunto de factores como a alteração da legislação, o aumento da concorrência, a existência de novos equipamentos, a maior preocupação ambiental e ainda devido a projectos de gestão de redes inteligentes: as *smart grids*.

O conceito de *smart grids* foi desenvolvido em 2006 e diz respeito a uma rede de energia elétrica que pode inteligentemente integrar as acções de todos os usuários conectados a ela com o objectivo de gerir de forma eficiente o fornecimento de eletricidade sustentável, económica e segura. Em Portugal, a EDP Distribuição foi pioneira com este tipo de tecnologia, através do projecto *InovGrid*. Trata-se de uma plataforma desenvolvida em parceria com outras instituições portuguesas e que tem como piloto a *Inovcity* de Évora que se assume como um *case study* de sucesso internacional.

O projecto da mobilidade eléctrica surgiu com a publicação do Decreto-Lei n.º 39/2010. A EDP Distribuição e as suas participadas EDP MOP e SGORME lançaram um projecto piloto para instalação de 1350 pontos de carregamento de baterias eléctricas em viaturas automóveis. O projecto de mobilidade eléctrica tinha ainda como ambição que as baterias instaladas nas viaturas fossem acumuladores de energia. O carregamento das baterias nos períodos de vazio[2] permitiria a utilização da capacidade instalada na rede e que não é aproveitada. Para além disso, a energia armazenada poderia vir a ser utilizada não apenas nas viaturas mas também em outros usos, criando um novo mercado, maior eficiência no sector e a diminuição do custo médio da unidade de energia.

Players, organização e constrangimentos concorrenciais

À semelhança do que sucedeu no resto da Europa, o mercado da comercialização de electricidade tem vindo a sofrer grandes alterações em Portugal. A liberalização progressiva decorreu inicialmente para grandes consumidores entre

2 Os períodos denominados de "vazio" são os períodos de menor consumo energético e nos quais a rede tem uma sobrecarga de capacidade face ao consumo.

1995 e 2006 e, após esse último ano, para todos os consumidores. De acordo com a lei de bases da electricidade, o Sistema Eléctrico Nacional (SEN) está segmentado em 6 grandes áreas: produção, transmissão, distribuição, comercialização, operação do mercado eléctrico e operações logísticas facilitadoras da transferência entre comercializadores pelos consumidores.

Cada uma destas áreas é operada de forma independente do ponto de vista legal, organizacional ou decisório. Embora a gestão dos mercados, a produção e a comercialização de electricidade sejam inteiramente abertos à concorrência, o transporte e a distribuição de electricidade continuam a ser desenvolvidos através da atribuição de concessões públicas.

Como a electricidade é considerada um bem essencial, as actividades do sector são desenvolvidas de acordo com princípios de racionalidade e eficiência na utilização de recursos ao longo de toda a cadeia de valor (isto é: desde a produção até ao consumo final) e de acordo com os princípios de concorrência e sustentabilidade ambiental, com o objectivo de aumentar a concorrência e eficiência no SEN, sem prejuízo das obrigações de serviço público.

A Regulação

O sector eléctrico está regulado por duas instituições: DGEG – Direcção-Geral de Energia e Geologia, a ERSE - Entidade Reguladora dos Serviços Energéticos.

A regulação deste sector pretende assegurar a eficiência, a racionalidade e a transparência das actividades, e a manutenção de um ambiente de negócio não discriminatório e concorrencial, através da supervisão e do acompanhamento dos mercados.

A Direcção-Geral de Energia e Geologia tem um vasto conjunto de competências de definição da estratégia da energia. Entre as suas funções estão a regulamentação do licenciamento e a responsabilidade técnica pelas instalações de produção de energia eléctrica, o acompanhamento dos planos de expansão e investimento, a promoção de planos de segurança e ainda a implementação de medidas para garantir o abastecimento e o direito de acesso às redes.

A ERSE tem como missão a protecção dos interesses dos consumidores em relação a preços, qualidade de serviço, acesso à informação e segurança de abastecimento. Tem ainda como objectivo fomentar a concorrência eficiente, garantindo às empresas reguladas o equilíbrio económico-financeiro no âmbito de uma gestão adequada e eficiente, estimular a utilização eficiente da energia e a defesa do meio ambiente e ainda arbitrar e resolver litígios, fomentando a resolução extra-judicial dos mesmos. A ERSE assegura ainda a liberdade de acesso ao exercício das actividades, a não discriminação, a igualdade de tratamento e de oportunidades, a imparcialidade nas decisões, a transparência e objectividade das regras e decisões, o acesso e salvaguarda da confidencialidade da informação comercial sensível e a liberdade de escolha do comercializador de electricidade.

Com a entrada em vigor do Regime Sancionatório do Sector Energético, em Fevereiro de 2013, foram transpostas as Directivas Comunitárias que estabelecem as regras comuns para o mercado interno da eletricidade e do gás natural. A ERSE ficou finalmente munida de poderes de investigação e de inspecção equiparáveis aos das autoridades criminais, nomeadamente poderes para realizar buscas a empresas, buscas domiciliárias, apreensões e a possibilidade de aplicar coimas até 10% do volume de negócios da empresa. A entrada em vigor deste decreto-lei poderá servir de incentivo à maior transparência no sector através da maior concorrência entre os comercializadores.

A Concorrência

Historicamente as empresas do sector eléctrico são verticalizadas desde a produção até à comercialização da energia, o que deu origem a monopólios nacionais ou regionais. No entanto, a partir da década de 80 considerou-se que seria desejável introduzir concorrência no sector, nomeadamente nas fases de Produção e Comercialização sem colocar em causa o monopólio nas infraestruturas (Transporte e Distribuição). No que diz respeito à Distribuição e ao Transporte estamos a falar de monopólios naturais porque não seria economicamente viável existir mais do que uma rede de linhas eléctricas em simultâneo. Essa evolução ocorreu em Portugal a partir de 1995, com a transposição da Directiva 96/92/CE do Parlamento Europeu e do Conselho, de 19 de Dezembro de 1996. O processo de liberalização foi gradual, tendo ficado completo em Setembro de 2006 com a possibilidade dada a todos os consumidores de escolherem livremente e sem custos o seu fornecedor de electricidade.

Em Janeiro de 2013 verificou-se a entrada na fase plena de liberalização. A partir dessa data deixou de ser possível a qualquer consumidor realizar novos contratos com a EDP Serviço Universal, SA[3], passando a vigorar uma tarifa transitória e supostamente agravada que representa um incentivo para a alteração de comercializador.

Assim, o sector eléctrico nacional é actualmente composto por empresas que actuam por concessão em mercado monopolista regulado e empresas que desenvolvem a sua actividade em mercado concorrencial.

Em paralelo com a liberalização do mercado eléctrico, o Governo definiu um conjunto de mecanismos de protecção social que permitem o acesso à electricidade a um preço mais baixo através do comercializador de último recurso, nomeadamente a Tarifa Social de Electricidade e o Apoio Social Extraordinário ao Consumidor de Energia que fazem parte do Programa de Emergência Social.

Nestes termos, podem pedir a aplicação da Tarifa Social e do ASECE os beneficiários de diversas prestações sociais como por exemplo o Rendimento Social de Inserção ou o Subsídio Social de Desemprego;

A Organização do Mercado

As principais actividades do sector que, associadas ao consumo, compõem a cadeia de valor do mercado eléctrico são a produção, o transporte, a distribuição e a comercialização. Cada uma destas actividades tem especificidades próprias, exigências distintas e pode ter diferentes *players*.

A produção de energia eléctrica em Portugal está dividida em dois regimes: produção em Regime Ordinário e produção em Regime Especial. A produção em Regime Especial integra todas as fontes endógenas e renováveis (à excepção das grandes hídricas). A produção em Regime Ordinário diz respeito aos mecanismos electroprodutores tradicionais, essencialmente de origem térmica e grandes hídricas. A produção de electricidade por outras fontes tem vindo a aumentar, nomeadamente através de fontes renováveis como as torres eólicas, ou centrais solares, as mini-hídricas, as centrais de biomassa e biogás mas também a cogeração. A EDP Serviço Universal, SA, no seu papel de comercializador de último recurso (CUR), está obrigada a comprar a energia produzida ao abrigo do regime especial em Portugal[4].

3 Operador de mercado regulado e comercializador de último recurso.

4 A energia produzida em regime especial tem prioridade no acesso às redes relativamente à energia produzida em regime ordinário.

O transporte é efectuado através da Rede Nacional de Transporte, através de uma concessão exclusiva do Estado à REN, SA.

A REN Rede Eléctrica é responsável pelo planeamento e pela operação da rede nacional de transporte, bem como da infraestrutura associada e de todas as conexões necessárias à mesma. Cabe ainda à REN Rede Eléctrica coordenar as infraestruturas do SEN para garantir a operação integrada e eficiente do sistema e a continuidade e segurança do abastecimento de electricidade.

A distribuição é uma actividade concessionada pelo Estado Português e que compreende a utilização das redes de média e alta tensão e ainda das redes de distribuição de baixa tensão. Esta actividade está concessionada à empresa EDP Distribuição, SA. As redes de baixa tensão são operadas por via de acordos de concessão formalizados com os municípios e de acordo com concursos públicos lançados pelas próprias autarquias.

A comercialização é uma actividade concorrencial, sujeita ao licenciamento e a um conjunto de obrigações, nomeadamente à manutenção da qualidade do abastecimento e ao fornecimento de informação. Os diversos comercializadores podem comprar e vender electricidade e têm ainda o direito de aceder livremente às redes eléctricas com base nas tarifas estipuladas pela ERSE.

A comercialização está dividida em dois grupos: os comercializadores regulados, como a EDP Serviço Universal, SA e cooperativas de consumidores; e os comercializadores em regime de mercado. A EDP Comercial é o comercializador de electricidade do grupo EDP autorizado a operar no mercado liberalizado e que faz concorrência ao comercializador de último recurso e que comercializa electricidade no mercado regulado. O papel de comercializador de último recurso foi previsto pela União Europeia, sendo desempenhado por uma entidade independente desde Janeiro de 2007 até que o mercado livre seja eficiente e até que a respectiva concessão expire.

O Preço

O preço final da energia eléctrica é uma adição de vários custos desde a produção à comercialização. Os clientes que optaram pelo comercializador de mercado livre pagam as tarifas de acesso às redes e negoceiam livremente os preços de fornecimento de energia e de comercialização com o seu comercializador.

As tarifas do comercializador de último recurso diferem das tarifas de mercado porque os custos de toda a cadeia de valor são regulados, o que resulta na definição do preço por parte da ERSE.

Ao consumidor apenas é permitido negociar os preços de fornecimento e de comercialização. No caso de clientes que são também produtores, existe uma aparente limitação porque não podem ser auto-suficientes. Todos os microprodutores têm de comercializar a energia que produzem à EDP e adquiri-la posteriormente, caso tenham necessidades de consumo.

De acordo com o Grupo EDP que opera a rede de distribuição em concessão, o custo da distribuição tem vindo a decrescer a uma taxa de 3.2%/ano, tendo evoluído de €35.7 em 2002 para €26.7 em 2011, facto que a EDP Distribuição atribui às melhorias de eficiência que tem promovido nas suas redes.

Nem sempre é fácil para o consumidor identificar qual a entidade que lhe oferece o melhor preço devido a diferenças de tarifas em função da potência solicitada, para além de clausulados contratuais difíceis de comparar e que podem incluir, entre outros, penalizações pela mudança de comercializador.

Os constrangimentos do sector

Dado que se trata de um mercado onde intervêm a quase totalidade dos agentes económicos, é natural que existam alguns focos de descontentamento de consumidores ou concorrentes. A EDP, como principal *player* do sector eléctrico é também a principal entidade visada em algumas críticas, algumas legítimas e outras que serão discutíveis.

Apesar da tendência de liberalização progressiva, existem reservas de alguns agentes económicos quanto ao efectivo aumento da concorrência. Os problemas mencionados estão relacionados com o legado histórico e cultural da EDP e com a manutenção da empresa de Distribuição que opera em regime regulado dentro do Grupo EDP (que tem unidades de produção e também de comercialização). Embora o legado histórico não possa ser um constrangimento *per si*, fontes entrevistadas admitem a existência de relações de interdependência cultural com impacto económico no mercado eléctrico. Outra vertente também apresentada como um factor limitativo da concorrência é a manutenção da sigla EDP para a empresa de Distribuição, o que pode influenciar o consumidor na escolha de comercializador. Também o logótipo é similar, o que contribui para esta imagem empresarial de Grupo com idênticas formas de actuação. Em termos de concorrência, estas relações de interdependência podem criar um ambiente de dúvida junto do consumidor e geram nas empresas concorrentes algumas críticas quanto à possibilidade (não confirmada) de eventualmente existir informação privilegiada por parte de alguns operadores.

Outra crítica também frequente em algumas das entrevistas realizadas diz respeito ao próprio processo de liberalização. A abertura à concorrência neste sector não gerou uma significativa redução de custos para o consumidor final e existem incentivos perversos para que a maioria dos clientes de serviços eléctricos continuem em sistema de mercado regulado, sendo servidos pela EDP Serviço Universal, SA. Entre estes factores estão o clausulado dos novos contratos, com situações de penalização pela mudança de operador, a revisão trimestral das tarifas ou a deficiente informação de mercado. No entanto, as críticas a esta ineficiente liberalização não podem aparentemente ser direccionadas à EDP mas eventualmente às entidades reguladoras e legisladoras devido à aplicação de políticas menos eficazes do que seria desejável pelos consumidores.

O programa de novas barragens foi também bastante criticado por vários quadrantes socioeconómicos, nomeadamente associações ambientalistas. Os argumentos mais frequentes dizem respeito à existência de outras alternativas mais económicas de promoção da eficiência energética, à insustentabilidade do projecto para o Estado, aos riscos para as populações e aos profundos impactos ambientais. O facto de associações ambientalistas se pronunciarem contra estes projectos pode eventualmente ser um paradoxo: A construção de novos aproveitamentos hidroeléctricos potenciará a redução do consumo de energia proveniente de métodos de produção poluentes. Dessa forma, a *priori*, seria expectável que as entidades ambientalistas apoiassem o projecto mas, no âmbito das entrevistas realizadas, constatou-se que a oposição ao PNBEPH se deve às opções de localização das barragens e ao impacto ambiental para algumas espécies.

Um dos assuntos mais controversos que envolve a EDP diz respeito ao défice tarifário do sector eléctrico que é cerca de €3.700.000.000. Esta dívida deve-se a um conjunto de factores, nomeadamente ao pagamento de ajudas de Estado a empresas detentoras do monopólio de produção e aos contratos da Produção em Regime Especial, nomeadamente eólicas. Estas críticas agudizam-se pela eventual protecção de que as empresas eléctricas beneficiam, com riscos mitigados pelos contratos assinados com o Estado. Entre os reparos destacam-se os contratos de rendibilidade pré-estabelecida, independente da produção e dos custos de laboração das centrais eléctricas (CAE[5]), os contratos de venda da produção em mercado mas mediante uma compensação correspondente à diferença entre as receitas obtidas em mercado e as que se obteriam em regime de CAE (CMEC[6]) e ainda ao regime de garantia de potência.

Os incentivos estatais levaram à criação de CIEG – Custos Económicos de Interesse Geral que assumem um peso elevado nas facturas dos consumidores (cerca de 25%). Em contexto de crise económico-financeira e de plano de assistência financeira internacional, o problema das chamadas "rendas excessivas" no sector da energia tem sido um dos assuntos mediáticos que coloca na ribalta as empresas energéticas em Portugal.

Outro problema que envolveu recentemente a EDP foram os erros nos contadores de tarifas bi-horárias e tri-horárias. Alguns contadores continham desvios horários lesivos para os clientes. A EDP identificou este problema e tentou resolver de uma forma proactiva os maiores desvios, compensando os clientes afectados.

De acordo com fonte da EDP, as críticas ao Grupo e as notícias menos favoráveis dizem respeito, regra geral, a episódios isolados, críticas de consumidores ou concorrentes sobre hipotéticos abusos concorrenciais ou críticas de associações ambientalistas relativas a decisões de aproveitamento hidroeléctrico.

Avaliação dos Factores Internos no Funcionamento da Instituição

Recrutamento e Promoção Meritocrática

O recrutamento de colaboradores assume extrema importância para a EDP que seleciona os candidatos de acordo com as suas competências académicas, profissionais mas também pelo perfil psicológico, disponibilidade em aceitar desafios e satisfazer as necessidades dos clientes. As políticas de recursos

5 Contratos de Aquisição de Energia
6 CMEC – Custos de Manutenção do Equilíbrio Contratual

humanos são transversais ao Grupo EDP através de diversos programas de partilha de experiências. Esta estratégia tem como objectivo tornar as políticas de recursos humanos homogéneas, promovendo uma identidade característica do Grupo EDP.

Todas estas medidas estão orientadas de acordo com o código de ética que impede a discriminação e o tratamento diferenciado em função de raça, género, estado civil, naturalidade, orientação sexual, deficiência física, orientação política, origem étnica ou social, religiões ou actividade sindical. A percentagem de mulheres no grupo é ainda reduzida (22%) mas, segundo a EDP, isso deve-se a factores histórico-culturais e tem vindo a inverter-se. Em 2011 registou-se um aumento de mulheres na instituição em 0.5% face a 2010. A EDP tem promovido a diversidade de origens dos seus colaboradores e a contratação de pessoas portadoras de deficiências. Fonte entrevistada indicou que existem casos de famílias em que vários elementos trabalham na EDP, o que não significa menos meritocracia no processo de admissão. Essa situação decorrerá do facto de a EDP ser um grupo económico com grande dispersão e devido às influências familiares dos colaboradores que estimulam os mais jovens dos seus agregados a concorrer a ofertas de emprego na EDP. Cerca de 33% dos entrevistados no inquérito realizado a funcionários indicou que as promoções na EDP resultam essencialmente de relações pessoais mas 28% indicou não concordar com esse cenário, o que denota um equilíbrio entre as opiniões dos colaboradores sobre a relação entre o mérito e o aumento salarial. Mais significativa é a percentagem de 74% dos inquiridos que considera que há igualdade de oportunidades de progressão para mulheres e homens. No que diz respeito a eventuais discriminações, 92% é de opinião que não existem problemas desse cariz dentro do Grupo EDP.

A EDP assume que a motivação e a satisfação dos colaboradores são essenciais para atingir os objectivos que a empresa definiu. Para isso, implementou vários processos de comunicação e mobilização como apoio à política de recursos humanos e que se destinam a fomentar o compromisso com os valores EDP, à partilha de informação e à passagem de conhecimento geracional, à inovação constante e à ambição internacional como forma de fazer e crescer. Alguns desses programas são veiculados pelas campanhas internas "sou+edp", pelo *ON TOP-EDP Recruitment Program* e Conciliar.

A empresa desenvolve Planos de Acção que asseguram melhorias contínuas futuras por intermédio de questionários bianuais aos colaboradores. O último questionário realizado data de 2011, com uma participação de 87,9% de colaboradores e 81.1 pontos obtidos no índice de satisfação global, daqui se depreendendo que os colaboradores estão motivados para trabalhar na EDP.

O Plano de Formação concebido anualmente é outro importante elemento que orienta a gestão, a formação e o reconhecimento do Grupo EDP para os seus colaboradores. Desse plano faz parte a Universidade EDP, o Campus Online, o Guia do Líder EDP e os projectos de tutoria como o Programa de *Mentoring* e o *Energizing Development Program.*

A EDP definiu mecanismos de avaliação do potencial e desempenho, de forma a maximizar a produtividade individual de cada colaborador. Estes mecanismos estão intimamente relacionados com a atribuição de prémios de distribuição de resultados, prémios de mérito e com o reconhecimento dos trabalhadores com 25 anos de ligação à EDP.

Uma outra ferramenta importante é a política de conciliação, relacionada com o Programa Conciliar e que pretende abranger quatro grandes áreas de interesse para o colaborador, nomeadamente a saúde e o bem-estar, o apoio à família, a vida pessoal e o trabalho e a cidadania. Com este programa é possível colaborar em projectos de voluntariado, trabalhar a partir de casa, aceder a serviços em entidades externas a preços mais vantajosos e envolver os filhos e netos em actividades específicas especialmente desenhadas para esse efeito.

Devido a esta estratégia de recursos humanos, baseada em 170 medidas que promovem a conciliação profissional e pessoal, e contribuem para uma cultura empresarial flexível e inovadora, a EDP foi certificada em Julho de 2013 como "empresa familiarmente responsável" pela *Fundacíon M*ásfamília.

A EDP efectua a divulgação sistemática das oportunidades de colocação resultantes das necessidades de preenchimento de postos de trabalho. Estas oportunidades são lançadas no Sistema de Gestão de RH.

Todos estes mecanismos de gestão de recursos humanos estão enquadrados num sistema de avaliação dos colaboradores. Este sistema tem sido revisto e actualmente engloba duas fases distintas. Uma primeira de auto-avaliação, e uma segunda fase de avaliação transversal, onde a meritocracia é evidenciada. A avaliação do colaborador é efectuada com base na sua performance mas também depende do cumprimento dos objectivos do seu departamento, dos resultados da empresa e do Grupo EDP. A existência de reclamações e os resultados de inquéritos efectuados a clientes são também reflectidos para a classificação a atribuir ao colaborador. Uma boa avaliação não significa por si só uma promoção na carreira mas tem impacto directo na distribuição de proveitos e é um dos factores determinantes para que um colaborador progrida profissionalmente.

Em suma, a política de recursos humanos é transversal a todas as empresa do Grupo.

Os valores da empresa estão transpostos no manual de recursos humanos e o código de ética contém também normas quanto à não discriminação de colaboradores.

Apesar de o Grupo ter uma matriz cultural muito vincada com maior número de homens do que mulheres, em 2011 a CEO da EDP Renováveis era a única representante do sexo feminino a liderar uma empresa cotada no PSI20.

Pela análise efectuada e com base nas entrevistas e resultados dos inquéritos, considera-se de atribuir uma nota de 4,5 à performance da EDP no indicador Meritocracia.

Imunidade a Subornos e a Interesses Especiais

A EDP desenvolveu um conjunto de mecanismos de combate à corrupção, programas de responsabilidade social e ética no negócio. Em 2005, foi estabelecido o Código de Ética EDP e mais tarde foi desenvolvido o sistema de gestão dos aspectos da Ética Empresarial, ambos pertencentes ao programa permanente de responsabilidade e cidadania. O Código de Ética foi revisto em 2008/2009, passando a incluir um regulamento e a nomeação de um Provedor de Ética EDP. Nessa data foi implementado um programa de formação e sensibilização para todos os colaboradores da empresa. A EDP estabeleceu ainda um protocolo com a AESE Escola de Direcção e Negócios para instituição da cadeira «Ética na Empresa e na Sociedade» com objectivo de proporcionar formação avançada aos colaboradores do Grupo EDP. Outra das vertentes do programa éticaedp é a inclusão do Grupo num *benchmarking* internacional através dos mecanismos do *Ethisphere Institute*. A EDP é uma das três empresas portuguesas mencionadas no relatório "*The World's Most Ethical (WME) Companies*" e uma das 145 empresas mundiais classificadas como as mais éticas. O Grupo EDP garante a privacidade dos dados dos seus clientes no clausulado dos contratos de fornecimento de energia eléctrica e gás, garantindo a confidencialidade, integridade e disponibilidade de informação.

A EDP desenvolve programas de acolhimento a novos colaboradores e programas de fornecedores onde as questões de ética e imunidade à corrupção nos negócios são abordadas. Foi criado um Sistema de Registo de Fornecedores (SRF) no âmbito do *Supplier Relationship Management* que possibilita a obtenção de mais-valias para ambas as partes. A gestão centralizada do relacionamento com fornecedores e a transparência na adjudicação de fornecimentos favorecem a ética nos negócios que o Grupo EDP pretende manter e aumentar, seguindo as melhores práticas utilizadas mundialmente.

Uma das perguntas do inquérito efectuado pretendia saber se os funcionários consideram que a maioria dos seus colegas são imunes à corrupção. Registou-se uma maioria significativa de 73% que considera que os seus pares são imunes à corrupção e a suborno.

A manutenção de um núcleo accionista forte possibilita também a estabilidade dentro da empresa, o que contribui para a inexistência de situações de corrupção dentro das decisões de negócios internas.

Os titulares de Órgãos Sociais, Dirigentes e Colaboradores estão obrigados a manter o sigilo e estão impedidos de transaccionar valores mobiliários de empresas do Grupo ou de parceiros estratégicos antes da sua divulgação oficial.

Os membros do Conselho de Administração Executivo cumprem os critérios de independência constantes do Contrato de Sociedade da EDP, o que afasta eventuais incompatibilidades para o exercício dos respectivos cargos. Os membros do Conselho Geral e de Supervisão estão igualmente submetidos a um regime de incompatibilidades relativas ao exercício do seu cargo, quer de natureza legal quer de natureza estatutária.

A EDP, em conjunto com algumas das maiores empresas portuguesas, faz parte de um projecto colaborativo de identificação, prevenção e gestão de riscos de corrupção nas organizações, dirigido à generalidade da comunidade empresarial e disponibilizado *online* com acesso livre e gratuito, o Guia Prático de Gestão de Riscos de Corrupção.

Pelo facto de ser uma empresa cotada em bolsa e com preocupação constante em cumprir os mais apertados requisitos de ética, a EDP conjuga um conjunto de mecanismos que têm como objectivo proporcionar a total imunidade à corrupção. Mas a EDP não se limita a promover o cumprimento dos requisitos internamente. O Guia Prático de Gestão de Riscos de Corrupção é um exemplo da preocupação da EDP em ser líder no processo de promoção de valores determinantes para a sustentabilidade dos negócios em Portugal sem interferências de mecanismos ilícitos. Pelos factos descritos, considera-se de atribuir uma pontuação de 4,5.

Ausência de "Ilhas de Poder"

Para minimização do risco da existência de ilhas de poder, o Conselho Geral e de Supervisão (CGS) e o Conselho de Administração Executivo (CAE) da EDP publicaram um extenso manual de governo societário com o objectivo de identificar e aplicar as melhores práticas internacionais no que diz respeito à criação de mecanismos de *checks and balances*. A estes dois órgãos cabe gerir o Grupo EDP e colocar em prática a filosofia de negócio definida em conjunto com os accionistas. Este modelo foi implementado após entrada do accionista *China Three Gorges* e pretende promover maior eficiência na governação da empresa. Ainda assim e conforme a própria EDP também admite, não existe um governo societário perfeito, ideal e universal, pelo que o desafio é a reinvenção sucessiva da sociedade com vista à maximização da eficiência das decisões tomadas.

As recomendações de governo das sociedades acompanharam a evolução dos mercados financeiros nas últimas décadas (nomeadamente o "*Model Business Corporation Act*" nos EUA e o "*Cadbury Report*" no Reino Unido). Contudo, escândalos como a Enron e a Worldcom acabaram por levar ao acentuar de uma nova tendência no âmbito do governo das sociedades. Os accionistas da EDP optaram por abandonar o modelo monista, até então vigente, para consagrarem nos Estatutos o modelo dualista, relevando a maximização das sinergias resultantes da repartição de competências dentro da sociedade, nomeadamente as relativas à administração, à fiscalização e à revisão das contas.

Esta opção é demonstrativa do compromisso existente em torno do desenvolvimento das melhores práticas de governo, nomeadamente pelo CGS e pelo CAE. No entanto, e de acordo com algumas posições públicas do presidente da Companhia, o sucesso da empresa não se deve ao modelo de governação escolhido. Deve-se sobretudo à visão de negócio empresarial e ao compromisso dos accionistas com essa mesma visão. Os entrevistados consideraram que não existem grupos ou associações que tenham capturado o poder dentro do Grupo EDP. Ainda assim, no inquérito a colaboradores, 44% menciona existirem grupos no seio da EDP que agem de acordo com interesses próprios mesmo que estes prejudiquem os objectivos mais amplos da organização. Existem organogramas com áreas segmentadas e orientadas para a eficiência das diversas empresas. Para além disso, as associações e sindicatos não têm, aparentemente, mais poder do que seria expectável numa empresa equilibrada e bem sucedida.

A EDP foi considerada pelo *IR Global Rankings* a melhor *utility* em *Corporate Governance* e ocupa nesse mesmo ranking o 7.º lugar dentro de todas as empresas europeias e o 27.º em termos mundiais[7].

Pelos factos descritos, nomeadamente em atenção aos resultados obtidos no inquérito a colaboradores, definiu-se uma pontuação de 4 neste factor de análise.

Avaliação dos Factores Externos no Funcionamento da Instituição

Proactividade no Relacionamento com os Stakeholders

Em paralelo com as diversas iniciativas de inovação e desenvolvimento, a EDP tem em curso um conjunto de projectos que promovem a interligação com os seus parceiros (clientes, fornecedores, investidores, investigadores ou academias de ensino). Desses projectos destacam-se os *roadshows EDP Partners* (iniciativas organizadas em Lisboa, São Paulo e Pequim que pretendem aproximar a EDP dos *stakeholders* e identificar novas oportunidades de negócios). A EDP desenvolveu o FABLABEDP – primeiro laboratório de fabricação digital em Portugal e que atrai diversos quadrantes académicos, o fundo de capital de risco EDP Ventures, a plataforma de colaboração online e rede social *Co-creation*, o observatório tecnológico e website InovNotes, e a bolsa de inovação em vigor no mercado brasileiro no âmbito do qual foram aprovados 88 projectos apenas em 2011.

A EDP organiza e patrocina diversos prémios de inovação em colaboração com outras entidades. São disso exemplo o prémio de inovação *MIT – Clean Energy Prize*, o prémio Inovação EDP 2020 Richard Branson Visão, o EDP 2020 – prémio de inovação e empreendedorismo e o EDP *University Challenge*.

7 Num universo de 503 empresas em 35 países.

São inúmeras as actividades, encontros, prémios e programas que a EDP instituiu de forma a melhorar o seu relacionamento com os *stakeholders*. A EDP procura ser um exemplo de *accountability*, tendo sido reconhecida como a melhor empresa em transparência financeira pelo IR Global Ranking.

A EDP faz ainda chegar regularmente aos colaboradores um conjunto de informação variada e abrangente, em forma de compromissos ou estratégia e que têm como objectivo uniformizar o sentimento de pertença e promover o espírito de equipa no relacionamento profissional dentro e fora da instituição. Um dos canais utilizados para difusão dessa informação é a TV ON, canal de televisão interno e que está no ar desde Dezembro de 2007. Em 2012, o Grupo EDP lançou o seu próprio canal de rádio com o objectivo de partilhar a cultura, valores da empresa, ideias e objectivos a todos os colaboradores. As instalações da empresa, desde a recepção aos gabinetes, passando pelos elevadores ou locais de convívio, são utilizados para partilhar os valores da EDP, difundir a estratégia e cimentar a cultura empresarial. O Grupo apoia-se na constante inovação e no desenvolvimento como ferramenta de mudança e de reinvenção da sua própria estratégia. Nesse sentido, todos os *stakeholders* são implicitamente agentes de mudança porque são convidados a participarem num projecto empresarial comum. Sempre que são detectadas lacunas que podem influenciar de forma negativa o desenvolvimento do negócio e os compromissos da empresa com os seus clientes, é a própria EDP que toma a iniciativa de formar profissionais, adequar a oferta dos fornecedores, informar os clientes, responder à comunicação social e esclarecer as autoridades.

Esta tarefa é de uma grande amplitude pela dimensão de todos os números associados à EDP, empresa com cerca de 12.000 colaboradores e sobre quem foram publicadas no ano de 2011, 56.068 notícias em órgãos de comunicação social. (Os cerca de 300 colaboradores que constituiram a amostra do questionário foram seleccionados na EDP Distribuição e são representativos de diversas funções, diferentes áreas geográficas e escalões etários variados.)

A Fundação EDP tem uma página no Facebook com actividade constante na promoção dos seus projectos sociais e culturais e tem também um canal oficial no Youtube. A Fundação EDP representa um papel muito importante na interligação do Grupo com as comunidades, e procura ser a matriz social do Grupo contribuindo para o desenvolvimento económico social com os projectos onde está envolvida.

Devido às diversas actividades promovidas em prol dos *stakeholders*, o Presidente Executivo da EDP foi distinguido já em 2013 como o melhor CEO da Europa pela publicação "*Institutional Investor*" em empresas de energia, distinção muito relevante considerando o universo de empresas e líderes avaliados. O CEO António Mexia assumiu também recentemente a vice-presidência da *Eurelectric*, associação que representa os interesses da indústria da electricidade a nível europeu, sendo o primeiro português no cargo.

Pelos factos descritos e que demonstram que a EDP é uma empresa que opera em parceria constante e crescente com os diversos agentes, atribui-se uma classificação de 5 na proactividade no relacionamento com os *stakeholders*.

Flexibilidade Tecnológica e Abertura à Inovação

A inovação e o desenvolvimento de novas tecnologias é um pilar fulcral para o posicionamento estratégico da EDP como instrumento de promoção da competitividade e da produtividade. Exemplo disso foi a alteração de imagem e logótipo ocorrida em 2011. Essa mudança estratégica teve o objectivo de assumir a EDP como empresa multinacional mas assente nos pilares Humanização, Sustentabilidade e Inovação.

O Grupo EDP está presente em diversas plataformas tecnológicas que o colocam na vanguarda da investigação e desenvolvimento internacional. Em 2011, o Grupo EDP aplicou um valor global de €65.5 M em I&D.

O Grupo EDP divide as suas actividades de Investigação e Desenvolvimento em 5 grandes áreas: Eficiência Energética; Mobilidade Eléctrica; Energias Renováveis e Geração Distribuída; Tecnologias de Distribuição e Redes Inteligentes; Tecnologias Avançadas de Produção;

De acordo com fonte entrevistada, a EDP considera que a inovação é o único caminho possível para sobreviver num contexto de constante modernização. A flexibilidade tecnológica tem sido um desafio bem aceite pelos colaboradores, sem episódios de resistência à mudança. Prova disso mesmo são os 96% de colaboradores que responderam ao inquérito e que consideram que a EDP procura estar actualizada no que diz respeito ao uso de novas tecnologias e à actualização de procedimentos.

O conjunto vastíssimo de projectos, acções de sensibilização, utilização de tecnologias de ponta, testes de mercado e plataformas de cooperação entre clientes e fornecedores colocam a EDP na liderança do desenvolvimento tecnológico em Portugal. As suas iniciativas são consideradas *case-study* por empresas e académicos internacionais e estão decalcadas nos planos de negócios. As tecnologias utilizadas e a constante modernização da rede eléctrica nacional, bem como a capacidade de reinventar o seu conceito de negócio conferem-lhe um 5 neste factor de análise.

Poder Compensatório e Aliados Externos

A liberalização do mercado eléctrico com entrada de concorrentes e a adaptação da sociedade às exigências externas, exigiu um esforço significativo no relacionamento negocial fora do Grupo empresarial. A EDP tem recorrido a alguns projectos como forma de obter poder negocial para a sua actividade. Na inovação social foram desenvolvidos o EDP Solidária (iniciativa que tem uma dotação anual de €500.000) que visa apoiar projectos que têm como objectivos a melhoria da qualidade de vida, em particular, de pessoas socialmente desfavorecidas, a integração de comunidades em risco de exclusão social e a promoção do empreendedorismo social. Mas a empresa desenvolve também projectos de voluntariado, combate à exclusão social e o projecto energias para o desenvolvimento. Na promoção cultural estão em curso projectos de mecenato e de apoio à cultura. Foram ainda aprovados programas de educação, desporto, energia, ciência e ambiente e o programa barragens focou-se no envolvimento das comunidades e em projectos de empreendedorismo.

O poder compensatório tem também fortes aliados nas fundações corporativas como é o caso da Fundação EDP, da Fundação HC (Fundação HidroCantábrico) e do Instituto EDP que lideram muitas destas iniciativas.

De acordo com uma fonte entrevistada, a Fundação EDP pretende servir a sociedade em benefício também da empresa e é a maior Fundação corporativa portuguesa. A Fundação EDP tem aproximado a empresa dos seus colaboradores e destes com a sociedade, potenciando o reconhecimento da marca EDP mas acima de tudo, colocando o Grupo como exemplo na promoção de programas de responsabilidade social.

A Fundação EDP financia-se apenas nas contribuições do Grupo EDP, principalmente EDP Distribuição e EDP Produção, e dos accionistas da Fundação. O orçamento anual da Fundação é €14.000.000 que gere de uma forma empresarial e de acordo com a filosofia do Grupo. Como a energia está presente em todas as actividades empresariais e sociais, a Fundação EDP consegue com a sua actuação, apoiar o desenvolvimento económico-social e ao mesmo tempo contribuir para o reconhecimento da EDP e, dessa forma, para o aumento da fidelização de clientes, gerando maiores lucros.

Uma das principais mais valias do Grupo EDP é a capacidade de influência política e económica junto do Governo nacional e de outras instituições. Isso acontece devido ao potencial económico e industrial da empresa mas também aos conhecimentos pessoais e profissionais dos elementos da Administração e de outros órgãos como o Conselho Geral e de Supervisão junto do poder político. Aliás, existem diversos exemplos de ex-governantes que foram nomeados administradores e gestores da EDP e vice-versa. Embora seja um tema sensível do ponto de vista concorrencial, de uma perspectiva institucional representa uma importante e decisiva mais-valia para capacitar a empresa para atingir os objectivos propostos aos seus accionistas.

Devido ao poder económico e político da EDP e pela forma como se apoia no seu capital empresarial para atingir os fins a que se propõe, considera-se de atribuir um 5 neste factor de análise.

Correspondência entre a Estrutura Organizacional e os Manuais Institucionais Originais

Em alternativa à habitual tendência empresarial de apresentar uma missão para a actividade, a EDP opta por difundir um conjunto de valores, uma visão e vários compromissos[8].

Na visão, a EDP é descrita como uma empresa global de energia, líder em criação de valor, inovação e sustentabilidade. Os valores referenciados são a *sustentabilidade* (com um destaque maior do que os restantes), *a inovação, a excelência, a confiança e a iniciativa.* Os compromissos são *as pessoas, os clientes, os resultados* e, de novo, *a sustentabilidade.*

Actualmente o Grupo está dividido em seis grandes áreas (electricidade, renováveis, gás, Brasil, outras, participações) e que é apresentado no Relatório Anual da EDP (2011).

8 Relatório e contas EDP 2011

A estrutura corporativa da EDP compreende quatro órgãos sociais: A Assembleia Geral, o Conselho Geral e de Supervisão, o Conselho de Administração Executivo e o Revisor Oficial de Contas.

O modelo de governação utilizado pela EDP é uma consequência da estrutura organizacional proposta pelos gestores e aprovada pelos accionistas. Este organograma não é uma mera transposição para os manuais da divisão de poder entre diferentes áreas. De acordo com fonte entrevistada, o organograma tem como objectivo servir a empresa e os colaboradores para prestar um melhor serviço ao cliente e permitir uma actuação eficiente junto de fornecedores e outros agentes. Isso implica que seja uma ferramenta dinâmica e que possa ser ajustada para dotar o Grupo de maior eficiência nas suas decisões e na estratégia seguida.

Citando o Presidente do Conselho Geral e de Supervisão, Eduardo Catroga:

> "A importância da qualidade das práticas de governo societário é cada vez maior, sendo essas práticas um pilar fundamental do sucesso sustentável de qualquer empresa. A EDP orgulha-se de assumir um papel pioneiro neste domínio, procurando continuamente reforçar a confiança e a transparência do relacionamento com seus accionistas e demais interessados"[9].

O modelo em vigor tem cumprido os objectivos para que foi criado, permitindo à EDP obter várias distinções internacionais de boas práticas empresariais como o *Dow Jones Sustainability Indexes* (a EDP é líder no universo de empresas de electricidade). Dos 288 colaboradores entrevistados no inquérito efectuado, 96% considera que a EDP cumpre os propósitos para os quais foi criada, o que representa uma quase unanimidade de respostas. Podemos ainda dizer que este é o melhor modelo conhecido para que o Grupo atinja os seus objectivos através dos valores que definiu na sua estratégia de negócios. Esta afirmação apenas pode ser feita porque, das entrevistas realizadas e das diversas publicações analisadas, se constatou que, na eventualidade de existir um melhor modelo organizativo, a empresa não teria qualquer complexo em alterar o actual modelo societário nem o organograma.

9 http://www.edp.pt/pt/aedp/governosocietario/Pages/msg_PCGS.aspx

Assim, e apesar de se tratar de um grande grupo empresarial, existe uma total correspondência entre a estrutura organizacional e os manuais institucionais, pelo que se atribui um 5 neste critério de análise.

Contribuição Específica e Significativa para as Metas do Desenvolvimento

A energia eléctrica e as empresas que a produzem, distribuem, transportam e comercializam têm tido um papel decisivo para o desenvolvimento do país.

O Valor Actualizado Bruto da EDP é cerca de 2.5% do PIB e, no período de 2005-2009 foi cerca de cinco vezes mais dinâmica do que a média da economia. Trata-se da empresa portuguesa com maior volume de investimento em Portugal e no Mundo. Os resultados positivos têm originado o contributo de vários milhões de euros em impostos para o Estado. Tomando como exemplo o ano de 2009, a EDP entregou ao Estado cerca de €400M de IRC, o que representou o maior contributo neste imposto e que correspondeu a aproximadamente 10% do volume total obtido em Portugal no ano mencionado[10]. Entre 2009 e 2010, a EDP efectuou negócios com cerca de 800 pequenas e médias empresas portuguesas, num volume de negócios médio de cerca de €210M/ ano e que representa cerca de 93% das compras globais do Grupo. A EDP estima que os investimentos avultados que tem em carteira no valor global de €21Bn (e onde se destacam os projectos da EDP Produção) possam ter um impacto positivo com a criação de cerca de 60.000 empregos directos e indirectos. Estes investimentos são ainda fundamentais para melhorar a eficiência energética e o *deficit* externo do país. A EDP deixou de ser uma empresa centrada na sua missão empresarial e na distribuição de lucros aos seus accionistas para ser um Grupo mais humano e interessado pelas questões de responsabilidade social. Por exemplo, devido à crise económica a Fundação EDP triplicou a parcela do seu orçamento anual alocada à área social, para 27% do total das despesas da Fundação, seguida da cultura, da ciência e energia, com 14% e 12% respetivamente.

Mas o maior contributo da EDP para o desenvolvimento económico-social do país é a sua capacidade de influência e o exemplo que representa

10 Declarações do CEO em Gonçalves (2010).

para cidadãos, empresas, ONG e até para o próprio Estado. Todas as entidades que se relacionam com a EDP são influenciadas pela cultura da empresa e pelos valores que esta pretende transparecer para a sociedade. Os consumidores tiveram de se sujeitar a mudanças nos contadores, os fornecedores necessitam de cumprir diversos critérios para venderem produtos e serviços à EDP, os colaboradores tiveram de assimilar uma nova cultura empresarial baseada na orientação para o cliente e o país teve de se adaptar à evolução de uma empresa pública para um conglomerado empresarial com elevado poder de mercado sob a marca EDP.

O impacto manifestamente positivo da EDP enquanto empresa que contribui para o desenvolvimento do país não é dissociável da sua evolução institucional. À semelhança de outros países, a existência de monopólios representam uma falha de mercado com custos para os clientes mas que, no caso nacional, não podem sequer ser imputadas directamente à EDP. As diversas políticas europeias sobre o sector energético vêm confirmar que as políticas energéticas dos Estados Membros e as estratégias das empresas poderiam ser mais amigas dos cidadãos, com um maior contributo para o desenvolvimento económico-social.

Dificilmente o contributo da EDP para o desenvolvimento económico-social consegue ser medido com exactidão. Como refere um dos responsáveis entrevistados, a EDP é um alvo fácil de críticas por quebras de serviço de breves minutos mas o seu enorme contributo para o desenvolvimento do país não é muito aplaudido por ser de difícil quantificação.

Pelo impacto da EDP no passado e presente da sociedade portuguesa e pelo potencial que apresenta no desenvolvimento económico-social futuro mas também considerando a evolução do sector eléctrico que implicou a acumulação de custos diferidos para os consumidores, atribui-se um 4,5 neste factor de análise.

Uma empresa alheia à crise orçamental em Portugal?

As decisões de investimento da EDP são também influenciadas pela conjuntura económica do país e dos restantes mercados onde está envolvida. A situação económica de Portugal influencia os *ratings* da empresa e, dessa forma, origina o aumento dos prémios de risco associados às suas necessidades de financiamento. A diminuição dos rendimentos líquidos das famílias provoca a redução dos consumos domésticos, onde se inclui obviamente uma diminuição nos consumos energéticos, com impacto directo na diminuição dos resultados esperados da EDP.

Fonte entrevistada considera que a EDP está excessivamente alavancada, o que a torna mais sensível a choques económicos, no entanto, essa filosofia de negócio tem sido o motor da própria empresa. Mas a EDP não é alheia às crises económicas e, na sua reacção aos ciclos económicos, é natural que, por exemplo, parte do plano nacional de barragens fique em *stand by*. Já no que diz respeito à responsabilidade social, obtivemos a informação de que o Grupo não só não pretende diminuir a sua contribuição nesta área, como prevê o seu aumento, o que é significativo da importância da Fundação EDP na estratégia do Grupo.

Conclusão

A EDP assume-se como uma empresa estável, alinhada com os mais vanguardistas modelos de gestão, com preocupação constante com a sustentabilidade e onde a satisfação dos *stakeholders* merece lugar de destaque. Apesar de se tratar de uma empresa com uma cultura histórica muito enraizada, adaptou-se de forma exemplar aos novos desafios tecnológicos e é hoje um *case-study* internacional de boas práticas.

A análise efectuada permitiu constatar o enorme contributo dado pela EDP ao desenvolvimento dos profissionais e das instituições com quem colabora e das regiões onde desenvolve a sua actividade. As críticas à sua actuação não são de excluir por completo, embora parte significativa das mesmas seja devida a outros interlocutores no mercado da energia eléctrica. Aspectos como o elevado *deficit* tarifário ou o reduzido impacto na redução dos preços com a liberalização do sector são extremamente relevantes e merecem uma profunda reflexão.

A avaliação aos parâmetros objecto de análise foi francamente positiva e identifica a EDP como uma empresa em constante processo de mudança, que atinge os valores e a missão a que se propõe e que incentiva os colaboradores a superarem os objectivos pessoais e das equipas onde estão integrados.

Classificação das variáveis demonstrativas dos valores culturais, qualidade de governação e contributo para o desenvolvimento socio-económico do Grupo EDP

Variáveis analisadas	Presença/ Ausência	Valor
I. Recrutamento e promoção meritocrática	1	4,5
II. Imunidade a subornos e a interesses especiais	1	4,5
III. Ausência de "ilhas de poder"	1	4
IV Proactividade	1	5
V Flexibilidade tecnológica e abertura à inovação	1	5
VI Poder, da própria organização ou dos seus aliados para impedir que seja capturada por interesses particulares das classes dominantes	1	5
O1 Correspondência entre a estrutura organizacional e os manuais institucionais, originais	1	5
O2 Contribuição específica e significativa para as metas do desenvolvimento	1	4,5

Referências

AGUSTONI, Alfredo e Mara Maretti. 2012. "Energy and social change: an introduction". *International Review of Sociology: Revue Internationale de Sociologie.* 22 (3), pp. 391-404.

DIRECTORATE General for Energy. European Commission. 2010. *Energy 2020 – A strategy for competitive, sustainable and secure energy.* com(2010) 639 final of 10 november. http://ec.europa.eu/energy/energy2020/index_en.htm.

EUROPEAN Commission. 2012. *Energy roadmap 2050*, http://ec.europa.eu/energy/publications/doc/2012_energy_roadmap_2050_en.pdf.

FARIA, Fernando, Luís Cruz e Pires Barbosa. 2007. *A Central Tejo – A fábrica que electrificou Lisboa.* Lisboa: Museu da Electricidade e Editorial Bizâncio.

FIGUEIRA, João José Monteiro. 2013. *O Estado na electrificação portuguesa : da lei de electrificação do País à EDP.* Tese de doutoramento em Economia. Faculdade de Economia da Universidade de Coimbra.

GONÇALVES, Ana Maria. 2010. "EDP representa 2,5% do PIB". *Económico.* 11 de Novembro, http://economico.sapo.pt/noticias/edp-representa-25-do-pib_104091.html

HENRIQUES, Sofia Teives. 2005. *A electrificação nacional: o ciclo das grandes barragens (1944-1961).* http://lu.academia.edu/SofiaTeivesHenriques

HEITOR, Manuel, José Maria Brandão de Brito e Maria Fernanda Rollo. 2004. *Momentos de Inovação e Engenharia em Portugal no século* XX, Volume II. Lisboa: Dom Quixote.

HEITOR, Manuel, José Maria Brandão de Brito e Maria Fernanda Rollo. 2004. *Momentos de Inovação e Engenharia em Portugal no século* XX, Volume III. Lisboa: Dom Quixote.

HORST, Dan van der e Saskia Vermeylen. 2012. "Ownership claims, valuation practices, and the unpacking of energy-landscape conflicts", *International Review of Sociology: Revue Internationale de Sociologie.* 22 (3), pp. 429-445.

MARQUES, A. H. De Oliveira (coord.). 1991. *Portugal, da Monarquia para a República.* Vol. XI de Joel Serrão e A. H. De Oliveira Marques (dir.). 1991. *Nova História de Portugal.* Lisboa: Editorial Presença.

MATOS, Ana Cardoso de e Álvaro Ferreira da Silva. 2008. "Foreign capital and problems of agency: the Companhias Reunidas de Gás e Electricidade in Lisbon (1890-1920)". *Transportes, Servicios y Telecomunicaciones.* 14, Junho, pp. 142 – 161.

MATOS, Ana Cardoso de, Fátima Mendes, Fernando Faria e Luís Cruz. 2004. *A electricidade em Portugal: dos primórdios à 2.ª Guerra Mundial.* Lisboa: EDP, Museu da Electricidade

PWC. s/d. *Power Deals 2012 outlook and 2011 review.* http://www.pwc.com/en_GX/gx/utilities/publications/assets/power-deals-2012-outlook-2011-review.pdf.

Rollo, Maria Fernanda e José Maria Brandão de Brito. 1996. "Ferreira Dias e a constituição da Companhia Nacional de Electricidade". *Análise Social*, xxxi (130-137), pp. 343-354.

Schumacher, E.F. 1975. *Small Is Beautiful: Economics as if People Mattered*. Londres: Blond & Briggs.

Schumpeter, Joseph A. [1883] 1964. *Business Cycles. A Theoretical, Historical and Statistical Analysis of the Capitalist Process*. New York, Toronto, London: McGraw-Hill Book Company.

Silva, Patrícia Pereira da. 2007. *O sector da energia eléctrica na União Europeia: evolução e perspectivas*. Coimbra: Imprensa da Universidade de Coimbra.

International Energy Agency. 2008. *World Energy Outlook 2008*. http://www.worldenergyoutlook.org/media/weowebsite/2008-1994/WEO2008.pdf.

Capítulo 6

A caminho do inexorável espartilhamento do Serviço Nacional de Saúde? O exemplo do Hospital de Santa Maria

Sónia Pires

O Sector da Saúde em Portugal: Espartilhado entre o Estado e o Mercado?

O que se detalha a seguir é uma descrição do Serviço Nacional de Saúde – SNS – em Portugal e a análise de alguns aspectos pertinentes, escolhidos em função do interesse do estudo de caso. Salienta-se o sistema de gestão preconizado pelo governo nacional a partir de 2002, cuja configuração própria tem implicações indirectas na qualidade dos serviços prestados pelas unidades hospitalares. O caso que é aqui objecto de estudo, o Hospital de Santa Maria em Lisboa, é um exemplo paradigmático da forma de gestão adoptada pelos sucessivos governos em Portugal, pelo que permitirá avaliar, se bem que de forma indirecta, a estrutura do SNS e as respectivas políticas governamentais.

O Serviço Nacional de Saúde (SNS): Um Retorno ao Passado?

A criação de um SNS não é um facto isolado no desenvolvimento social dos países do Sul da Europa, já que outros países da região também optaram por um sistema de saúde idêntico, num período de tempo relativamente semelhante: Itália em 1978, Grécia em 1983 e Espanha em 1986 (Sakellarides *et al.*, 2010: 23).

No caso português, o SNS teve consagração jurídica em 1979, com a Lei n.º 56/1979, de 15 de Setembro, que dá corpo à norma constitucional que garante o direito fundamental à saúde (Art.º 64º da Constituição da República Portuguesa) (Estorninho, 2008: 54). No entanto, e de particular interesse para o nosso ensaio, o seu desenho fundamental demorará cerca de 10 anos a ser definitivamente instituído. O SNS procurou reorganizar a rede hospitalar, reestruturar as carreiras médicas e de enfermagem, e desenvolver o controlo da medicina privada e dos produtos farmacêuticos. Todo o processo de difusão da rede e de cobertura das despesas do SNS foi feito de acordo com as normas do Orçamento do Estado, baseando o seu funcionamento no modelo da Administração Pública Portuguesa, a saber: a propriedade pública dos hospitais e dos centros de saúde, orçamento financiado pelo Governo e pessoal integrado no regime da função pública (Araújo s/d: 7). Sakellarides e colaboradores (2010: 8) recordam que a criação do SNS não está isenta de fortes debilidades estruturais, próprias a Portugal, e que perduram na actualidade. Apontam pelo menos quatro fragilidades, que marcaram a criação e a estruturação do SNS: "a) frágil base financeira; b) ausência de uma cultura de gestão apropriada (...); c) coexistência entre financiamento público do SNS e o da 'medicina convencionada' e grande falta de transparência entre os interesses públicos e privados; d) limitação aos cuidados de saúde e pouca informação sobre a sua qualidade" (*op. cit.*: 8). Vários aspectos explicam, a nosso ver, a constelação dos factores negativos, que ainda perduram no sistema nacional de saúde e, em particular, no SNS. Evidenciam-se os processos próprios da trajectória histórica do sector (um "*path dependency*" sectorial), as conjunturas políticas e económicas nacionais fortemente associadas neste sector (como explicitado mais abaixo) e o contexto europeu.

Prosseguindo com a descrição do SNS, observa-se que, até 1990, o sector da saúde se integra na era das políticas públicas de expansão, com um Estado activo e interventor, em que impera a busca de planeamento na saúde e o desenvolvimento do bem público e da equidade no acesso à mesma (*op. cit.*: 10). Há uma forte expansão do SNS com uma ampla cobertura da população portuguesa (que quase duplica na segunda metade da década de 1970 [Campos e Simões, 2011: 124]), um significativo aumento dos recursos afectos à saúde e o desenvolvimento e a estruturação das carreiras profissionais no SNS (carreira hospitalar, saúde pública, carreira de clínica geral e familiar).

O sector da saúde é, a nosso ver, um espelho privilegiado das correntes ideológicas e políticas dos respectivos Estados-nação por motivos essencialmente ético-normativos e económico-financeiros. O sector será atravessado por fortes mudanças nas décadas sucessivas, reflectindo o consenso dos grupos de interesse económico-financeiros, que terão, por sua vez, o apoio dos diferentes governos constitucionais. Um entrevistado argumenta que o consenso político verificado em Portugal é, na verdade, o consenso dos grupos de interesse privados dos sectores da Banca e dos Seguros. Tal apreciação é suportada por um dos mentores do SNS, quando menciona que "o princípio da gratuitidade nunca foi aceite pela direita" (Arnaut, 2009: 58).

As dissensões são visíveis no desenho legal e constitucional, palco de uma das contendas – a revisão do direito à saúde, como havia ficado consagrado no ordenamento constitucional de 1976 – que ocorre já na década de 1980 (Novais, 2010). Em 1982, o Tribunal Constitucional é chamado a intervir perante uma tentativa do governo vigente de revogar grande parte do texto que criou o Serviço Nacional de Saúde, em 1979, através do Decreto-Lei n.° 254/82, de 29 de Junho. No acórdão n.° 39/84, o Tribunal Constitucional considerou inconstitucional tal texto, alegando que "(...) o legislador ordinário não tinha margem de revogação ou retrocesso, já que se aquela intenção política revogatória fosse bem sucedida ela se traduziria num incumprimento omissivo inconstitucional dos comandos da Constituição" (*op. cit.*: 242). Outro aspecto que mereceu a atenção dos sucessivos governos foi a questão da gratuitidade e do financiamento do SNS. A partir de 1982, o Tribunal Constitucional intervém diversas vezes, alterando a norma constitucional do Art. 64.°, n.° 2, alínea a), através da revisão constitucional de 1989, que introduz o princípio do acesso "tendencialmente gratuito" à saúde. A alteração do texto constitucional é significativa e abrirá portas para a penetração cada vez mais clara do sector privado no sistema nacional de saúde. Novais esclarece o grau de diferença na norma portuguesa: "(...) com a revisão constitucional de 1989 muda verdadeiramente a natureza da norma constitucional (...). Onde antes tínhamos uma regra, a regra da gratuitidade, temos agora um princípio, o princípio da tendencial gratuitidade. Não há apenas, como afirmava o Tribunal Constitucional, uma maior flexibilidade – que, de facto, também existe –, mas uma alteração qualitativa decorrente da transformação da estrutura da norma constitucional" (*op. cit.*: 253). Por fim, a questão do financiamento do SNS pelo

Estado foi igualmente objecto de debate político e jurídico, nomeadamente, no que diz respeito à realização e à consagração dos direitos sociais por parte do Estado. A maior dúvida foi a de saber até que ponto o Estado e o poder político se podiam desvincular dessas obrigações e "retroceder no presente grau de realização do direito" e salvaguardar as opções políticas "sob reserva do possível" (*op. cit.*: 261). O Tribunal Constitucional torna-se, desde logo, o palco privilegiado do encontro entre os governos constitucionais e o Estado – enquanto Estado de Direito –, onde princípios e valores democráticos de base, como direitos sociais, são negociados, debatidos e reformulados, numa discussão jurídica opaca e complexa.

Ocorrem, assim, significativas alterações jurídicas na regulação do SNS. São criados dois diplomas fundamentais: a Lei de Bases da Saúde (Lei n.º 48/90, de 24 de Agosto) e o Estatuto do Serviço Nacional de Saúde (Decreto-Lei n.º 11/93, de 15 de Janeiro).

Com a Lei de Bases e o Estatuto do SNS integra-se claramente o sector privado como elemento chave da prestação de cuidados de saúde, bem como a responsabilização dos utentes num sistema regido pela liberdade da procura e da prestação de cuidados de saúde. A Lei de Bases da Saúde reconhece definitivamente a coexistência de prestadores públicos e privados, modificando os aspectos relativos à gratuitidade e à forma de financiamento (Sakellarides *et al.*, 2010: 9).

Subjacente a este debate reside uma questão de fundo: o desenvolvimento do Estado Social em Portugal. Este transfigura-se, desde o século XIX, no que respeita às funções de prestador, financiador e garante de direitos sociais; iniciando a sua existência como um Estado Liberal, transita para um Estado Social e, hoje em dia, actua segundo um modelo de Estado Gestionário. No que tange à eficácia e eficiência do Estado Social Português, a bibliografia é extensa e sofisticada; retemos apenas, para o que interessa ao estudo, o debate em torno do seu grau de aperfeiçoamento na qualidade dos serviços públicos prestados. A este propósito, muitos autores concordam em definir o Estado Social Português como profundamente incompleto e deficitário na eficiência e na qualidade dos serviços prestados, além de alimentar um forte despesismo e de padecer de gigantismo estadual (Abreu, 2011; D' Alte, 2007; Simões, 2009).

Como se averiguará oportunamente, muitas destas características encontram no ambiente hospitalar público um viveiro privilegiado para a auto-perpetuação. A crise do Estado Social, consequência da crise económico-financeira nos anos de 1970 e de opções políticas de contenção da despesa pública, vem acompanhada de um questionar das instituições públicas. A revisão constitucional de 1989 abriu caminho para a reformulação das instituições públicas, com, por exemplo, a efectivação do programa de privatizações (Abreu, 2011: 38-39). No que diz respeito à concretização de um Estado Social moderno em Portugal, é fundamental reter que este só se estabelece após o começo do regime democrático em 1974, logo, tardiamente, quando comparado com outros países europeus (Esping-Andersen, 1993: 597). Além disso, não é imune à crise do Estado Social registada noutros países, que vem no rasto do apogeu neoliberal (Simões, 2010: 218), com a progressiva viragem à direita dos governos nesses mesmos países. A abordagem neoliberalizante do Estado, adoptada a seguir, é abraçada pelos governos de esquerda um pouco por toda a parte na Europa, e também em Portugal. Este facto não é trivial se considerarmos a história do Estado Social no nosso país. Este teve um tempo curto de germinação e maturação comparativamente a outros países europeus, pelo que o abraçar neoliberalizante do Estado pelos sucessivos governos constitucionais em Portugal, a partir de um determinado momento, prejudicou fortemente as bases sociais e socializantes do Estado.

Na trilha neoliberalizante, processa-se, por conseguinte, uma astuta penetração do direito privado na administração pública, desde a gestão das estruturas públicas aos recursos humanos e respectivo financiamento (D' Alte, 2007: 23).

A Nova Gestão Pública, introduzida em Portugal e sintetizada como um "movimento privatizador ou empresarializador da Administração Pública" (*op. cit.*: 24), passa por várias fases. Otero (2000, *cit.* in D' Alte, 2007: 46-47) identifica três grandes períodos no desenvolvimento do papel económico do Estado, sendo que o último período é particularmente relevante para o nosso estudo. Trata-se do final da década de 1990, altura em que se procede à revisão geral do enquadramento legal, através do Decreto-Lei n.° 558/99, de 17 de Dezembro, que "derroga o anterior regime previsto no Decreto-Lei n.° 260/76, de 8 de Abril, e estabelece o Regime geral do Sector Empresarial do Estado e as Bases Gerais do Estatuto das Empresas Públicas". São, por conseguinte, lançadas as bases jurídico-normativas para uma reestruturação da Administração Pública que irá atingir fortemente o sector da saúde, e, mais concretamente, os hospitais públicos. São criadas múltiplas figuras e regimes jurídicos altamente diferenciados entre si, provocando confusão na natureza jurídica de empresas e entidades do sector público, e provocando alguma dificuldade em entender a verdadeira missão reservada ao Estado (Simões, 2009: 242). Para alguns analistas, institui-se na verdade um *Estado Travesti* (Otero, 1998: 191 *cit.* in D' Alte, 2007: 47) ou, ainda, múltiplas zonas cinzentas de actuação e de silenciamento de práticas de variada ordem e para vários propósitos. Neste processo, parece-nos que a privatização encapsula os serviços, revestindo-os de diversas formas e significados.

Em relação ao universo hospitalar, as alterações no sistema hospitalar público são encetadas desde a década de 1960. Morais Vaz (2010) recorda que estas mudanças são realizadas numa linha de continuidade: "analisando a evolução dos modelos de governação dos hospitais públicos portugueses chegar-se-á à conclusão que se mantêm relativamente inalterados desde a legislação de 1968 (Estatuto Hospitalar e Regulamento Geral dos Hospitais) – Decreto-Lei n.º 48357 e decreto n.º 48358, ambos de 27 de Abril de 1968" (*op. cit.*: 312). Os principais problemas do sector hospitalar já são identificáveis desde a década de 1990, e incidem sobre quatro grandes sectores: os recursos humanos, as aquisições, a organização interna e a externa (Campos e Simões 2011: 193). A alternativa encontrada politicamente é a empresarialização dos hospitais públicos, o que vem a suceder com a governação da aliança PSD/CDS-PP em 2002. Com efeito, a Lei n.º 27/2002, de 8 de Novembro, cria o novo regime jurídico da gestão hospitalar, delineando cinco figuras jurídicas para os hospitais, três das quais para os públicos: "a) estabelecimentos públicos, dotados de personalidade jurídica, autonomia administrativa, financeira e patrimonial, ou seja, os hospitais do sector público administrativo (SPA); b) estabelecimentos públicos, dotados de personalidade jurídica, autonomia administrativa, financeira e patrimonial, ou seja, os hospitais entidades públicas empresariais (EPE); c) sociedades anónimas de capitais exclusivamente públicos (SA); d) hospitais do SNS geridos por outras entidades públicas ou privadas, mediante contrato de gestão ou em regime de convenção por grupos de médicos; e) estabelecimentos privados, com os quais o SNS celebre contratos ou acordos" (Campos e Simões, 2011: 145).

Com a tomada de posse de um novo Governo Constitucional, de maioria socialista, o modelo SA é revogado. Através do Decreto-Lei n.º 233/2005, de 29 de Dezembro, o modelo dos hospitais SA é substituído pelo modelo dos hospitais EPE. Arnaut (2009) analisa esta mudança de regime jurídico como uma estratégia política de defesa do SNS: "os dois últimos governos tentaram abrir uma brecha no sector público da saúde com a chamada 'empresarialização' da gestão de 31 hospitais públicos (metade da rede nacional), transformando-os em sociedades anónimas de capitais exclusivamente públicos. O objectivo era abri-los, mais tarde, ao capital privado, ocorrendo, com isso, uma privatização indirecta. O actual governo travou essa arremetida, transformando esses Hospitais em empresas Públicas, embora mantendo a gestão do tipo empresarial" (*op. cit.*: 114-115). Por fim, as modalidades de pagamento são alteradas com o intuito de garantir maior controlo da despesa pública no sector da saúde e maior eficiência na prestação dos serviços. Passa-se de um modelo de pagamento retrospectivo para um modelo de pagamento prospectivo. Neste último, são determinados os orçamentos hospitalares com um contrato-programa negociado com a respectiva Administração Regional de Saúde (ARS) e a Administração Central de Sistemas de Saúde (ACSS), com a definição da produção esperada para o ano em causa e o respectivo pagamento (Morais Vaz, 2010: 324).

A nova gestão dos hospitais públicos em regime de EPE assenta no princípio da descentralização de competências para os Conselhos de Administração (CA) dos hospitais públicos, que ganham maior autonomia em relação ao Estado e às Administrações Regionais de Saúde (ARS) (Morais Vaz, 2010: 317-318).

O processo de empresarialização é, todavia, fortemente contestado por desregular o mercado dos cuidados de saúde, as formas de contratação de recursos humanos, as carreiras profissionais (Stoleroff e Correia, 2008: 4) e pelas falhas a nível financeiro-económico (D' Alte, 2007: 273-274).

Alguns autores põem em causa a pertinência do estatuto jurídico de empresas que produzem bens sociais em permanente défice, como é o caso dos hospitais públicos: "quais são, afinal, os índices qualificativos, os critérios ou os elementos através dos quais podemos aferir da natureza empresarial de uma dada actividade? (...) Coutinho de Abreu levantava a questão de saber como distinguir a empresa da não-empresa, se se admitisse a aplicação da figura a toda e qualquer actividade económica, especialmente àquelas que se sabe serem sempre deficitárias, na medida em que os custos de produção não são, não serão, nem se espera que venham a ser, cobertos com o preço ao qual o bem ou serviço é lançado no mercado" (*op. cit.*: 144 e 152). Julgamos que esse quesito não pode ser explorado numa análise etnográfica como a que se faz neste estudo.

Situemos agora o sector da saúde no panorama económico e social do país. Valendo-nos da base de dados Pordata[1], podemos apurar dois aspectos essenciais. Em primeiro lugar, as despesas do Estado em saúde crescem substancialmente desde a criação do SNS, acompanhando a expansão do mesmo, a par com as alterações demográficas do país, a expansão e o crescimento tecnológico no sector, ou ainda, os hábitos e exigências de uma população mais informada. Estes factores de crescimento são, porém, tidos como pouco significativos no crescimento da despesa na saúde, sendo necessário deslindar outros potenciais determinantes (Barros, 1998: 540).

Refere-se que, e no seguimento do Relatório da Primavera de 2013 do Observatório Português dos Sistemas de Saúde, a dotação orçamental no sector da saúde tem vindo a diminuir desde 2010, "não considerando o reforço orçamental de 2012, destinado fundamentalmente à regularização de dívidas dos Hospitais EPE e à transferência da ADSE, os valores de despesa pública, orçamentados para 2013, atingem níveis próximos dos de 2006" (OPSS, 2013: 11).

Por fim, referimos o contexto actual, que tem repercussões directas nas funções sociais do Estado. Socorremo-nos novamente do Relatório de Primavera 2012 e 2013, do Observatório Português dos Sistemas de Saúde, que enfatiza a conjuntura sócio-económica actual e as suas consequências no SNS. Barros, num texto recente, enfatiza o quanto o sector da saúde, pelo seu grande consumo de capital público, é afectado pelas medidas impostas e negociadas entre o governo nacional e as entidades constituintes da Troika: "*The health care sector has received special attention, due to the importance of the public sector. (...) In a broad view of the policy indications regarding the health care sector contained in the MoU [The Memorandum of Understanding between Portugal and the EC/ECB/IMF], signed in May 2011, the proposed measures do strive for more than just short-run expenditure savings. There is the wish to build mechanisms for future control of health care expenditures in the public sector*" (Barros, 2012: 17).

1 http://www.pordata.pt/Home (Consultado no dia 29 de Agosto de 2013).

O Hospital de Santa Maria, EPE: Uma Instituição de Pedra e Cal?

O Hospital de Santa Maria - HSM - é parte estruturante do Centro Hospitalar Lisboa Norte, EPE (Entidade Pública Empresarial) - CHLN - criado em 2008. O CHLN, EPE, através do Decreto-Lei n.º 23/2008, de 8 de Fevereiro, estabelece a fusão entre o Hospital de Santa Maria, EPE e o Hospital Pulido Valente, EPE, ambos hospitais centrais (ERS, 2012: 14). O CHLN, EPE insere-se na Unidade Setentrional de Saúde da Sub-Região de Saúde de Lisboa, prestando cuidados directos a um conjunto de 372.831 habitantes. A função, como Centro Hospitalar de fim de linha, alarga o seu âmbito de actuação a nível regional, nacional e internacional (caso de doentes dos Países Africanos de Língua Oficial Portuguesa - PALOP - referenciados para o HSM). O CHLN, EPE é, sob o ponto de vista estatutário-legal, um estabelecimento público do SNS, dotado de personalidade jurídica, autonomia administrativa, financeira e patrimonial de natureza empresarial. O Centro Hospitalar insere-se no sector empresarial do Estado, regulado pelo regime jurídico desse sector - Decreto-Lei n.º 588/99 e Decreto-Lei n.º 300/2007, de 23 de Agosto. A complexidade da sua organização é visível pela coexistência do regime empresarial e do regime público. Com efeito, o CHLN, EPE rege-se pelas normas em vigor para o SNS desde que compatíveis com as normas do regime jurídico dos Hospitais EPE, nomeadamente o regime jurídico das entidades públicas empresariais, estabelecido no Decreto-Lei n.º 233/2005, de 29 de Dezembro. Para além deste enquadramento legal-institucional, ainda se rege pelo respectivo regulamento interno, que deve ser homologado pelo Ministério da Saúde[2] (CHLN, EPE 2011).

O HSM, por sua vez, é uma instituição de referência no Serviço Nacional de Saúde a nível nacional, pela prestação de cuidados especializados e diferenciados, pelo seu papel como local de formação pré, pós-graduada e continuada, bem como pelo trabalho na investigação. É o maior prestador de cuidados de saúde em rede hospitalar (maior volume assistencial), na região de Lisboa e Vale do Tejo, quer no serviço de urgência, quer na actividade programada, inclusivamente no atendimento a utentes com patologias complexas e/ou raras.

2 Alguma da informação contida na parte introdutória deste sub-capítulo está disponível no website do CHLN, EPE: http://www.hsm.min-saude.pt/

Pese embora uma importância estratégica local, nacional e internacional inquestionável, o desempenho e eficiência do HSM ficaram, durante décadas, muito aquém do expectável. Alguns estudos demonstram a falta de eficiência e eficácia do HSM nalguns indicadores, não obstante o facto de ser difícil avaliar com rigor o desempenho das instituições hospitalares, como recorda Simões (2010). Durante largos anos, o HSM peca por ineficácia nalgumas áreas de acção médica, mas, a partir de 2006, regista uma clara progressão e melhoria dos seus indicadores mais objectivos. Corroborando o diagnóstico, o estudo de Abreu (2011), com base em dados estatísticos fornecidos pela ACSS e nos relatórios de contas dos 29 hospitais EPE escolhidos, analisa a produção de serviços hospitalares a três níveis: internamento, consulta externa, urgência, entre 2004 e 2006. Ao nível do internamento, o HSM tem o grau de eficiência mais baixo dos 29 hospitais EPE, para 2004. O mesmo ocorre com as consultas externas para o mesmo ano, sendo ultrapassado por hospitais distritais com o Hospital de Amarante ou o do Alto Minho. Por fim, na Urgência Hospitalar, o HSM, em 2004, apresenta mais uma vez o pior índice das 29 instituições, com um índice francamente inferior aos valores das outras variáveis. Em suma, em 2004, o HSM é um dos hospitais públicos menos eficientes a nível nacional, sendo ligeiramente mais eficaz, no cômputo geral, que hospitais distritais como o Hospital de Barcelos ou o Hospital de Amarante (*op. cit.*: 181). A situação muda drasticamente a partir de 2005. Ainda seguindo Abreu (*op. cit.*), o HSM começa a melhorar a sua produção nas três dimensões consideradas, com uma variação positiva significativa a nível nacional e comparativo. Segundo o autor, a passagem do modelo jurídico de gestão SA para EPE concretiza-se em melhores índices de produção hospitalar, para a maior parte das entidades analisadas, com o HSM a melhorar significativamente. As entrevistas efectuadas no HSM referem essa melhoria em termos de produção hospitalar a partir de 2005, assinalando, contudo, uma ligeira diminuição da produção a partir de 2009 e/ou 2010, em determinados sectores de acção médica.

Os Relatórios de Contas do CHLN, EPE (2005, 2008, 2011) oferecem uma série de dados estatísticos sobre a produção hospitalar, entre 2003 e 2011, de acordo com os vários tipos de serviços prestados: Internamentos, Hospital de Dia, Consultas, Urgências, Cirurgias, Partos e Meios Complementares de Diagnóstico e Terapêutica (ver tabela 1).

Tabela 1 Actividade Assistencial do CHLN, EPE, 2003-2011

Actividade	2003	2004	2005	2006	2007	2008	2009	2010	2011	Δ2003/ /2011%	Δ2008/ /2011%
Lotação praticada	1,092	1,102	1,099	1,369	1,281	1,302	1,319	1,311	1,342	22,90%	3,10%
Dias de internamento	319,015	325,456	313,170	327,825	323,319	394,398	421,562	416,352	406,247	27,30%	3,00%
Consultas	359,670	422,793	443,849	507,990	561,238	758,793	787,716	734,237	741,551	106,00%	-2,30%
Urgências	224,004	229,438	235,111	195,890	202,763	260,356	286,429	344,292	348,757	56,00%	34,00%
Sessões em Hospital de Dia	37,957	39,886	45,315	62,399	64,775	87,126	98,554	98,975	96,143	153,30%	10,30%
Cirurgias	18,242	20,592	18,423	17,778	19,985	26,673	31,501	33,508	32,942	80,00%	23,50%
Partos	n/a	n/a	n/a	n/a	n/a	2,765	2,764	2,659	2,702	n/a	-2,30%
Meios complementares de diagnóstico e terapêutica	6,104,631	6,616,173	6,690,300	6,753,991	6,340,454	8,000,896	8,615,478	8,685,223	8,766,750	44,00%	9,60%

Fonte: relatórios de Actividade 2005; 2008; 2011 CHLN, EPE

No cômputo geral, o CHLN, EPE regista um aumento da sua actividade assistencial entre 2003 e 2011. O volume da actividade assistencial é geralmente elevado, se compararmos a evolução anual, com uma diminuição ligeira entre 2010 e 2011 em várias áreas, como os Dias de Internamento, as Sessões em Hospital de Dia e as Cirurgias.

Outros relatórios abordam a avaliação do desempenho dos hospitais portugueses, recorrendo a vários métodos de avaliação e enquadramentos teórico-hipotéticos. A esse respeito, refere-se o trabalho de avaliação de Costa e Lopes, da Escola Nacional de Saúde Pública, da Universidade Nova de Lisboa, que, com recurso aos dados da ACSS, IP, de 2011, e da Direcção-Geral da Saúde, avalia a qualidade e a efectividade de cuidados prestados na área do internamento. O estudo permite estabelecer um *ranking* geral, de quarenta e quatro hospitais portugueses, de acordo com um conjunto de dezassete agrupamentos de doenças. O CHLN, EPE aparece listado como o terceiro melhor Centro Hospitalar, após o Centro Hospitalar de São João, no Porto, e do Centro Hospitalar Universitário de Coimbra.

A Entidade Reguladora da Saúde produz igualmente estudos sobre os centros hospitalares; aí se constata que o Hospital de Santa Maria, EPE é, para 2011, o segundo centro hospitalar a produzir o maior número possível de consultas externas, após o Hospital de São João, EPE, no Porto (ERS, 2012: 94).

No que tange à capacidade regional, o CHLN, EPE regista um número elevado de urgências comparativamente aos outros centros hospitalares da Região de Lisboa e Vale do Tejo, com o segundo maior volume de consultas depois do Centro Hospitalar de Lisboa Central (ARSLVT, 2013: 18).

Avaliação do Desempenho Institucional

Recrutamento e Promoção Meritocrática

A meritocracia, como conceito (popularizado a partir de 1958 com os estudos de Michael Young) significa, num sentido lato, que cada indivíduo tem a mesma possibilidade de progredir, num sistema profissional, e obter prémios com base nos seus esforços e méritos, independentemente de género, raça, etnia, idade, classe ou outros factores não-controláveis (Castilla e Benard, 2010: 543).

O enquadramento normativo das carreiras profissionais na área da saúde, com particular destaque para as carreiras médicas e de enfermagem, é a pedra angular da nossa análise.

Destarte, devemos regressar aos meados dos anos 2000, quando se opera uma mudança fundamental no paradigma da Administração Pública em Portugal, durante o XVII Governo Constitucional, de maioria socialista. Numa Resolução do Conselho de Ministros (n.º 109/2005), determina-se a modernização dos recursos humanos da Administração Pública, com a consagração no Programa de Reestruturação da Administração Central do Estado (PRACE). Preconiza-se, entre outras coisas, o fim da progressão na carreira de acordo com a antiguidade no serviço, a generalização dos contratos individuais de trabalho, a gestão por objectivos, ou ainda a redução do número de carreiras e escalões dentro das mesmas. Além disso, e com o intuito de reduzir o défice orçamental, decide-se congelar a progressão automática das carreiras no sector público – em vigor até hoje (OCDE, 2008: 26).

Em 2008, é promulgada nova legislação, a Lei n.º 12-A/2008, de 27 de Fevereiro, que vem fundar o novo regime de vinculação, de carreiras e de remuneração dos trabalhadores que exercem funções públicas.

No sector da saúde, as carreiras médicas e de enfermagem sofrem alterações no ano seguinte, com a reformulação das carreiras especiais. Assim, na área médica, surgem dois novos diplomas[3] em 2009, que se aplicam aos dois novos contextos de contratação possíveis, com os respectivos Acordos Colectivos de Trabalho, negociados entre Sindicatos e Governo. O mesmo tipo de abordagem ocorre na área da enfermagem com dois diplomas reguladores da contratação[4].

A apreciação empírica que se segue destrinça os processos de recrutamento e promoção nas carreiras no HSM, apontando as particularidades inerentes à instituição.

3 Médicos em Regime de Contrato de Trabalho em Funções Públicas (RCTFP), Lei n.º 59/2008, de 11 de Setembro, Decreto-Lei n.º 177/2009, de 4 de Agosto, e o Acordo Coletivo de Trabalho n.º 2/2009, de 13 de Outubro; Médicos em Contrato Individual de Trabalho (CIT), Lei 7/2009, de 12 de Fevereiro, Decreto-Lei n.º 176/2009, de 4 de Agosto, e o Acordo Colectivo de Trabalho n.º 41/2009, de 8 de Novembro.

4 Enfermeiros em Regime de Contrato Individual de Trabalho (CIT), Decreto-Lei n.º 247/2009, de 22 de Setembro; Enfermeiros em Regime de Contrato de Trabalho em Funções Públicas (RCTFP), Decreto-Lei n.º 248/2009, de 22 de Setembro.

De acordo com o Relatório de Contas do CHLN, EPE, para o ano de 2011, a instituição conta com 6.738 efectivos, nas mais diversas áreas profissionais. O número elevado de funcionários faz do CHLN um dos maiores empregadores do SNS e uma das maiores instituições na Região de Lisboa e Vale do Tejo.

Uma questão muito frisada pelos actores entrevistados é a chamada desregulação dos recursos humanos com a introdução dos contratos individuais de trabalho, a partir de 2005. Quando o HSM altera o estatuto para Entidade Pública Empresarial, as formas de recrutamento e as promoções profissionais mudam, com a introdução do direito privado. Existem neste momento no HSM dois vínculos contratuais: os profissionais com vínculo à função pública e aqueles com contrato individual de trabalho. Segundo os entrevistados, existe algum descontentamento entre os profissionais devido às diferenças salariais e estatutárias, que podem ocorrer dentro dos mesmos serviços, e entre colegas com a mesma qualificação e especialização. Os contratos individuais de trabalho seriam ainda negociados diferentemente de acordo com o grau de protecção interno das chefias. No entanto, essa informação é parcialmente contrariada por outros actores no HSM. Faz-se referência ao princípio de igualdade entre ambos os tipos de vínculo contratual. Um entrevistado afirma que, numa perspectiva global, a meritocracia não pode existir na função pública pela própria natureza do empregador – o Estado:

> "[E relativamente à meritocracia nos recrutamentos?] É pequena, é pequena. A meritocracia é uma coisa muito bonita quando você tem capacidade de punir a incompetência; nos hospitais não tem, no funcionalismo não tem, está a perceber? Imagine que eu hoje descubro ou sei que há um individuo que é incompetente, entrou, enganou-me, qualquer pessoa se pode enganar, não é? Quer dizer, existe a avaliação..., o que é que lhe faço? Pôr um processo disciplinar? É preciso ser mal-educado, não é? Ponho-lhe um processo de incompetência? Isso não existe. Mando-o embora? Não posso mandar embora. Portanto quando se fala em meritocracia, não é só o contrato das pessoas, é a avaliação das pessoas; mas também é verdade o contrário, quer dizer, as pessoas que trabalham bem não são valorizadas na função pública. Eu acho que o contrato individual de trabalho é uma boa opção, só que tem um problema, a instituição do contrato implica que o patrão seja sério, percebeu? O que

acontece é que, sobretudo nesta fase, nos últimos três anos, não é? (...) falar em meritocracia no Estado, implica para mim duas coisas: primeiro a admissão e a avaliação tem que ter normas, não é preciso haver uma lei, mas tem de haver a possibilidade de a pessoa ser louvada ou punida. Isso não acontece" (Entrevista #3)

Outro interveniente refere exactamente o mesmo problema relativo à avaliação de desempenho dos profissionais:

"Não existe hoje nenhum modelo de avaliação de desempenho indexado à meritocracia, e é o grande *handicap*, porque aí as pessoas só se conseguiam seduzir pela motivação profissional, e pelo reconhecimento, não por medidas concretas, acabávamos por ter no mesmo saco os muito bons com os muitos maus, mas isso é o problema da administração pública em Portugal e das empresas públicas da saúde em Portugal, em que não há um modelo de avaliação de desempenho e não há um sistema de reconhecimento do mérito" (Entrevista #5).

O HSM apresenta ainda uma característica distinta que é o facto de ser uma instituição de formação com a presença activa da Faculdade de Medicina da Universidade de Lisboa. Alguns entrevistados avaliam esse entrecruzar da instituição de formação e da instituição de prestação de cuidados de saúde como perversa e complexa.

Um actor esclarece esse ponto da seguinte maneira:

"(...) com muitas capelinhas, com muitos interesses instalados, portanto eu não gostaria de ser administradora deste hospital... depois existe uma mistura de faculdade com hospital, mas... mistura que não sei se será muito benéfica, e que não separam as águas do hospital com muitos... Às vezes com poucos médicos e muitos professores. (...) há muitos professores que acho que nunca viram um doente" (Entrevista #4).

As chefias médicas são nomeadas através dos quadros disponíveis na Faculdade de Medicina e isto acarreta a sobreposição de interesses particulares e problemas de funcionamento. É referido com frequência nas entrevistas o caso do absentismo de chefias médicas nos serviços de acção médica. As nomeações dos directores de serviço são, à revelia das normas e regulamentos, *ad aeternum*; e o despedimento de chefias médicas nunca ocorre.

Afirma-se claramente que não são necessariamente os melhores profissionais os nomeados para dirigir serviços. Para se compreender um pouco melhor essas disfuncionalidades, é relevante referir os dois perfis dominantes de médicos no HSM: o médico internista com prática clínica intensa e o professsor-investigador. Pelos dados recolhidos, este último terá uma progressão célere pela sua ligação à Faculdade de Medicina da Universidade de Lisboa.

O recrutamento e a promoção de profissionais ainda têm de ser considerados sob o ângulo dos conflitos de interesse existentes na classe médica. Com efeito, uma grande parte dos médicos do HSM desempenha funções no sector privado. Para uns, são os salários baixos auferidos no sector público que incentivam a actividade no sector privado; para outros, são as próprias disfunções do sistema nacional de saúde que permitem esse entrecruzar de interesses. A grande questão que se coloca, por conseguinte, é a de saber o porquê da permanência dos médicos no serviço público. Na verdade, pertencer ao HSM é útil para conseguir o estatuto social e simbólico próprio à profissão; o que, por sua vez, justifica as lutas internas pelo poder (Entrevista #3).

Falar de meritocracia no recrutamento e na promoção é difícil porque há várias classes profissionais e vários interesses em jogo. No caso médico, haverá um misto de meritocracia, já que os melhores elementos são mantidos; mas igualmente ausência de meritocracia, nas nomeações e na promoção. Os processos de nomeação não são claros e estão atravessados por outras dinâmicas como os jogos de interesse e as lutas entre professores na Faculdade de Medicina, e a presença de dinâmicas externas próprias à sociedade portuguesa – como a Maçonaria, a Opus Dei e a ligação a partidos políticos (ligação mais recente, temporalmente, e com ênfase particular no Partido Comunista e no Partido Socialista) (Entrevistas #2, #8, #11). Para um interveniente, a meritocracia no recrutamento e na promoção não existe *per se*:

> "(...) tradicionalmente por concurso, agora tem sido por contrato, por escolha; vai voltar, ao que sei, por concurso. Dizem que para o ano volta a vigorar um novo concurso (...). Até à passagem a EPE, era por concurso, a partir daí começou a ser por um regime um pouco de escolha,

de convite, através do modelo de contrato individual de trabalho, que não é, em Portugal pelo menos, não considero uma boa solução, porque permite, está bem, permite a escolha dos melhores, mas isso da escolha dos melhores é muito complicado se não for validado (...) porque a livre escolha é perigosíssima na minha opinião, pode correr bem, mas é sujeita às coisas mais estranhas, como sejam, eu escolho aquele porque sim. (...) O modelo de concurso, o modelo de carreira, tal como foi praticado em Portugal, não é o ideal, tem muitas queixas, tem muitos problemas, mas apesar de tudo, é aquele em que se admite que pode haver transparência, na minha opinião, isso vale o que vale" (Entrevista #7).

A falta de meritocracia nas nomeações de cargos de chefia faz com que haja casos de disfunções profissionais e de incumprimento ético dos deveres médicos. A ligação de alguns directores de serviço ao poder político, por exemplo, torna-os intocáveis:

"(...) se falar do serviço de X, intocável; se falar do serviço de Y, por muito que o queiram pôr de lá para fora, com processos que ele tem etc. E tal, intocável. Só com 70 anos é que o podem pôr de lá para fora. Quem é que se vai meter com o homem de confiança do [cargo público] e com o homem de confiança de muita gente e com o peso político que ele tem? O Y correu com muita gente óptima tecnicamente. (...) ele deu cabo da vida daquela gente, e quem diz esse diz outros, mas são intocáveis, porque são pilares da força da faculdade, como temos pessoas em vários cargos que nunca vi fazer grande coisa na vida tirando ir lá, directores de departamento com quem eu me dou muito bem, mas que nunca vi fazer nada" (Entrevista #2).

No caso da enfermagem, relatam-se casos de enfermeiros-chefes que não detêm a experiência suficiente para chefiar uma equipa de serviço:

"(...) as pessoas vão sendo nomeadas pelos critérios mais díspares e mais críticos que houver para nomear alguém porque se quer, não é? (...) nós, neste momento, estamos num perfeito limbo existencial do ponto de vista da carreira e evolução profissional. Os enfermeiros que estão em

> contrato de funções públicas têm tudo congelado, portanto também não evoluem e então esperam o tempo de ver... esperam pelo tempo passar. (...) antigamente com a carreira que havia, carreira vertical, a pessoa para aceder, para subir verticalmente na carreira, ela tinha que fazer provas públicas, para ser graduado tinha que se fazer provas públicas, para ser especialista tinha que fazer provas públicas, ora o que é que isto quer dizer? Isto transmite para os seus pares, para a organização e para os utentes, que aquele indivíduo teve que demonstrar perante os outros que sabia, que era competente. (...) isso desapareceu, as pessoas não têm que fazer provas que são competentes naquilo que fazem, e na saúde, quem quer gerir uma unidade de saúde tem que perceber de clínica, quem não perceber de clínica não vai gerir nada" (#1).

Com base nos dados recolhidos nas entrevistas, a legislação e o contexto económico-político actual, consideramos que a meritocracia não vigora nos procedimentos de recrutamento e de progressão nas carreiras profissionais de maior relevo dentro do HSM, isto é, as carreiras médicas e de enfermagem. A nossa avaliação recai no valor mínimo de 1.

Imunidade à corrupção e à captura por interesses particulares

Contrariamente à opinião dominante, os países da União Europeia estão sujeitos ao fenómeno da corrupção se bem que em proporções diferentes de acordo com vários factores contextuais. Um estudo recente, da Hertie School of Governance, mostra que a corrupção tem alastrado na União Europeia, nomeadamente no Sul e no Leste da Europa (Mungiu-Pippidi, 2013: 3 e 20).

No que diz respeito ao sector da saúde, Ferrinho *et al.* (2004: 9), num trabalho sobre práticas duplas[5] entre profissionais da saúde, em vários países, aproximam o conceito de corrupção às dimensões dessas práticas. Como não é de surpreender, a corrupção não é um tema de eleição na área da saúde; abordado de forma anedótica, ligeira e sem dados empíricos convincentes. As conclusões dos autores são relevantes para o nosso estudo, porque integram as estratégias individuais no âmbito da corrupção dentro das próprias falhas das organizações (*op. cit.*: 10).

5 Entendidas como trabalho, em simultâneo, no sector público e no sector privado.

A corrupção no sector da saúde é reforçada pelo entrecruzar do sector público e do sector privado nas práticas dos profissionais, nomeadamente os médicos; e pelo facto de o maior pagador/prestador ser o Estado e, por conseguinte, o actor-alvo de práticas ilícitas. No entanto, e ao contrário do pensamento dominante, e na esteira do estudo de Ferrinho *et al.* (2004: 9), as práticas de corrupção tendem a aumentar quando o sector privado toma a dianteira em relação ao sector público.

Para compreender o fenómeno e podermos avaliar a instituição, uma análise longitudinal é fundamental. Assim, temos um ano charneira na instituição que é a entrada em vigor do estatuto de Entidade Pública Empresarial, em 2005, com um novo CA, que permanece até 2010.

De acordo com as fontes consultadas, existe até meados da década de 2000 uma situação de forte despesismo provocada pela corrupção interna acoplada a interesses particulares. Assim, a desorganização dos serviços de apoio (como a área de compras, *stocks* e logística, obras, farmácia, alimentação hospitalar) permite que grupos se organizem para retirar do HSM inúmeros bens. Um elemento assegura que médicos montaram consultórios privados e/ou clínicas com os bens do hospital, em Lisboa ou até mesmo fora do país:

> "(...) naquela altura, uma facturação, um volume de negócios que o punha entre as 10 maiores empresas do país, e os 10 maiores empregadores. (...) Porque havia de facto muitos milhões envolvidos, havia clínicas que eram abastecidas pelo hospital, havia desvio de medicamentos, desvio de produtos, desvio de alimentos, etc. (...) Bom, quer dizer, a explicitação dos processos, a ventilação dos dados, os sistemas de informação, os indicadores é a melhor maneira, porque há muita corrupção, eu nem diria que o problema fosse a corrupção, o problema maior é a negligência, é o descuido, é o desinteresse, é o deixar correr, é a torneira estar a correr água e eu deixo estar, é a luz estar acesa, é o medicamento que se estraga fora de prazo, está a ver? Portanto tenho que montar uma malha para minimizar o custo da não qualidade e depois tenho que ter atenção àquilo que são os pontos críticos, que numa organização grande... Não tenho essa ideia de que Portugal é um país de corrupção, de vigaristas, quer dizer, nós temos aquilo que é a proporção normal da Europa, se calhar temos 5, 10, 8%, quer dizer, não sei, 90% das pessoas são sérias,

que eu tenho essa convicção... A pior coisa que pode haver é a opacidade. Quando há transparência, quando há sistemas abertos, diminui-se a exposição ao risco. (...) era tráfico de medicamentos, de materiais, desvio de alimentos, de coisas que envolviam milhões de euros (...) o armazém era uma coisa incrível, milhões de euros estavam assim como isto está aqui. Um armazém como o de Santa Maria, dentro, tem milhões de euros, não é milhares, são milhões, portanto está a ver o que é eu ter milhões de euros à mão de semear, pego, vou-me embora. Comprava uma coisa que valia 100 mil euros, registavam, encomendar 10, só entravam no hospital 5 e assinava que tinha recebido 10, e as outras 5 iam para o consultório ou para a clínica ao lado, isto era corrente. (...) o de Santa Maria era o que estava mais abandonado, que na altura mesmo, já havia hospitais que tinham um nível de controlo interno muitíssimo superior ao de Santa Maria. Aquilo era uma maravilha, porque era um abastecedor da cidade de Lisboa, até para África, até para Luanda, lençóis do hospital, medicamentos, etc." (Entrevista #5).

Perante este fenómeno de corrupção extensa e organizada dentro do HSM, questiona-se o papel da tutela que, segundo o mesmo entrevistado, tem desinteresse em resolver a situação, preconizando meramente o fechar e o desmantelar da organização:

> "(...) chegava-se a dizer que o hospital podia ser desactivado e fechado (...) muita hesitação do poder político que considerava o Santa Maria ingovernável e que não valia a pena, esse era o problema que estava na cabeça dos decisores políticos, que de certa maneira negligenciavam e abandonavam o hospital, era um sítio onde se tinha de pôr dinheiro, e pronto." (Entrevista #5)

Com a reorganização dos serviços e da instituição, a corrupção em grande escala sofre uma quebra. Com efeito, a introdução da informatização dos serviços, as alterações nas chefias dos serviços de apoio (com a vinda de actores do sector privado bancário ou do sector dos seguros de saúde), a entrega de relatórios de contas por serviço, área ou departamento, ou a externalização de certos serviços (como a alimentação, a lavandaria ou obras de manutenção) fazem com que o despesismo seja mais controlado. A passagem para estatuto de EPE dá alguma autonomia à instituição para negociar produtos, material clínico e medicamentos com actores industriais, mas dentro de parâmetros instituídos pela tutela. Isso permite, até certo ponto, combater alguns interesses instalados por parte de actores externos como, por exemplo, a indústria farmacêutica. Outro actor aclara esse maior controlo de potenciais actos de corrupção ou de actos ilícitos nas grandes áreas de abastecimento e despesa do HSM, isto é, material clínico e medicamentos:

> "Eu diria que nesse plano, na corrupção de produtos farmacêuticos, é impossível, só se estivéssemos todos a dormir; tivemos recentemente um episódio que foi rapidamente detectado (...) agora a probabilidade de, nomeadamente, desta área tão crítica que é das coisas raras, caríssimas, de milhares e milhares de euros, é praticamente... pode acontecer mas é rapidamente detectado e sendo detectado é punido (...) é claro que isso tem uma vantagem, que nem é tanto pelo risco de corrupção que é preciso esta rastreabilidade, é mais pela segurança na terapêutica, mas vem colateralmente ou paralelamente melhor dito, vem essa perspectiva que eu posso a todo o tempo saber a quantas ando. (...) acabaram-se as farmácias periféricas, acabaram-se os armazéns periféricos de material, que era um absorvedor de dinheiro que tínhamos imobilizado, no total de milhões de euros, não servia para nada, mas tinha que estar ali porque senão os serviços não funcionavam. Agora nós temos hoje um sistema, nomeadamente no consumo clínico, de controlo e rastreio, informatizado" (Entrevista #7).

Paralelamente a este tipo de corrupção, em grande escala e organizada, outro tipo impregna a instituição no seu todo. Falamos da corrupção ligada à penetração de interesses e agendas privadas no HSM. A instituição não tem sido imune à captura por interesses particulares, mormente, na área de laboratórios de análises clínicas e exames complementares. São vários os relatos de directores de serviço ou chefes de serviço que enviam pacientes com termo de responsabilidade para exames complementares de diagnóstico nas suas clínicas e/ou laboratórios privados. Ainda em Março de 2013 (quando toma posse o novo CA), e de acordo com os entrevistados (Entrevista #9), o responsável por um serviço é despedido de forma assaz abrupta para impedir uma situação, que se arrastava há vários anos, de fusão entre os seus interesses privados e os serviços prestados no HSM. Desta forma, e como resume muito bem uma informante, surge a dúvida se tal acontece porque os serviços do hospital não conseguem de facto responder às necessidades clínicas e/ou de logística, ou porque há interesses privados. Parece-nos que são as falhas da instituição, juntamente com as do SNS, que permitem esse entrecruzar de interesses; que, para alguns, são permitidos e desejados para justificar a privatização cada vez maior do SNS (Entrevista #6). Ora vejamos a opinião de um actor do HSM:

> "Onde há um grande desvio para a privada é a nível superior ao hospital, porque quando não paga aos médicos do hospital para operar, deixa de lhes pagar, as listas de espera aumentam e depois as desvia para um determinado tipo de clínicas, é evidente que são aquelas que a pessoa pode escolher, isso muitas vezes o médico pergunta provavelmente, 'olhe e o doutor onde é que trabalha numa destas? Trabalha em alguma?' Mas deixaram de pagar recuperações de listas de espera em muitas especialidades, outras nem tiveram, e os doentes são desviados do hospital para tanto instituições sociais como hospitais privados. (...) eu peço para o hospital e o hospital deriva. Como essa contratualização é feita, não sei" (Entrevista #2).

Este último caso leva-nos a questionar o nível da corrupção existente e a forma como os processos introduzidos para o seu combate são habilmente contornados por pequenos e grandes actores na instituição. Perante as informações obtidas, e apesar das melhorias registadas a partir de 2005, considera-se que o HSM-EPE continua atravessado por fortes conflitos de interesse e actos nas zonas cinzentas ou silenciadas que se configuram como corrupção. A avaliação é, logo, negativa: de 2.

Ausência de ilhas de poder

A ausência de "ilhas de poder" no HSM-EPE está relacionada com a questão da meritocracia, por um lado, e com a ausência de corrupção, por outro. A relação entre as três variáveis foi aferida, de forma inequívoca, ao longo do trabalho etnográfico.

Os informadores relatam a presença de grupos poderosos dentro da instituição a dois níveis: na classe médica e na direcção de serviços de apoio:

> "(...) ou a desorganização, porque há quintas com poder e quintas com menos poder. (...) A Maçonaria e a Opus Dei no Hospital sempre foram forças claramente estruturantes, sim, ou desestruturantes, conforme as alturas, e isso é muito difícil, por isso é que alguns Directores de Serviço, por muito que a administração tente, nunca teve coragem de os desalojar" (Entrevista #2).

Foi-nos possível constatar que certos directores de serviço detêm um poder elevado dentro da instituição que se concretiza em capacidade de negociar com o CA as condições do funcionamento dos serviços (recursos humanos, aquisição de material clínico, orientação do serviço, absentismo etc...). Um exemplo dado é a falta de condições físicas de um determinado serviço de acção médica, comparativamente a outros serviços, que se configuram como autênticos hospitais dentro do hospital (Entrevista #6).

Para além da criação de grupos poderosos dentro da instituição, há ainda que referir que estes líderes e directores de serviço estão ligados à Ordem dos Médicos, nos Colégios de Especialidade, condicionando o funcionamento do serviço, como por exemplo, nas questões ligadas à orientação clínica. Pertencem a organizações internacionais e são geralmente professores catedráticos na Faculdade de Medicina. Segundo um informante, a assunção do cargo de director de serviço não se deve às funções (só têm trabalho e "chatices" [Entrevista #6]), mas à carreira profissional.

A Maçonaria, a Opus Dei e a ligação a partidos políticos ainda são três realidades externas que intersectam a esfera do HSM. Na percepção de um entrevistado, o HSM seria um "ninho do PS (Partido Socialista)" (Entrevista #10). Por razões histórico-políticas, terá havido uma junção entre a Maçonaria e esse partido político, reflectindo-se no sector da saúde e, por inerência, numa das suas mais emblemáticas instituições, o HSM.

Alguns funcionários dizem que há directores de serviço que se sobrepõem ao CA pelos contactos exteriores e pelo desenvolvimento do próprio serviço. Nalguns casos, eles desenvolvem o serviço com donativos externos, o que lhes confere muito poder e prestígio na instituição. Há, portanto, actores-chave com ligação a partidos políticos ou ordens profissionais, fundamentais para ganhar prestígio e poder. Por sua vez, a ligação à política no CA, que deriva do funcionamento da tutela, dos governos e dos processos de nomeação dos CA, é uma constatação. Um agente do HSM aponta os aspectos negativos dessa relação:

> "Acho péssimo, acho péssimo, cria muita instabilidade; mas isso está dependente de outra coisa, a cada governo que entra muda a política de saúde, não é? Se muda a política de saúde você deve mudar a estrutura. (...) a maior influência nos hospitais são as entidades, organizações que têm influência em todo o país, que são as organizações religiosas, as organizações não religiosas" (Entrevista #3).

As ilhas de poder têm consequências negativas para o funcionamento dos serviços como um todo e para o HSM como organização:

> "(...) uma instituição envelhecida, desmotivada, ineficiente, atomizada, muito esquartejada pelos cantinhos, pelas quintinhas, cada um por si, a faculdade e o hospital de costas voltadas e, portanto houve ali uma vaga de inovação (...). Há a liderança formal que é o Presidente do CA, depois há as alianças informais, de pessoas que falam directamente com o [cargo público], não é? (...) e as pessoas têm projectos perceberem em que medida há uma coincidência entre o projecto individual da pessoa e o projecto institucional" (Entrevista #5).

Em suma, o HSM-EPE está profundamente atravessado por ilhas de poder de vários tipos, a vários níveis organizacionais, atingindo certas profissões, com consequências díspares e diversas e com ligações a vários grupos da sociedade civil nacional. Julgamos que, para entendermos melhor este fenómeno, um olhar atento à sociedade civil e às maiores fracturas e clivagens do país poderão explicar este processo. A pontuação é, por conseguinte, francamente negativa: 1.

Proactividade

O HSM-EPE tem melhorado significativamente a sua capacidade de envolver os utentes e outros públicos fundamentais para o desempenho e a avaliação da qualidade dos serviços. São introduzidas várias mudanças desde 2005, mas num esforço de continuidade com algumas iniciativas anteriores a esse período.

Antes de tudo, o HSM-EPE é um dos únicos hospitais a nível nacional com um Gabinete de Acção Social e um Gabinete do Utente, com cerca de cinquenta assistentes sociais, espalhados pelos diversos serviços de acção médica. O gabinete de serviço social é estruturado e melhorado desde a abertura do HSM em 1957. O CA de 2005 reforça as equipas do referido gabinete por razões eminentemente financeiras. Com efeito, um membro do HSM explica o processo da forma seguinte:

> "(...) se é coincidente a alta médica com a alta social, isto aqui a nível de gestão é uma mais-valia que não tem preço, aliás, saiu noutro dia [nos jornais] que [foram gastos] 12 milhões de euros, em doentes que estão cá internados e que não deviam cá estar. (...) os dados que tenho neste momento, nós, nos primeiros 15 dias, nós conseguimos que destes 113, mais de 50% tivessem alta. De 8 mil processos abertos, tivemos 113 que ficaram a aguardar a alta social, portanto, que não puderam concretizar a alta clínica" (Entrevista #9).

O Gabinete do Utente tem sido desenvolvido para atender aos pedidos, reclamações ou sugestões dos utentes. A informação é divulgada por toda a parte do HSM-EPE, desde o ambulatório, passando pelo serviço de urgência, ao hospital de dia ou à central de consultas. Tem sido feito um trabalho de coordenação com o gabinete jurídico no caso de reclamações (situações de erro ou negligência médica), e os tempos de resposta por parte dos serviços têm diminuído (CHLN, EPE 2011). Além disso, um inquérito de satisfação aos utentes é lançado frequentemente, principalmente no serviço de urgência (onde se regista um grande número de reclamações por parte dos utentes), a fim de averiguar a qualidade dos serviços prestados.

Na mesma lógica, encontramos o Gabinete da Qualidade que desenvolve um trabalho de certificação dos serviços de acção médica e dos serviços de apoio ao CA, com aplicação da Norma ISO 9000 aos serviços de acção médica, usando o modelo para hospitais da Joint Commission International ou ainda a Norma ISO 9001, com o programa Equas para o serviço de Recursos Humanos.

Um actor explica que as melhorias não se dão de uma forma súbita a partir de 2005, já que muito vem sendo feito, mormente, na acção médico-clínica. No entanto, a passagem de estatuto para EPE permite a criação de um capital estatutário de 133 milhões de euros, o que permite fazer obras necessárias na infraestrutura, reformular serviços e rever o funcionamento organizacional.

Perante a informação transmitida nas entrevistas, nos relatórios de contas (CHLN, EPE 2011) e pela observação directa nalguns serviços de acção médica, uma avaliação positiva da proactividade parece justificada, com uma nota de 4.

Flexibilidade tecnológica. Inovação.

Acima de tudo, convém lembrar que existem apenas dois hospitais no país com a mesma envergadura, isto é, hospital central, altamente especializado, e instituição de fim de linha. Por esse motivo, e considerando que ainda abrange a área da formação graduada e pós-graduada e a investigação, partimos do pressuposto de que o nível de abertura à inovação, incluindo a flexibilidade tecnológica da instituição, é elevado. Com efeito, o HSM é líder nalgumas áreas médicas onde a tecnologia de ponta é necessária. Além disso, o HSM faz parte do SNS e está, portanto, sujeito às alterações introduzidas pela tutela nesse domínio.

Existem, na área da saúde, vários níveis de flexibilidade tecnológica e de abertura à inovação. Em primeiro lugar, todo um processo de modernização da estrutura burocrática é feito em meados de 2000, com a introdução da informatização nos serviços e nos processos. Registam-se ganhos em eficiência e nos níveis de transparência dos processos (por exemplo, no serviço técnico-farmacêutico, no serviço de compras, logística e *stocks,* etc.). Pese embora melhorias e avanços, os programas informáticos escolhidos são alvo de críticas sustentadas pelos profissionais de saúde entrevistados por serem morosos, por serem incomunicáveis entre tipos e níveis de serviço de acção médica, por controlarem o tempo dispensado com os pacientes e as prescrições médicas passadas.

Em segundo lugar, as tecnologias na saúde abrangem o medicamento. A política do CA até 2012 opta pelo fornecimento dos medicamentos necessários a todos os utentes, independentemente do custo e/ou da raridade/

complexidade do caso médico. Essa política é, porém, acompanhada de um forte controlo das despesas na área do medicamento, consequência do contexto de forte restrição orçamental no sector. Para tal, o CA reforça as cadeias de comando, questionando todos os pedidos de aquisição provenientes dos serviços médicos. Pese embora o orçamento anual de 2012 do HSM se ter esgotado em Outubro do mesmo ano, a instituição continua a providenciar medicamentos a utentes com patologias raras.

Por fim, as tecnologias da saúde englobam os equipamentos médicos e o material clínico que contribui para uma grande fatia das despesas anuais do hospital. De acordo com o Relatório de Contas do CHLN, EPE (2011: 109-113), há uma política de contínuo investimento para os anos 2009, 2010 e 2011, a diversos níveis e com investimentos variáveis.

Todavia, os últimos três anos, fruto das restrições orçamentais no SNS, têm condicionado a introdução de maior flexibilidade tecnológica e inovação nos serviços:

> "O que nós fizemos crescer bastante foi, digamos, a massa cinzenta do serviço, entre 2005 e 2011. Aumentámos em 50% o número de engenheiros. (...) com estas restrições, a inovação tecnológica agora... há-de se fazer um dia, não é? Mas não é propriamente a altura mais oportuna para pensar nisso, agora a nossa grande preocupação é garantir que o hospital continua a manter o nível tecnológico que tinha anteriormente, essa é a nossa grande preocupação, é não baixar o nível tecnológico (...). Dou-lhe um exemplo, a nossa hemodinâmica, da área da cardiologia, tínhamos duas salas, que é talvez a unidade desta especialidade que mais produz em Portugal e se calhar na Europa, uma das maiores da Europa, estava prestes a ficar fora de serviço, e ficou. Foi uma discussão muito grande, estávamos a falar de qualquer coisa como 500 e tal mil euros, foi muito apertado, para esse preço. Já está adjudicado, finalmente, não é?" (Entrevista #8).

De particular interesse nesta área é a opinião cautelosa de um agente que nos fala em inovação virtuosa:

> "(...) matéria médica é volátil, chamado o conhecimento médico, é volátil, está sempre a mudar (...). O conhecimento médico muda a cada 10

anos cerca de metade (...). a dificuldade está em saber qual é a metade que muda? Nós estamos, por outro lado, sujeitos a uma pressão brutal, ainda hoje mesmo, em crise da indústria, que nos vende como bom, como inovador aquilo que pode ser só um pequeno radical, uma molécula de substância que vai custar 10 vezes mais, ou o dobro, não interessa, do que a anterior (...). tenho muitas dúvidas que no tempo em que o dinheiro não existe, já não é escasso, não existe, não há mesmo, eu tenho que pôr muito em causa se vou gastar 20 mil euros ou 22 mil euros para aumentar uns meses de vida a uma pessoa que vai morrer (...). quer dizer, eu não posso decidir só porque a indústria vem ter comigo e me diz (...). inovação virtuosa é a inovação que introduz mais valência, com informação documentada, o tanto quanto possível (...). A investigação em geral, mas em particular a investigação que visa a aplicação à medicina e à pratica clínica concreta, tem que ter a sua própria remuneração, senão não é sustentada (...) é sempre mais caro, pode é ser muito mais caro, assim-assim ou um bocadinho" (Entrevista #7).

Em Março de 2013, um novo CA toma posse, aprovando o novo orçamento do CHLN, para o ano de 2013, com menos ¼ do valor do ano anterior.

Apesar de se registarem lacunas, nomeadamente no funcionamento dos programas informáticos adquiridos nos serviços de acção médica, o CHLN, EPE tem feito um esforço de modernização das telecomunicações e outras tecnologias de gestão. O facto de haver uma junção do HSM com a Faculdade de Medicina da Universidade de Lisboa e com o Centro Académico de Medicina de Lisboa tem permitido a introdução de práticas clínicas novas e melhoradas. Ainda assim, o HSM tem muitos aspectos a melhorar em termos de flexibilidade tecnológica. Perante este balançar de opiniões, parece-nos justo um valor positivo de 3.

Aliados externos

Os Aliados Externos do HSM são essencialmente o Ministério da Saúde, o Ministério das Finanças e respectivo Governo. De facto, o estatuto de hospital público fá-lo depender fortemente da conjuntura política para a qualidade do seu desempenho e respectiva protecção no caso de potenciais desafios com actores internos e/ou externos influentes e/ou nocivos.

O que as entrevistas permitem descortinar é que a governação do HSM ao longo do tempo é muito desigual em termos qualitativos, com algumas cúpulas particularmente prejudiciais ao desempenho da instituição. Um actor recorda alguns períodos negativos na governação do HSM:

> "Entre 2003 e 2005, há um período de gestão do hospital que não corre muito bem, que fique aqui só entre nós... tivemos aqui duas equipas de gestão, aliás, é a mesma equipa, mas com actores que vão mudando, nomeadamente os presidentes, que eram pessoas a quem a realidade do hospital era muito alheia, e quando saem, saem quando se alterou o governo, quando [houve mudança de] ministro [...]. A expectativa da instituição estava muito em baixo (...) houve alguma movimentação interna para dar conta do desagrado, eu conheço muito bem esse dossier porque participei dele, esse desagrado foi percebido ao nível da tutela" (Entrevista #7).

Segundo um funcionário que trabalha há largos anos no HSM, a instituição passa por quatro grandes fases de gestão, onde o apoio da tutela se faz sentir de acordo com as cores políticas no poder:

- até 1973, o HSM não tem nenhuma gestão concertada. É o que na instituição é chamado período de liderança dos Professores;
- os anos de 1980 começam a estruturar o hospital, mas sem planeamento estratégico e ao sabor das direcções e dos governos;
- meados de 1995, e acima de tudo a partir de 1998, começam mudanças significativas e buscas de soluções para os problemas endémicos da instituição e, correlativamente, do SNS;
- 2005 a 2012, período de mudanças concretas, com a modernização dos serviços, a transparência de processos e o aumento dos indicadores objectivantes de produção.

A lógica do *laissez-faire, laissez-passer* prevalece durante décadas, o que se reflecte no desinteresse dos sucessivos governos em resolver os problemas de forte despesismo.

Na verdade, desde 2010 que a suposta autonomia de gestão financeira do CHLN desaparece, com a ARSLVT e ACSS a impor os contratos-programa:

"[Em] 2010 começa a haver o aperto de financiamento, a autonomia de gestão perde-se. Com o orçamento a encurtar, a encurtar. Começamos a ter situações muito delicadas de áreas quase, quase no pré-colapso (...). quero crer que isto é transitório, porque não é sustentável, esta situação que estamos a viver agora não pode, nem aqui nem noutros hospitais. (...) temos uma factura de medicamentos elevadíssima, a mais alta do país, e a pergunta que se põe é, então, mas o que é que vocês vão fazer com este tempo tão difícil, a tutela quer que a gente corta, corta, corta. (...) eu não acredito nada neste modelo, pode resultar no imediato, mas vai dar mau resultado à distância, que é, cortar porque é caro, corta porque eu é que mando. Não vejo que seja bom caminho para uma solução sustentada, para uma perspectiva a médio-longo prazo. (...) a partir de 2010, a dependência do próprio Ministério das Finanças, portanto há aqui uma tutela que não tínhamos e passámos a ter e que é tipo cutelo, é ali e nem mais um cêntimo. Para ser franco consigo, nos últimos dois anos, temos sido muito recalcitrantes no plano da preparação e da assinatura dos contratos-programa, por razões que são, não são de birra. Este ano acabámos de assinar o contrato do ano de 2011 já em 2012, e este ano assinámos o contrato de 2012 há dias. Não foi uma assinatura feita de boa vontade" (Entrevista #7).

A avaliação feita é relativa, portanto, ao tempo de gestão do CHLN, EPE que abrange o período de 2010 a 2012, quando foram realizadas as entrevistas. Perante o contexto de crispação económico-financeira e institucional do SNS, não estão reunidas as condições para uma avaliação positiva, ficando esta pelo valor de 1.

Adequação institucional

São, por fim, avaliadas duas variáveis dependentes: a adequação institucional (mais concretamente a correspondência entre a estrutura organizacional e os manuais institucionais originais) e a contribuição para o desenvolvimento a nível nacional no sector de atuação específico. A apreciação das variáveis alicerça-se nas avaliações dos actores entrevistados, dentro e fora do HSM, EPE. As avaliações são variadas e divergem de acordo com a posição hierárquica, a profissão e o papel dentro da instituição. Registam-se, porém, opiniões unânimes sobre as lacunas e os méritos do HSM dentro do sector da saúde a nível local, regional e nacional.

De um modo geral, os aspectos mais problemáticos dizem respeito à dificuldade de alteração de hábitos enraizados no funcionamento dos serviços de acção médica, que dependem em larga medida das chefias e do seu grau de abertura à inovação na gestão das equipas. Um tema de particular interesse é o facto de não se ter instituído no HSM o processo de departamentalização, como exige a passagem para o estatuto de EPE. Efectivamente, a negociação dos contratos-programa deve ser feita internamente, auscultando e determinando planos de acção com os serviços, num processo *bottom-up*, que nunca se verificou. Esse facto deriva, entre outros factores, da dificuldade de gestão e de comunicação interna entre CA e serviços de acção médica, e igualmente das chefias dos serviços que poderão não aderir com facilidade a possibilidades de gestão mais concertadas (Entrevista #1).

Outro apecto de relevo é o forte condicionalismo a que se encontra sujeito o HSM, EPE às políticas governamentais no sector, o que pode prejudicar a sua adequação institucional:

> "(...) quando falamos no hospital, nestes cortes, então, mas será que eles sabem ali na ARS que percebem disto, o próprio ministério? Se calhar começa por aí, não é? Quando as coisas começam por cima, não é? Eu não tenho dúvida nenhuma em dizer que a ARS não gere nada, mas depois isto é escondido atrás, quando há pouco lhe falava nestas opções políticas, é porque há pessoas de facto, não, não, isto é mercado, então como é mercado, a gente não faz nada. Eu acho que as administrações regionais de saúde deviam dirigir, deviam impôr normas. (...) o problema é que neste país não há projectos com continuidade, andamos sempre a mudar, mudam-se, muda o governo, muda tudo, não é? E depois são critérios, portanto isto de facto é política, é política, o mercado e o planeamento é política, são conceitos políticos, cada um tem os seus (...). agora de há uns anos a esta parte, montaram a moda dos centros hospitalares. (...) O grande problema são as administrações regionais de saúde, deviam estar dotadas de equipas técnicas, de pessoas competentes e não estão!" (Entrevista #8).

Pese embora um contexto de forte restrição orçamental, o HSM, EPE procura manter os compromissos com os utentes, durante o período de governação interna de 2010-2012. Os compromissos dizem respeito a duas situações em particular: o atendimento indiscriminado de utentes (a que o seu estatuto de hospital de fim de linha obriga) e a dispensa de medicamentos e tratamentos caros. É opinião unânime que o HSM, EPE é sub-orçamentado pelos custos elevados em medicação e que o seu estatuto de hospital de fim de linha deve ser considerado pela tutela para rever os pagamentos feitos em sede de contrato-programa.

O CHLN, EPE, por imposição da tutela, tem várias comissões internas que coordenam diversos aspectos necessários ao bom funcionamento da instituição, através da acção conjunta de múltiplos actores internos. Segundo os dados recolhidos, as comissões funcionam com regularidade, tomando decisões fundamentais para a organização, como questões relativas a terapêuticas de custo elevado, introdução de medicação inovadora ou equipamentos médicos extremamente custosos. Contudo, é referida uma diminuição da frequência das reuniões com as comissões, ou entre os serviços de acção médica e os serviços de apoio, com o CA de 2010-2012. Essa situação é explicada pelo contexto difícil de regulação da actividade interna, pela gestão distinta do CA 2010-2012, e, indirectamente, pelas próprias cadeias de funcionamento de comando e controlo entre as várias profissões presentes no hospital e no seio das mesmas. É de referir a esse propósito a dupla cadeia de chefia/comando que existe em meio hospitalar: a cadeia de chefia institucional e a cadeia de comando profissional, através essencialmente das Ordens Profissionais médica e de enfermagem. A essas se adicionam as cadeias de comando formais e informais, existentes devido aos vazios deixados pelo absentismo das chefias. Por fim, ainda se reporta a natureza dos cargos no Conselho de Administração que pode dificultar a gestão e a tomada de decisão na cúpula. Efectivamente, com a passagem para EPE, os membros do CA passaram a membros executivos, nomeadamente o Director Clínico e o Enfermeiro-Director, que de eleitos passaram para nomeados, e podem, como membros executivos, opor-se a decisões tomadas pelo Presidente do CA.

As críticas às listas de espera para consultas em ambulatório (primeiras consultas em particular) e para cirurgias programadas são comuns nos meios de comunicação social, nas entrevistas realizadas e nos estudos. De facto, e a despeito de uma melhoria substancial nos indicadores de produção do HSM desde 2006, as listas de espera são longas (variáveis de acordo com a especialidade), provocando uma percepção negativa do HSM, EPE e dos hospitais públicos, em geral, na opinião pública portuguesa.

Somos inclinados, porém, a valorizar o trabalho árduo que o HSM faz em contexto de crispação económica grave, nomeadamente no que diz respeito ao atendimento de todos os utentes (vindos do sector privado e do sector público, da região de referência ou fora dela, e dos PALOP) e no facto de contemplar os melhores cuidados possíveis a utentes com patologias complexas e/ou múltiplas. Desta forma, a nossa avaliação é positiva sem ser excessiva, por considerarmos a questão das listas de espera; atribuímos um valor de 2,5.

Contribuição para o desenvolvimento a nível nacional no sector de atuação

O ajuizamento desta variável dependente está ligado à variável anterior na medida em que a contribuição para o desenvolvimento nacional no sector da saúde só é possível se houver um mínimo de adequação institucional. No entanto, podem acrescentar-se outros aspectos não referidos anteriormente para dar uma ideia mais clara do papel do HSM no sector da saúde em geral.

Antes de tudo, é verbo comum dizer-se que o HSM é uma instituição de referência e de alta diferenciação a nível nacional. O HSM é o viveiro central da prática e da experimentação médica, por integrar o Centro Académico de Medicina de Lisboa. Está, logo, no topo das instituições a nível científico, contribuindo grandemente para o desenvolvimento nacional na saúde. A junção da investigação científica e da prática médica provocaria à partida um elevado nível formativo, graduado e pós-graduado; e, portanto, uma prática médica de excelência. A este respeito, as opiniões não são concordantes junto dos actores contemplados. Alguns referem a grande precariedade laboral e salarial entre os profissionais, o que provoca desmotivação, desinteresse e menor dedicação à vida hospitalar. Outros, pelo contrário, afirmam que o HSM é o lugar indicado para tratamento médico no país. Para um funcionário, a importância do HSM é inequívoca:

"é das instituições do país com maior potência, com maior capacidade, e que é seguramente uma estrutura de prestação de cuidados, uma instituição de prestação de cuidados insubstituível por muitas razões; que tem o melhor, que tem, isto é uma frase feita, mas o melhor que tem são os seus profissionais, que são eu diria que nós não somos uma excepção, isto é transversal, nós temos gente muito boa a todos os níveis, gente que gosta do que faz e que é extremamente dedicada que mesmo ganhando menos... algumas muito menos do que ganhavam, continuam a dar o seu melhor. (...) é certo que nós gastamos uma percentagem do PIB alta, mesmo em termos de OCDE, mas não nos esqueçamos que o nosso PIB é muito baixo, e, portanto, nós temos ganhos em saúde, temos resultados em saúde que são notáveis (...) dos países que gastam mais do que nós em valor absoluto não têm [ganhos notáveis em saúde] e nós temos" (Entrevista #7).

Um aspecto longamente presente ao longo das entrevistas é o papel fundamental que o HSM tem perante os doentes vindos do sector privado. Os seguros de saúde permitem tratamentos até um determinado nível de complexidade técnica devido aos tectos de reembolso pré-estabelecidos pelo que muitos utentes recorrem aos serviços públicos no caso de doenças complexas:

"há uma grande diferença entre o que é a medicina hospitalar e a medicina privada, não é? Porque as coisas mais raras e mais difíceis de tratamento são sempre no hospital, nem que não seja porque as pessoas, quando lhes aparece uma coisa destas lá fora dizem que não sabem o que hão-de fazer, pronto. A segunda razão é quando aparece uma coisa complicada lá fora, não compensa do ponto de vista monetário tratá-la, isso é válido para uma clínica privada, como é válido para um hospital privado, não quer pagar as coisas que são complicadas de tratar porque não rendem, e nunca vão render, e isso é mais uma das coisas que está a condenar o serviço nacional de saúde" (Entrevista #5).

Julgamos que o factor em análise deve ser avaliado positivamente porque contempla a instituição em si bem como o seu papel no âmbito nacional. Se considerarmos o âmbito nacional, a avaliação positiva é reforçada pela perspectiva comparativa. Assim, e não obstante os muitos aspectos em falta no funcionamento da instituição e, acima de tudo, o contexto de espartilhamento do SNS, atribuímos um valor de 3.

Determinantes do desempenho institucional do HSM – Uma Avaliação

Determinantes	Escala Binária	Escala 1-5
I – Recrutamento e Promoção Meritocrática	0	1
II – Imunidade à corrupção e à captura por interesses particulares	0	2
III – Ausências de ilhas de poder	0	1
IV – Pro-actividade	1	4
V – Flexibilidade tecnológica Inovação.	1	3
VI – Aliados externos	0	1
VII – Adequação institucional	1	2,5
VIII – Contribuição para o desenvolvimento a nível nacional no sector de actuação	1	3

Referências

ABREU, Pedro Miguel. 2011. *Análise Comparativa da Eficiência dos Hospitais S.A Transformados em E.P.E.* Lisboa: Chiado Editora.

ADMINISTRAÇÃO Regional de Saúde de Lisboa e Vale do Tejo (ARSLVT). 2013. *Análise do Movimento Assistencial dos Cuidados de Saúde Primários e Consultas e Urgências Hospitalares, Documento de Trabalho.* Lisboa: ARSLVT.

ARAÚJO, Joaquim de. s/d. *A reforma do Serviço Nacional de Saúde: o novo contexto de gestão pública.* avulso.

ARNAUT, António. 2009. *Serviço Nacional de Saúde – 30 Anos de Resistência.* Coimbra: Coimbra Editora.

BARROS, Pedro Pita. 2012. "Health policy in tough times: the case of Portugal". *Health Policy.* 106, pp. 17-22.

BARROS, Pedro Pita. 1998. "The black box of health care expenditure growth determinants". *Health Economics.* 7, pp. 533-544.

CAMPOS, António Correia de e Jorge Simões. 2011. *O Percurso da Saúde: Portugal na Europa.* Coimbra: Almedina.

CASTILLA, Emilio e Stephen Benard. 2010. "The paradox of meritocracy in organizations". *Administrative Science Quarterly.* 55, pp: 543-576.

CENTRO Hospitalar Lisboa Norte, EPE. 2011. *Relatório de Contas 2011.* Lisboa: CHLN, EPE.

CENTRO Hospitalar Lisboa Norte, EPE. 2008. *Relatório de Contas 2008.* Lisboa: CHLN, EPE.

CENTRO Hospitalar Lisboa Norte, EPE. 2005. *Relatório de Contas 2005.* Lisboa: CHLN, EPE.

COSTA, Carlos e Sílvia Lopes. 2012. *Avaliação do Desempenho dos Hospitais Públicos (Internamento) em Portugal Continental – Versão Provisória.* Lisboa: Escola Nacional de Saúde Pública, Universidade Nova de Lisboa.

D'ALTE, Sofia Tomé. 2007. *A Nova Configuração do Sector Empresarial do Estado e a Empresarialização dos Serviços Públicos.* Coimbra: Almedina.

ENTIDADE Reguladora da Saúde (ERS). 2012. *Estudo de Avaliação dos Centros Hospitalares.* Porto: ERS.

ESPING-ANDERSEN, Gøsta. 1993. "Orçamentos e democracia: o estado-providência em Espanha e Portugal, 1960-1986", *Análise Social.* 122, pp. 589-606.

ESTORNINHO, Maria João. 2008. *Organização Administrativa da Saúde.* Coimbra: Almedina.

FERRINHO, Paulo, Wim Van Lerberghe, Inês Fronteira, Fátima Hipólito, André Biscaia. 2004. "Dual practice in the health sector: review of the evidence", *Human Resources for Health.* 2, pp. 1-17.

Mungiu-Pippidi, Alina. 2013. *The Good, The Bad and The Ugly: Controlling Corruption in the EU – Advanced Policy Paper for Discussion in the European Parliament*. Berlin: Hertie School of Governance.

Novais, Jorge Reis. 2010. "Constituição e Serviço Nacional de Saúde", in Jorge Simões (coord.). *30 Anos do Serviço Nacional de Saúde*. Coimbra: Almedina, pp. 239-270.

Observatório Português dos Sistemas de Saúde (OPSS). 2013. *Relatório de Primavera 2013 Duas Faces da Saúde*. Coimbra: Observatório Português dos Sistemas de Saúde.

OCDE. 2008. *Avaliação do Processo Orçamental em Portugal*. Lisboa: DGO, MFAP.

Sakellarides, Constantino (org.). 2010. *O Futuro do Sistema de Saúde Português – "Saúde 2015"*. Lisboa: ENSP/UNL.

Simões, Jorge. 2009. *Retrato Político da Saúde – Dependência de Percurso e Inovação em Saúde: da Ideologia ao Desempenho*. Coimbra: Almedina.

Simões, Jorge (coord.). 2010. *30 Anos do Serviço Nacional de Saúde*. Coimbra: Almedina.

Stoleroff, Alan, Tiago Correia. 2008. *A empresarialização do sector hospitalar público português: a desregulação do mercado de trabalho médico e os desafios sindicais para a sua re-regulação*, CIES Working Paper. 47. Lisboa: ISCTE/IUL.

Vaz, Artur Morais. 2010. "Hospitais públicos portugueses", in Jorge Simões (coord.). *30 Anos do Serviço Nacional de Saúde*. Coimbra: Almedina, pp. 297-354.

Conclusão

Neste capítulo apresentam-se os resultados mais relevantes do projecto Valores, Qualidade Institucional e Desenvolvimento (VALID) em seis etapas. Em primeiro lugar, discute-se de que modo as organizações analisadas se posicionam perante os seis determinantes hipotéticos da 1) Qualidade Institucional e da 2) Contribuição para o Desenvolvimento Nacional, e como a sua actuação é avaliada nestes dois resultados. Num segundo momento, são avaliadas as tabelas de verdade baseadas nas classificações binárias e contínuas das seis instituições relativamente aos seis determinantes e aos dois resultados. Recorre-se para este propósito aos métodos de Análise Qualitativa Comparativa – QCA – baseados na álgebra Booleana e na teoria dos Conjuntos Difusos (Ragin, 1987, 2008).

Em terceiro lugar, apresentam-se os resultados descritivos dos cinco inquéritos institucionais realizados, que assentam nas avaliações feitas pelos funcionários das instituições aos seis determinantes e aos dois resultados que nos interessam. Os dados obtidos a partir dos inquéritos por questionário às instituições fornecem uma forma de avaliação adicional às conclusões apresentadas pelos investigadores e servem de teste à sua robustez. Num quarto momento, sumarizam-se as análises multivariadas dos factores latentes que subjazem às avaliações das instituições e dos seus determinantes. Numa quinta etapa, consideramos os resultados descritivos obtidos em relação aos indicadores de valores humanos desenvolvidos por Schwartz e seus associados, nas diferentes instituições, e comparamo-las entre si. O sexto passo consistiu em condensar as análises multivariadas dessas escalas, identificando as dimensões subjacentes dos valores e os seus determinantes. Concluímos com uma apreciação global do significado e das implicações dos nossos resultados, quer em termos teóricos, quer em relação às políticas públicas.

Determinantes da Qualidade Institucional: Avaliações Gerais

Na Tabela 1, apresenta-se uma tabela de verdade que resume as pontuações recebidas pelas organizações na escala binária, em que o valor 1 significa "presença" e o valor 0 significa "ausência". A codificação estritamente binária apresentada nesta tabela pode não fazer justiça à natureza de muitos fenómenos sociais, que são graduais e não dicotómicos. Por esse motivo, Ragin propôs uma segunda escala, baseada na teoria dos conjuntos, que vai de 1 a 5. Nesta escala, a pontuação de 1 significa que a unidade (por exemplo, neste caso, as instituições) está completamente fora do conjunto teórico definido para cada determinante ou resultado; o 5 representa a integração completa nesse conjunto; e o valor 3 uma pertença indeterminada no mesmo. Na Figura 1 ilustra-se de modo sumário o significado das pontuações.

Tabela 1 Tabela de Verdade – Valores Binários. Adequação Institucional e Contribuição para o Desenvolvimento Nacional em Portugal, 2013

	Determinantes Internos			Determinantes Externos			Resultados	
	A	B	C	D	E	F	I	II
Instituição	Meritocracia	Imunidade à Corrupção	Ausência de "Ilhas de Poder"	Proactividade	Abertura Tecnológica e Flexibilidade	Aliados Externos	Adequação Institucional	Contribuição para o Desenvolvimento
Companhia de electricidade (EDP Energias de Portugal)	1	1	1	1	1	1	1	1
Autoridade de Segurança Alimentar e Económica (ASAE)	0	1	1	1	1	1	1	1
Sistema Postal (CTT – Correios de Portugal)	0	1	0	1	1	0	1	1
Hospital de Santa Maria (HSM – SNS)	0	0	0	1	1	0	1	1
Bolsa de Valores (NYSE Euronext – Lisbon)	1	1	1	1	1	1	1	1
Agência Tributária (AT Autoridade Tributária)	1	1	1	0	1	0	1	0

Figura 1 Escala do Conjunto Definido Teoricamente

A Tabela 2 dá-nos as classificações atribuídas a cada organização pelos investigadores responsáveis pelas etnografias institucionais. Cumpre sublinhar que cada investigador atribuiu os valores, nas duas escalas, individualmente e separadamente dos demais investigadores. Trata-se, por conseguinte, de valores obtidos de modo independente. Antes de avançar para a Análise Qualitativa Comparativa (QCA) e as manipulações algébricas dos dados, interessa rever as avaliações qualitativas para cada determinante hipotético.

Tabela 2 Tabela de Verdade – Conjunto Difuso. Adequação Institucional e Contribuição para o Desenvolvimento Nacional em Portugal, 2013

	Determinantes Internos			Determinantes Externos			Resultados	
	A	B	C	D	E	F	I	II
Instituição	Meritocracia	Imunidade à Corrupção	Ausência de "Ilhas de Poder"	Proactividade	Abertura Tecnológica e Flexibilidade	Aliados Externos	Adequação Institucional	Contribuição para o Desenvol-vimento
Companhia de electricidade (EDP Energias de Portugal)	4,5	4,5	4	5	5	5	5	4,5
Autoridade de Segurança Alimentar e Económica (ASAE)	1	5	5	5	4	4	5	5
Sistema Postal (CTT – Correios de Portugal)	2	3,5	1	4	4	2	4	5
Hospital de Santa Maria (HSM – SNS)	1	2	1	4	3	1	2,5	3
Bolsa de Valores (NYSE Euronext – Lisbon)	5	5	5	4	5	4	5	3,5
Agência Tributária[1] (AT Autoridade Tributária)	4,5	4	4	3,5	4,5	3	4	2,5

Uma Meritocracia Problemática

A definição conceptual de meritocracia adoptada neste estudo foi a seguinte: "recrutamento e promoção baseados em critérios universais de qualificações e desempenho, independentemente dos laços pessoais".

Olhando para as Tabelas 1 e 2 verificamos que um dos mais frágeis determinantes da qualidade institucional é precisamente o recrutamento e a promoção meritocráticos. As excepções dizem respeito às instituições privadas incluídas na amostra – a EDP e a Bolsa de Valores – e a Autoridade Tributária[2]. As restantes

1. A avaliação final da pesquisadora, para a Contribuição para o Desenvolvimento, é de 3.5 na escala contínua. Para a presente análise, decidimos reter a avaliação anterior, de 2.5, mais conforme com a avaliação geral da instituição que a pesquisadora faz no seu relatório.
Esta decisão não altera de modo significativo os resultados da análise.
2. É preciso referir, no entanto, que as elevadas classificações (1 e 4.5) atribuídas à EDP no que respeita à meritocracia não concitam a adesão da totalidade dos inquiridos no inquérito por questionário,

entidades públicas têm resultados que ficam muito aquém por uma série de motivos. A austeridade no Estado – que levou ao congelamento dos recrutamentos, à suspensão dos concursos públicos e à lentidão das promoções – é um factor importante. Não é o único factor relevante, todavia, já que preferências e conexões pessoais têm um papel fundamental em várias situações.

O sistema postal foi directamente afectado pelo congelamento de novas contratações e das promoções internas, mas igualmente pela presença de outros factores que enfraqueceram os critérios universalistas dentro da organização[3]. O relatório institucional menciona: "a cor do governo", "pequenos favores", "relações pessoais e políticas" e "simpatia pessoal" (Gomes Bezerra, 2013). De acordo com um informante sindical extremamente crítico, "o trabalhador é avaliado em função dos amigos que tem, em função do partido político, mas não pela sua actividade profissional" (Gomes Bezerra, 2013: p. 30).

A meritocracia na Autoridade da Segurança Alimentar (ASAE) também se encontra enfraquecida pela suspensão das contratações e o congelamento das promoções baseadas no mérito. Adicionalmente, e de acordo com informantes bem colocados, um terço do pessoal é composto de "paraquedistas", que não chegaram à organização vindos das agências que deram origem à ASAE ou através de concurso. Vale a pena mencionar que, no inquérito por questionário à instituição, uma maioria do pessoal (62 por cento) concordou com a afirmação de que "as contratações e as promoções na ASAE dependem essencialmente de relações pessoais", enquanto 39 por cento discordaram da afirmação seguinte: "se seguirem as regras e se fizerem o seu trabalho de forma competente, as pessoas são promovidas na ASAE" (Contumélias, 2013: 30-31; Inquérito Institucional).

A situação mais problemática parece ser o caso do Hospital de Santa Maria, onde a meritocracia está comprometida pela coexistência de lugares de carreira, com contratos temporários e a tempo parcial; pela presença de directores influentes e praticamente inamovíveis; e a permeabilidade a lealdades ideológicas associadas a partidos políticos, lojas maçónicas e organizações católicas. Para um informante privilegiado: "a meritocracia não existe de verdade porque já se sabe [de antemão] quem é o escolhido" (Pires, 2013a: 33).

sendo embora endossadas pela maioria. Cerca de um terço dos funcionários da EDP concordou com a seguinte afirmação: "As promoções na EDP dependem, essencialmente, das relações pessoais"; e uma percentagem semelhante discordou da afirmação: "Se seguirem as regras e se fizerem o seu trabalho de modo competente, as pessoas são promovidas na EDP" (inquérito institucional).

3. O estudo foi levado a cabo antes da privatização dos CTT em finais de 2013.

Os próprios antigos líderes do Conselho de Administração do Hospital admitem que: "não existe hoje nenhum modelo de avaliação de desempenho indexado à meritocracia, e acabávamos por ter no mesmo saco os muitos bons com os muitos maus [profissionais]". Para cúmulo, os directores nunca são despedidos e, se bem que nomeados por três anos, permanecem *ad aeternum* - "só com 70 anos é que o podem pôr de lá para fora" (Pires, 2013b: 30-31).

Já a Autoridade Tributária, em contraste com as outras entidades públicas, foi avaliada como meritocrática. Os informantes externos admitem que os inspectores dos impostos recebem um treino profissional intenso, e o número de funcionários com diploma universitário aumentou rapidamente após os anos de 1970. Os informantes reconhecem, contudo, que existe recrutamento intergeracional na agência, com famílias inteiras a trabalhar na mesma. Este padrão pode reflectir a transmissão pelos membros da família de melhor informação sobre oportunidades de emprego, mais do que uma violação directa de critérios meritocráticos na contratação e na promoção (Evans, 2013).

Imunidade à Corrupção

O segundo critério interno de adequação institucional e contribuição para o desenvolvimento foi conceptualmente definido como segue:

1) Baixa ou nula probabilidade de comprar acções e decisões de pessoas que têm poder de decisão.
2) Baixa ou nula probabilidade de laços familiares ou pessoais influenciarem decisões ou contratações.

O primeiro critério é um indicador da ausência de actos de corrupção organizacional *importantes*; o segundo diz respeito à ausência de orientação personalista e patrimonialista que possa subverter os critérios universalistas. Em *nenhuma* das instituições pertencentes à amostra foram relatados casos significativos de corrupção. A prática de corromper funcionários a fim de obter empregos ou privilégios parece ter sido banida, de modo eficaz, das instituições portuguesas mais importantes. Já no que respeita ao personalismo e ao patrimonialismo a questão é distinta. À semelhança da situação anterior, as instituições privadas voltam a ter o melhor desempenho nesta variável. A Bolsa de Valores, em particular, rege-se pelas regras e regulamentações das empresas cotadas na Bolsa de Nova Iorque, obrigando-se a seguir todos os critérios que se aplicam às mesmas, no que respeita a acessibilidade à informação, transparência e ética[4]. Segundo a opinião de um dos seus líderes: "a última entidade que correria qualquer risco de ser apanhada numa situação mais inconveniente, ou menos ética" (Pompeia, 2013b: 22).

De igual modo, a empresa Energias de Portugal, EDP, revela uma preocupação genuína com questões éticas e com a prevenção de qualquer acto que possa sugerir corrupção. Em 2005, promulgou o seu Código de Ética, a que se seguiu um sistema operacional de gestão da ética empresarial. A empresa faz formação dos seus dirigentes e do pessoal de execução nesta área e recebeu reconhecimento externo por tais esforços, sendo uma das três empresas portuguesas a ser mencionada na publicação "The World's Most Ethical (WME) Companies", onde surge listada entre as 145 empresas mais éticas do mundo (Vaz da Silva, 2013: 48).

Sustentando parcialmente esta avaliação, apenas três por cento dos que responderam ao inquérito institucional discordaram da afirmação: "a maioria dos gestores e dos administradores da EDP é composta por pessoas honestas e competentes" e ninguém discordou da frase: "a maioria dos colaboradores da EDP é imune ao suborno ou à corrupção" (uma afirmação que acolheu o acordo de 73 por cento dos inquiridos) (Vaz da Silva, 2013: 48-49).

A ASAE é a instituição pública que aparece melhor na fotografia. A classificação da organização como perfeita nesta matéria deve-se ao grande esforço feito pela liderança no sentido de prevenir e, quando necessário, punir actos de corrupção praticados pelos seus inspectores. A ASAE é uma agência jovem, dirigida até 2013 pelo mesmo inspector-geral, sendo este uma figura carismática a quem, aparentemente, se deve muita da eficácia e probidade da instituição. Com efeito, nenhum informante, interno ou externo à organização, reportou um único caso de corrupção. Assim, e a despeito da falta de meritocracia, "em todos os seus sete anos de vida, não foi aberto na ASAE um único processo por corrupção [aos funcionários]". De acordo com o director nacional de operações, "não conheço nenhum caso de corrupção, e a verdade é que, desde o início, em 2006, procurámos criar mecanismos que o impedissem" (Contumélias, 2013: 31). Na mesma veia, somente dois por cento dos respondentes ao inquérito institucional discordaram da frase: "a maioria dos colaboradores da ASAE é imune ao suborno ou à corrupção" (Inquérito Institucional).

4. O estudo foi levado a cabo antes da autonomização da Euronext em 2014.

Ao introduzir a tecnologia informática, a Autoridade Tributária eliminou o espaço para troca de favores de inspectores e chefias de serviços de finanças. A autora do relatório institucional sublinha, porém, o hiato existente entre o controlo apertado a que estão sujeitos os pequenos contribuintes e o tratamento mais tolerante dispensado às grandes empresas e às elites económicas:

> "o desenvolvimento da indústria de consultoria e auditoria fiscal despoletou a adopção de mecanismos sofisticados de planeamento fiscal nas últimas duas décadas. O recurso a uma panóplia de instrumentos que permitem reduzir os negócios tributados é complementado pelo acesso por grandes empresas a gabinetes do executivo. É neste âmbito que se introduzem subtilmente 'cavalos de Tróia' nos orçamentos de Estado" (Evans, 2013: 11).

Não obstante a ausência de corrupção generalizada na Autoridade Tributária, as diferenças vincadas que se registam no tratamento dos contribuintes, consoante a sua posição na hierarquia socioeconómica, pesa na avaliação geral da adequação institucional e da contribuição para o desenvolvimento, como veremos mais abaixo.

A situação nos restantes serviços é mais fraca, especialmente no Hospital de Santa Maria. De acordo com o relatório, há dez anos, a situação estava fora de controle, não havendo registos de utilização do equipamento e verificando-se roubos regulares, por parte de médicos e de outro pessoal, que se serviam a seu bel-prazer dos armazéns do hospital para fornecer as suas clínicas privadas. As condições deterioraram-se a tal ponto que se ponderou o fecho do hospital. Foi necessária a intervenção enérgica do Ministro da Saúde, que nomeou um novo Conselho de Administração (CA) e um novo presidente, eficaz e carismático, para salvar a instituição. O nível de corrupção era tal que esse presidente e a sua família tiveram várias ameaças de morte, passando a ser acompanhados por escolta policial durante algum tempo (Pires, 2014).

Actualmente, as condições melhoraram e as situações de grande corrupção são coisa do passado. No entanto, pequenos actos – por exemplo: troca de favores, fazendo passar à frente, nas listas de espera, amigos e familiares, e o médico assistente canalizar os pacientes que têm de fazer análises para laboratórios privados dos quais é sócio – são prática comum. Como se afirma no relatório, "a corrupção de pequena escala permeia a instituição no seu todo" (Pires, 2013b: 44). Esta realidade deve-se, em grande parte, ao facto de interesses públicos e privados se entrecruzarem dentro do hospital e à presença de forças externas, políticas e até religiosas. Como informa um entrevistado:

> "A corrupção no HSM diminuiu a partir de 2005? É assim: a alguns níveis, sim; outros, tenho dúvidas. Ninguém sabe o que se passa aqui dentro. Isto é muito grande, muitos pesos pesados numa mesma casa, barões disto e daquilo" (Pires, 2013b: 44).

Ilhas de Poder

A ausência de "ilhas de poder", concebida conceptualmente como a "inexistência de provas apontando para a existência de cliques informais de funcionários, gestores ou líderes ou funcionários sindicais, envolvidas na canalização de recursos da organização para seu próprio benefício", é o último determinante interno.

O perfil apresentado pelas instituições, neste caso, é muito semelhante ao que acabámos de descrever. A Bolsa de Valores e a EDP escapam novamente a este problema pelas mesmas razões apontadas acima. Chama-se a atenção, no entanto, para o facto de o valor elevado atribuído, nesta dimensão, pelo investigador que conduziu a etnografia da EDP ser parcialmente posto em causa pelos 16 por cento de respondentes ao inquérito que concordaram com a afirmação: "Existem grupos no seio da EDP que agem de acordo com interesses próprios, mesmo que estes prejudiquem os objectivos mais amplos da organização". Os restantes 84 por cento dos respondentes não concordaram com esta afirmação, nem dela discordaram (Inquérito Institucional).

De acordo com a avaliação do investigador responsável pela etnografia da ASAE, o tamanho relativamente pequeno da instituição e o controlo eficaz exercido pela liderança, até recentemente, preveniram a emergência de cliques que pudessem prejudicar a sua missão. Todavia, 32 por cento dos respondentes ao inquérito por questionário afirmaram acreditar na existência desse tipo de grupos dentro da organização e somente 17 por cento contestaram essa ideia. O pesquisador contraria essas opiniões, sustentando que:

> "se existem grupos no seio da ASAE, eles não são visíveis como força capaz de influenciar o essencial das decisões e da actuação da organização...

A hierarquia é vertical e acompanha permanentemente tudo e todos" (Contumélias, 2013: 33; Inquérito Institucional).

As fraquezas institucionais no Hospital de Santa Maria, acima descritas, estão intimamente relacionadas com a presença de numerosos grupos de interesse e cliques, tanto dentro, como fora da instituição. Nos CTT a situação é análoga. De acordo com vários entrevistados, as ilhas de poder têm um nome dentro do sistema postal: são conhecidas como "quintas", como se se tratasse de territórios herdados. Um informante descreve a situação nestes termos:

> "Cada 'quinta' tem o seu territóriozinho. Isto é um arquipélago. Tem muitas ilhas – tem chefe, e adjunto do chefe, e chefe do adjunto do chefe. Tem demais" (Gomes Bezerra, 2013: 33).

O pesquisador responsável pela análise dos CTT traçou um diagrama que descreve todas as "ilhas" que influenciam as decisões e as actividades dentro do sistema postal. A maior parte dessas "ilhas" afecta negativamente os CTT, seja porque impedem mudanças necessárias, ou porque estão na origem de acções que vão beneficiar grupos específicos. As ilhas ligadas a partidos políticos e as "quintas" criadas por antigos gestores, que nunca abandonam a organização, são particularmente prejudiciais. Estes também são internamente conhecidos por uma designação específica, são os chamados postalistas:

> "Ou seja, 'mudam de cadeira', mas são sempre os mesmos, e só vão embora quando chegarem ao limite de idade" (Gomes Bezerra, 2013: 34).

Tanto no Hospital de Santa Maria e, por extensão, no Serviço Nacional de Saúde, como no sistema postal, estão longe de erradicadas as práticas relacionadas com formas patrimoniais, pré-modernas, de organização burocrática. Não obstante um progresso evidente na eliminação das formas mais significativas de corrupção, nem a meritocracia, nem o funcionamento imparcial e universal são a norma dominante. A proliferação, dentro da organização, de pequenos "territórios", criados por diversos grupos de interesses, destaca-se como a característica mais prejudicial para estas instituições e uma das que mais precisa de vir a ser alterada no futuro.

A situação na Autoridade Tributária não é aparentemente muito melhor. Nas palavras da pesquisadora a cargo da observação:

> "uma instituição fechada, hierarquizada, cruzando estruturas horizontais dispersas geograficamente e serviços centrais concentrados e com pouca rotação de pessoal... [é um ambiente onde] facilmente proliferam ilhas de poder" (Evans, 2013: 7).

Uma Proactividade Notável

A existência de "provas substanciais de actividades e campanhas promovidas pela organização, com o intuito de melhorar os seus serviços e obter a cooperação do público relevante" foi conceptualmente definida como proactividade.

O facto de a maioria das organizações, independentemente das suas forças e fraquezas internas, cumprir este critério de qualidade institucional foi um dos resultados mais interessantes a que se chegou neste estudo. Este comportamento era expectável no caso das entidades privadas, cujas normas éticas e organização interna são aparentemente irrepreensíveis. É o caso da Bolsa de Valores, que tem ido para além do que é o seu dever para se promover junto de potenciais clientes. As actividades em que se encontra envolvida incluem uma equipa dedicada exclusivamente à prospecção de novos emitentes e à divulgação das vantagens que as empresas têm de estar cotadas na Bolsa de Valores; o *IPO [Initial Public Offering] day*, um retiro anual para o qual aproximadamente trinta directores e directores financeiros de empresas importantes são convidados, e que representa uma oportunidade de os informar sobre as operações, os programas e as vantagens da Bolsa; e o *Global Investment Challenge*, uma simulação aberta ao público, especialmente aos jovens, que podem praticar investimentos e trocas em condições em tudo semelhantes às condições reais de Bolsa. Este último é co-patrocinado pelo jornal *Expresso* e atrai entre sete e dez mil pessoas (Pompeia, 2013a: 19; 2013b: 24).

Mas, mesmo as organizações mais afectadas pelos problemas internos atrás discutidos parecem ter capacidade de agir de modo eficaz em relação aos usuários e a outros públicos relevantes. Os sistemas postal e de saúde merecem uma referência especial a este respeito. Os CTT têm um painel permanente de avaliação e efectuam múltiplas acções de interacção com os clientes. Esta atenção à proactividade é justificada com o facto de o único rendimento da organização provir das vendas que faz. Um interlocutor externo explica:

> "uma das variáveis que conta para a avaliação de desempenho era a avaliação que os nossos interlocutores faziam do Grupo CTT e da equipa em si, e sempre foi uma avaliação muito boa, todos os clientes e nossos interlocutores vêm a forma positiva como os CTT têm evoluído nos últimos anos, em termos tecnológicos, em termos até do próprio relacionamento, ter deixado de ser burocrático e passar a ser um relacionamento mais pessoal" (Gomes Bezerra, 2013: 41).

Os dirigentes sindicais dos trabalhadores dos correios entrevistados durante o estudo reconhecem que a organização CTT se tem tornado muito proactiva em relação aos usuários e cada vez mais inovadora, mas argumentam que é possível fazer ainda mais. Por outro lado, e com base num estudo realizado pela Reader's Digest (*Selecções*), que examina as atitudes públicas em relação às empresas em quarenta áreas distintas, a empresa pública na qual os portugueses mais confiam é de facto os CTT (Gomes Bezerra, 2013: 42).

O Hospital de Santa Maria, por sua vez, é um dos poucos hospitais nacionais que possui um Gabinete do Utente e um Serviço de Acção Social, que conta com mais de cinquenta assistentes sociais, distribuídos pelos diversos serviços médicos e que prestam especial atenção aos casos sociais mais graves. O Gabinete do Utente foi re-organizado por forma a acolher as reclamações, queixas e sugestões dos pacientes e para divulgar informação junto de todas as unidades do hospital – desde o Serviço de Urgências, ao hospital de dia. Acresce que o Serviço de Urgências (que regista o maior número de queixas de utentes) realiza regularmente um inquérito à satisfação e às queixas dos pacientes (Pires, 2013b: 49-50).

O relatório de contas do HSM de 2011 resume os ganhos obtidos com o Gabinete do Utente e o Serviço da Acção Social:

> "consolidação da cobertura informática total...; diminuição de situações de não coincidência da alta clínica com a alta social; reforço da intervenção social no ambulatório; (...) decréscimo de situações de rejeição familiar/abandono" (in Pires, 2013b: 49).

O nível geral de proactividade do HSM depende das orientações dos directores dos diferentes serviços médicos. Contudo, no cômputo geral, a observação realizada pela investigadora levou-a a concluir que, em todos os serviços, nuns com maior energia, noutros com menor, a acção se orienta no sentido de transmitir informação de relevo aos utentes e de responder às suas reivindicações. No que diz respeito a este critério, o perfil geral das instituições portuguesas é, portanto, consistentemente positivo. Mesmo no caso das organizações em que a ausência de meritocracia no recrutamento e na promoção é comum, há várias instâncias de tráfico de influência e laços personalistas que permitem providenciar serviços aos usuários e com eles iniciar e manter laços activos.

A Autoridade Tributária, uma organização hierárquica e reservada, faz a sua parte de proactividade ao dar formação, nas regras relevantes, a profissionais externos – Técnicos Oficiais de Contas (TOC) e Revisores Oficiais de Contas (ROC). No entanto, a proctividade perante o cidadão, entendida como um esforço para educar o público no que respeita à dimensão cívica das suas obrigações enquanto contribuinte e, simultaneamente, um esforço para reduzir as desigualdades entre as elites privilegiadas e o público em geral, parece estar largamente ausente. A fraca avaliação atribuída pela investigadora à agência tributária nesta dimensão reflecte precisamente a sua falta de envolvimento com a sua clientela natural – o público contribuinte.

Um País "Aberto à Tecnologia"

Definiu-se o quinto determinante hipotético, abertura e flexibilidade tecnológica, de acordo com dois critérios: 1) provas substantivas da utilização de tecnologias modernas de telecomunicações e outras; 2) esforços efectivos realizados pelos gestores com vista a substituir práticas tradicionais por novas e melhoradas práticas.

À semelhança da proactividade, os dados recolhidos permitem avançar que este é um dos aspectos fortes das instituições portuguesas. Todos os relatórios ilustram esta situação, com múltiplos exemplos e em cada sector. A EDP é um verdadeiro líder nesta área, distribuindo os seus recursos por cinco áreas específicas – que cobrem desde a eficiência energética, às fontes de energia renovável. A empresa investiu fortemente num projecto, *Smart Grids*, que facilita a transmissão de energia dos produtores, grandes e pequenos, que usam diferentes fontes de energia. Através do projecto *InovGrid*, a EDP posicionou-se na liderança europeia neste tipo de tecnologia. Os resultados do inquérito institucional confirmam de modo inequívoco a força da organização nesta área: 98 por cento dos inquiridos concordaram que "a EDP procura estar actualizada no que respeita ao uso de novas tecnologias e à actualização de procedimentos"; e 93 por cento apoiaram a afirmação "esta organização procura mudar as coisas, com a introdução de tecnologias melhores sempre que possível" (Vaz da Silva, 2013: 57-61; Inquérito Institucional).

A Bolsa de Valores de Lisboa está próxima do caso da EDP. Desenvolve as suas próprias soluções tecnológicas, que depois vende a outras empresas. Estes produtos, que podem assumir a forma de serviços de informação, serviços de dados e análises de mercado, geram 15 por cento das receitas da empresa (Pompeia, 2013b: 28). No que tange às agências públicas, a Autoridade Tributária emerge como a instituição mais forte em matéria de inovação, fazendo-o de forma sistemática. O que se prende com o imperativo do cumprimento da missão para a qual foi desenhada. As inovações tecnológicas na agência ocorreram de modo sustentado desde a restauração da democracia em Portugal, mas o grande salto para a frente aconteceu com a entrada do país na Comunidade Europeia e a introdução do Imposto sobre o Valor Acrescentado (IVA). Este novo contexto levou a redesenhar integralmente a estrutura, que passa a ter uma configuração centralizada, e a incluir um novo centro computacional para o IVA (Evans, 2014).

As restantes instituições públicas procuram trilhar o mesmo caminho, mas a inovação tecnológica está comprometida nesses casos pela crescente escassez de recursos. No caso da ASAE, houve um significativo progresso desde a sua criação, como relata um interveniente, familiar com esse período:

> "Quando chegámos aqui, ninguém tinha e-mail, ninguém tinha Internet; muitos funcionários nem sequer sabiam abrir um computador; por isso, criámos um centro de formação e, no primeiro ano, ensinámos os funcionários desta casa a usar os computadores. [Hoje], cada inspector tem um computador portátil, um telemóvel e um rádio com GPS, e todos sabem trabalhar com essas tecnologias" (Contumélias, 2013: 35).

Ademais, a ASAE possui o seu próprio sistema de informação interno digitalizado, o "GESTASAE", e tem um sítio na internet ao qual qualquer empresa, operador e utente tem fácil acesso, tendo registado para cima de 300.000 visitas em 2012. A percepção que os funcionários têm da agência é positiva no que diz respeito a este aspecto da qualidade institucional, como atestam os 72 por cento que concordaram com a afirmação: "a ASAE procura estar actualizada no que respeita ao uso de novas tecnologias e à actualização de procedimentos" (Contumélias, 2013: 36; Inquérito Institucional).

O Hospital de Santa Maria recebeu a avaliação mais baixa. Mas esta instituição foi, ainda assim, considerada como suficientemente inovadora para receber um valor de 1 na escala de conjunto difuso (Tabela 2). O problema neste caso reside no que a autora do relatório institucional chama de cortes orçamentais "brutais", que reduziram o ritmo da inovação tecnológica e impediram a instituição de fazer mais. Porém, e sendo um dos principais hospitais do país, o Hospital de Santa Maria continua a ser uma referência em matéria de qualidade tecnológica. No orçamento da instituição para 2009-11, em plena crise económica, há uma lista de investimentos que incluem 27,2 milhões de euros em construção e renovação de edifícios, 29 milhões em equipamento médico e 9 milhões em programas e equipamentos informáticos. Durante este período, o HSM teve ainda capacidade para adquirir dois aceleradores lineares para o serviço de Radiologia e para introduzir uma série de melhorias nos serviços de Patologia Clínica e nas Urgências (Pires, 2013b: 53).

Apesar de o Hospital de Santa Maria ter muitas e variadas necessidades em termos de inovação tecnológica, como assinalam os engenheiros da instituição, é vontade da liderança institucional manter os ganhos do passado e, perante um presente financeiro sombrio, avançar em áreas criteriosamente seleccionadas (Pires, 2014).

Aliados Externos e Instituições "Órfãs"

O último critério respeitante à qualidade institucional, a existência de aliados externos, é entendido da seguinte forma: "até que ponto a agência pode contar com o suporte activo de altos quadros do governo ou das elites empresariais?". A condição diametralmente oposta é a que carateriza as instituições "órfãs", frequentemente à mercê de interesses poderosos que procuram subverter a sua missão (Macleod, 2004; Portes e Smith, 2012: Cap. 8).

Neste critério, encontrámos grande variedade nas seis instituições estudadas. Mais uma vez, as duas instituições privadas parecem estar mais bem protegidas do que as demais, tanto em virtude das suas relações internas, como graças às suas relações internacionais. No caso da Bolsa de Valores, a pertença à Euronext e à Bolsa de Nova Iorque garante à instituição patrocinadores externos poderosos, capazes de barrar caminho à expressão de qualquer interesse particularista. Para além disso, a Bolsa é regulada e seguida por entidades nacionais poderosas, como o Banco de Portugal, o Instituto de Seguros de Portugal e a Comissão do Mercado de Valores Mobiliários (CMVM). A estas entidades estão cometidas as tarefas de assegurar a transparência, a universalidade e a imparcialidade das transacções de mercado e de prevenir os desvios, mesmo os mais ínfimos, a favor de interesses especiais (Pompeia, 2013b: 12-16).

No caso da EDP, os sócios estrangeiros e o seu tamanho são garantia de suporte externo. É mais provável que a EDP consiga influenciar as decisões das agências do Estado e as empresas privadas, do que o inverso. Trata-se de uma organização que, graças à sua composição societária, à sua diversificação e ao seu próprio tamanho, não requer muitos aliados externos. A título de exemplo, refira-se que a Fundação EDP é a maior fundação empresarial nacional, tendo ampla influência junto do público e do Estado. Os recursos da Fundação, com um orçamento anual de 14 milhões de euros, provêm da empresa mãe (Vaz da Silva, 2013: 62-63).

As etnografias das autoridades tributárias de cinco países Latino-Americanos, realizadas no âmbito do estudo a que aludimos anteriormente, revelaram, de forma clara, que existe um forte apoio, por parte das esferas governamentais de topo, à sua missão (Portes e Smith, 2012: Cap. 8). Esperava-se, *a priori*, o mesmo em Portugal. No entanto, no relatório institucional, a pesquisadora reporta conflitos internos entre as direcções da administração fiscal, antes da sua fusão, ocorrida em 2011, e refere-se à criação de obstáculos por parte do aliado natural da agência – o Ministério das Finanças –, quer através da definição de orçamentos apertados, quer por via da falta de estabilidade dos regulamentos. A classificação obtida pela agência nesta dimensão, situada em torno dos valores médios na escala de conjuntos difusos, reflecte, porém, a sua missão essencial para o Estado e, por conseguinte, a obrigação que os escalões superiores do governo têm de a apoiar, de alguma forma.

Encontramos algum paralelismo de situações nas três outras instituições públicas. A classificação elevada atribuída à ASAE no que respeita aos aliados externos baseia-se no seu historial, mais do que no seu provável futuro, como o autor do relatório institucional deixa claro. É verdade que a agência tem personalidade jurídica própria e autonomia administrativa, sendo definida como uma entidade central da administração do Estado. É igualmente verdade que tem o apoio de aliados internacionais influentes, em virtude de pertencer à Autoridade Europeia para a Segurança dos Alimentos (Contumélias, 2013: 39). E no passado, quando a ASAE se confrontou com oposição à sua acção de policiamento, o suporte decisivo à instituição veio do Ministério da Economia.

O autor do relatório cita um conjunto de críticas, que viram excessiva dureza nas acções de acompanhamento e inspecção das indústrias da alimentação e da hotelaria; contudo as críticas não influenciaram a chefia da agência ou o apoio recebido dos seus aliados externos. No entanto, as mudanças recentes, associadas à saída do líder que tinha estado à frente da agência desde a sua criação, os sucessivos cortes orçamentais, e, mais determinante ainda, a transferência da instituição, da tutela do Ministério da Economia para a da secretaria de Estado do Turismo, não se afiguram particularmente promissoras para a sua independência ou para a sua capacidade em manter uma forte presença reguladora no futuro. Assim, não é surpreendente que apenas 23 por cento dos respondentes ao questionário institucional tenham concordado com a afirmação de que "há uma boa cooperação institucional entre a ASAE e os decisores de topo da administração pública e do Estado português" (Contumélias, 2013: 40, 42; Inquérito Institucional).

Os casos mais problemáticos encontram-se nos outros dois serviços públicos. Os aliados "naturais" do Hospital de Santa Maria são o Ministério da Saúde e o Ministério das Finanças (Pires, 2013b: 56); mas, nos últimos anos, e num contexto de séria crise económica, a relação passou a ser de confronto e os aliados transformaram-se em opositores. Os sucessivos cortes orçamentais, que atingirem dezenas de milhões de euros, dificultaram as negociações. Para fazer face à crise, o Conselho de Administração do Hospital foi abandonado à sua sorte, tanto pelos utentes, como pela Faculdade de Medicina, ou ainda as organizações profissionais médicas (Pires, 2014). O Hospital de Santa Maria é, para todos os efeitos, uma instituição órfã.

A recente privatização do sistema postal é talvez a melhor prova da sua falta de aliados externos. O grupo CTT era na verdade rentável, ao contrário dos outros sistemas postais noutros contextos, embora, no contexto de crise económica, o Estado tenha impedido a empresa de utilizar parte dos lucros para compensar o mérito ou para distribuir incentivos aos funcionários. Pelo contrário, o último Conselho de Administração foi nomeado com a missão explícita de privatizar a instituição. Embora haja a expectativa de colher múltiplos benefícios com a privatização, a realidade pode ser bem distinta. Segundo um líder sindical:

> "A privatização não é um bom caminho.... Nenhum caso de privatização dos Correios na Europa foi satisfatório, seja na melhoria da qualidade do serviço aos utentes, ou na qualidade das condições de trabalho para os funcionários" (Gomes Bezerra, 2013: 44-45).

A análise dos sistemas postais da Argentina e do Chile, no âmbito do estudo comparativo das instituições latino-americanas, acima referido, sustenta esta avaliação. As tentativas de privatização, em ambos os países, deram resultados tão medíocres, que foi necessário trazê-los de volta para a esfera de controlo do Estado. Isto deveu-se, em larga medida, à tendência, que era inevitável, para os operadores postais privados se apropriarem dos segmentos mais rentáveis do mercado nas grandes cidades, abandonando o resto do país e, em particular, as áreas rurais isoladas, ao seu destino (Grimson *et al.*, 2012; Cereceda, 2009; Portes e Smith, 2012: Cap. 8). Resta saber se este será o caminho que os CTT agora privatizados vão trilhar em Portugal.

Resultados: A Qualidade das Instituições

Em cada estudo individual, foram avaliados dois resultados: I) A adequação institucional, definida conceptualmente como a correspondência entre a organização real e os manuais e objectivos com os quais foi criada. Como sublinhado na Figura 1, os manuais institucionais nem sempre correspondem à prática efectiva, pelo que a avaliação dessa relação foi uma das finalidades principais deste estudo. II) A contribuição para o desenvolvimento, por seu turno, foi definida como o grau em que a organização concreta consegue apoiar e fazer avançar, na sua respectiva esfera de actuação, o desenvolvimento económico, social e/ou político nacional.

Os dois resultados sobrepõem-se, mas não são a mesma coisa. É possível que uma entidade cumpra os seus critérios de adequação institucional, sem desempenhar um papel relevante numa qualquer esfera do desenvolvimento. Esta situação pode dever-se à falta de importância intrínseca da missão da entidade, à apropriação dessa missão por outros actores mais eficientes, ou à resistência, por parte de públicos relevantes, a colaborar e apoiar os seus esforços. Esta ausência de sobreposição é clara, na primeira tabela de verdade (Tabela 1), no caso da Autoridade Tributária e, na segunda (Tabela 2), no caso da Bolsa de Valores.

A Autoridade Tributária cumpre evidentemente o seu mandato institucional de gerar receita para o Estado. O progresso tecnológico sustentado tem vindo a torná-la cada vez mais eficiente nesta missão. A julgar unicamente pela sua capacidade de extrair recursos à população em geral, há adequação institucional. Contudo, a pressão fiscal que a agência exerce sobre os contribuintes assume formas muito desiguais consoante a posição que estes têm na estrutura de classes portuguesa:

> "há um desequilíbrio claro entre a rigidez de cumprimento imposta aos trabalhadores por contra de outrem, por um lado, e a proliferação de instrumentos sofisticados de planeamento e evasão fiscal por grandes contribuintes... A taxa de evasão fiscal não destoa de outros países do Sul da Europa mas a distribuição do '*tax gap*' entre sectores gera problemas" (Evans, 2013: 9).

Acresce o carácter fortemente centralizado, hierárquico e distante da agência, que pouco faz para gerar uma atitude receptiva por parte do público em geral ou para contribuir para o desenvolvimento nacional, para além do critério quantitativo de arrecadar mais receitas fiscais, que é um critério pobre. Além disso, não existem indícios de que a Autoridade Tributária tenha tentado conjugar a ameaça de sancções para assegurar a observância das regras, com um esforço de educação do público em geral quanto ao pagamento de impostos como dever cívico. Nalguns países da América Latina, já foi feito este esforço (Evans, 2014; Wormald e Cardenas, 2008).

A NYSE Euronext Lisbon é uma instituição "perfeita" quanto ao cumprimento dos critérios de adequação institucional, tendo obtido, contudo, uma classificação medíocre no seu contributo para o desenvolvimento. A explicação reside no facto de a Bolsa de Valores não conseguir persuadir nem as empresas a aderir, nem o Estado português a utilizar mais os instrumentos de crédito transaccionados em Bolsa para satisfazer as suas necessidades financeiras. O investigador a cargo conclui que:

"não podemos impedir-nos de ver o elefante na sala: num universo de 300 000 empresas, apenas 55 estão cotadas em Bolsa. E a Bolsa contribui em média menos de 1% para o financiamento das empresas nacionais" (Pompeia, 2013b: 26).

As classificações exemplares obtidas pela EDP no que respeita tanto à adequação institucional, como à contribuição para o desenvolvimento, são uma consequência natural dos valores elevados obtidos nos seis determinantes institucionais. Quanto às três outras agências públicas, as classificações elevadas obtidas, especialmente na primeira tabela de verdade, reflectem o seu passado, mais do que o seu provável futuro. No estudo institucional da ASAE conclui-se, por exemplo, que:

"Nos seus primeiros sete anos de existência, a ASAE cumpriu os objectivos para que foi criada, e ... deu uma contribuição positiva para o desenvolvimento nacional, como o mostram os números da sua actividade e a forma bastante positiva como a instituição, e a cooperação com ela, é vista pelas organizações representantes do seu mercado, bem como pelos consumidores" (Contumélias, 2013: 44).

Contudo, poucas linhas acima, o mesmo autor nota os receios crescentes de que a ASAE se torne numa entidade preventiva (isto é, de aconselhamento), em vez de uma sólida agência inspectiva e reguladora, como foi no passado. No que tange ao sistema postal, a pontuação elevada, em ambos os resultados institucionais, baseia-se na cobertura efectiva de cem por cento do território nacional, na qualidade e diversidade dos serviços que presta e na sua rentabilidade. Há, todavia, como referido anteriormente, um nível elevado de incerteza quanto ao futuro da empresa, agora transferida para mãos privadas.

O Hospital de Santa Maria vê a avaliação positiva da sua adequação institucional diminuída pelos longos períodos de espera para as consultas médicas e as cirurgias programadas. As queixas dos pacientes e os numerosos artigos de imprensa a esse propósito fragilizam a legitimidade da instituição perante o público. Esta falha e os vários outros problemas referidos anteriormente irão provavelmente piorar num contexto de duros constrangimentos orçamentais. A organização foi, contudo e apesar das limitações, contemplada com uma classificação positiva no que à contribuição para o desenvolvimento diz respeito. A avaliação foi justificada pela investigadora com os seguintes argumentos:

> "Julgamos que o factor em análise deve ser avaliado positivamente porque contempla a instituição em si bem como o seu papel no âmbito nacional. Se considerarmos o âmbito nacional, a avaliação positiva é reforçada pela perspectiva comparativa" (Pires, 2013b: 69).

Análise Qualitativa Comparativa

Classificações Binárias

Nesta secção apresentam-se os resultados da análise das classificações das Tabelas 1 e 2. As linhas na Tabela 1 representam as combinações lógicas dos seis determinantes e dos dois resultados. O número de combinações lógicas possíveis é de 2^k sendo k o número de determinantes. As 58 combinações lógicas ausentes da tabela são conhecidas como combinações "remanescentes", podendo ser usadas na análise para vários propósitos. A via mais conservadora consiste em assumir que, se estas combinações se tivessem produzido, *não* teriam dado origem a nenhum dos efeitos considerados (Ragin, 2008: 131; 1987: Cap. 6). Assim, podemos concentrar-nos nas combinações que realmente se produziram.

Na álgebra booleana - a álgebra da lógica, que usamos nesta análise - a ausência de uma causa tem o mesmo estatuto lógico que a sua presença. A "ausência" é referida por letras minúsculas. O primeiro passo da análise consiste em elencar todas as expressões causais que produzem realmente o resultado que nos interessa. O operador "+" significa "ou" na linguagem da lógica e o operador "()" significa "e" nessa mesma linguagem. A leitura da Tabela 1 permite verificar que todas as combinações conduzem à produção do resultado "adequação institucional" e que todas, menos uma, dão origem à produção do resultado "contribuição para o desenvolvimento". As equações que daqui resultam são as seguintes:

Adequação Institucional =
= ABCDEF + aBCDEF + aBcDEf + abcDEf + AbcdEF (I)

Contribuição para o Desenvolvimento =
= ABCDEF+ aBCDEF + aBcDEf + abcDEf (II)

Como já referido, as letras significam a presença ou a ausência de um determinante e as combinações lógicas idênticas só são referidas uma vez. Os termos nas equações I e II são designados como "primitivos". A sua simplificação com vista a atingir uma solução final baseia-se no princípio lógico de que um determinante é irrelevante na produção do resultado final se estiver, simultaneamente, presente e ausente em duas das expressões causais. Assim, as expressões ABCDEF e aBCDEF nas equações acima podem ser reduzidas à expressão BCDEF. Chegamos às soluções finais seguindo este princípio e procedendo passo a passo. Assim, através de simples análise visual, e tendo presente o processo de minimização, é possível chegar à solução:

Adequação Institucional = E (III)
Contribuição para o Desenvolvimento = DE (IV)

Isto significa que, para produzir organizações adequadas institucionalmente, a "flexibilidade tecnológica" é, simultaneamente, suficiente e necessária; esta, em combinação com a "proactividade", dá origem a organizações que conduzem, de facto, ao desenvolvimento. Este resultado suscita duas reflexões. Em primeiro lugar, trata-se de um resultado preliminar, sujeito a modificações, consoante os resultados de uma análise mais complexa, baseada nas classificações contínuas, a apresentar mais abaixo. A segunda reflexão tem que ver com a aparente falta de peso, em termos causais, dos três determinantes internos, que não aparecem nas duas soluções a que se chegou. Fiando-nos nelas, parece que as instituições portuguesas, a despeito da falta de meritocracia, das "quintas" entrincheiradas e da omnipresença dos laços personalistas, conseguem mesmo assim promover o desenvolvimento nacional. Aparentemente, só a abertura ao mundo exterior, quer em termos de receptividade à inovação tecnológica, quer em relação à interacção com actores relevantes nas esferas de actuação respectivas, é necessária.

Há semelhanças e diferenças interessantes em relação aos resultados obtidos na análise booleana realizada nas vinte e três instituições da América Latina, no trabalho já referido, que vale a pena considerar. Os resultados foram os seguintes:

Adequação Institucional = ABCE

Contribuição para o Desenvolvimento = D (A +C)

Aqui, os três determinantes internos, correspondendo a uma instituição mais próxima de um tipo "weberiano", tiveram um papel bem mais importante. No entanto, E (flexibilidade tecnológica) é parte da solução para o primeiro resultado e D (proactividade) é condição necessária para o segundo. Estas semelhanças, observadas em contextos históricos e económicos distintos, confirmam a importância dos dois critérios externos de qualidade institucional (Portes e Smith, 2012: 170-171; Evans, 2004).

As soluções simples, obtidas com recurso à álgebra booleana, no estudo sobre instituições portuguesas são função directa da tolerância dos seis investigadores às falhas internas das instituições estudadas, comparativamente maior do que a registada nos estudos realizados na América Latina. Discutiremos, em pormenor, esta posição mais à frente. No que respeita à análise, o seu efeito directo foi fazer com que todas, ou praticamente todas, as combinações dos determinantes causais conduzissem aos mesmos resultados. A minimização booleana fez o resto, ao identificar apenas os factores presentes em todas as combinações existentes, como tendo relevância causal.

Classificações Contínuas

A análise anterior das classificações binárias permitiu identificar a combinação da "proactividade" em relação ao ambiente externo e a "flexibilidade tecnológica" como condições suficientes e necessárias para erguer uma instituição desenvolvimentista. A realidade pode ser bem mais complexa e, por esse motivo, damos maior ênfase à análise das classificações contínuas apresentadas na Tabela 2. Como é visível na Figura 1, a métrica desta classificação organiza-se num intervalo que vai de 1, para "completamente fora" do conjunto definido por cada dimensão teórica, até 5, que representa "completamente dentro". As classificações assim produzidas podem ser estudadas com base na teoria dos conjuntos difusos (Ragin, 2008; Vaisey, 2009).

A Análise Qualitativa Comparativa (QCA) permite identificar as condições necessárias e suficientes para cada um dos efeitos que interessam ao estudo. As condições necessárias têm de estar presentes, para o resultado estar presente, mas não garantem este resultado. A QCA traduz esta definição da seguinte forma: é de esperar que as classificações do determinante sejam iguais ou superiores ao resultado. Intuitivamente: a pertença ao conjunto definido pelo efeito, num subconjunto do conjunto definido pela pertença na causa (Ragin, 2000: Cap. 8).

As condições suficientes levam sempre ao efeito, mas este último pode ocorrer na sua ausência devido a outras causas. A tradução lógica em termos de QCA é a seguinte: as classificações no conjunto definido pela causa são iguais ou inferiores às classificações do resultado. Com efeito, as condições suficientes criam um patamar para o resultado, ao assumirem que a pertença a esse conjunto é um superconjunto do conjunto definido pela causa. A lógica subjacente às condições necessárias e suficientes está resumida na Tabela 3.

Tabela 3 Condições Necessárias e Suficientes na Álgebra de Conjuntos Difusos

		Condição	
		Causa $\geq$ Efeito	**Efeito $\geq$ Causa**
	Necessário	X	O
Determinante			
	Suficiente	O	X

O estudo, neste caso, não recorre à álgebra booleana, mas à teoria dos conjuntos difusos, através do cálculo da "consistência", ou seja, procurando avaliar até que ponto cada determinante prevê correctamente a produção do resultado em estudo. Para simplificar a discussão, omitimos a explicação das fórmulas e dos cálculos[5].

Um segundo critério para averiguar a pertinência de um determinante é a sua cobertura. É possível que um predictor seja consistente na produção de um resultado, mas cobrindo apenas um pequeno subconjunto de casos. Por outro lado, um predictor que seja consistente de modo imperfeito pode ser substancialmente mais importante por cobrir uma proporção maior do conjunto definido pelo resultado. A Figura 2 clarifica esta relação entre consistência e cobertura para as condições necessárias e suficientes.

5 Ragin (2008) produziu fórmulas para as condições suficientes e necessárias, que penalizam, de modo diferente, erros grandes *versus* pequenos, em relação aos resultados previstos. Para a condição suficiente a fórmula é a seguinte: $(X<Y) = \sum j \min (Xj) (Yj) / \sum Xj$
Em que: X é a causa; Y é o efeito; $\sum j \min (Xj) (Yj)$ é a soma das classificações mais baixas em X ou Y sobre j casos; e $\sum Xj$ é a soma das classificações na causa. A fórmula para a condição necessária apenas inverte os termos: $(Y<X) = \sum j \min (Xj) (Yj) / \sum Yj$

Figura 2 Consistência e Cobertura

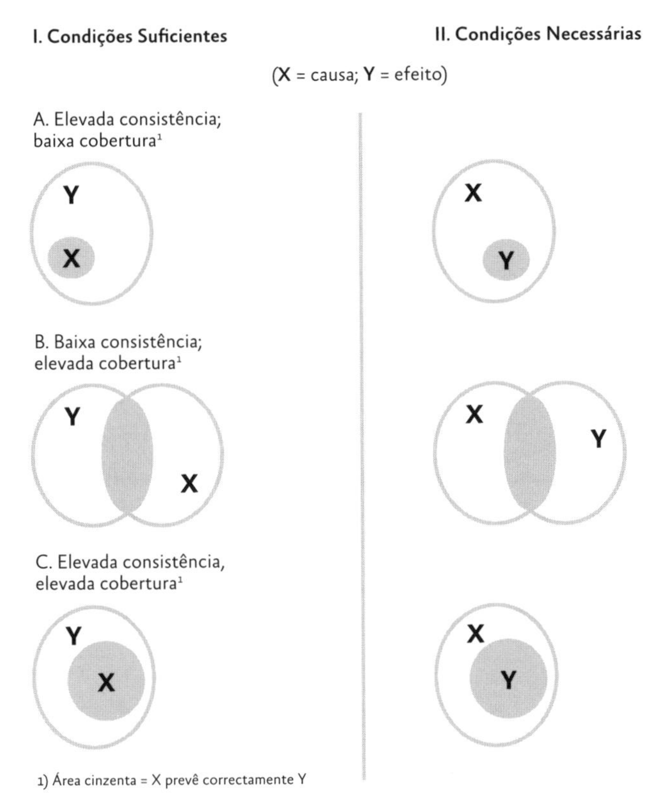

1) Área cinzenta = X prevê correctamente Y

As tabelas utilizadas para a análise da consistência e da cobertura das condições necessárias e suficientes são apresentadas no Anexo B. Para as condições necessárias, os resultados são os seguintes:

Adequação Institucional = BDE (IV)
Contribuição para o Desenvolvimento = DE (V)

As classificações relativas à adequação institucional são determinadas, através da equação IV, com uma consistência de 96 por cento dos casos e uma cobertura de 94 por cento. Esta fórmula, que incorpora pelo menos um predictor interno, é mais complexa do que a produzida através da análise booleana. O que ela nos diz é que, para uma organização cumprir os seus manuais institucionais, deve resistir à corrupção, além de ter de ser tecnologicamente flexível e proactiva.

Na equação V, o predictor interno (B) já não faz parte das condições necessárias, mantendo-se apenas os factores externos. A "proactividade" e a "flexibilidade tecnológica" prognosticam correctamente mais de 90 por cento dos casos, se bem que os seus níveis de cobertura caiam para a casa dos oitenta por cento. Estes são, todavia, os únicos predictores significativos, dando origem a uma fórmula idêntica à previamente identificada, com a álgebra booleana, para a contribuição para o desenvolvimento.

A análise das condições suficientes proporciona resultados algo diferentes, que são relevantes em termos teóricos. A "adequação institucional" é determinada por B (imunidade à corrupção), C (ausência de "ilhas de poder") e F (aliados externos), apresentando perfeita consistência em todos os casos. O nível de cobertura dos dois últimos determinantes, porém, cai para a casa dos setenta por cento. Isto significa que, não obstante uma determinação rigorosa do efeito, estes factores cobrem apenas um número limitado de casos. Por esta razão, ficamos com o primeiro predictor como causa suficiente:

Adequação Institucional = B (VI)

Este resultado implica que, por si só, a "imunidade à corrupção" é suficiente para uma organização cumprir os manuais institucionais, se bem que outras combinações causais (associadas provavelmente a C e F, os outros predictores consistentes) também possam ter este efeito em certas situações. A análise anterior das condições necessárias mostrou que B não produz efeito na ausência de "proactividade" e "flexibilidade tecnológica", pelo que a fórmula causal final para este resultado é a mesma obtida na equação IV: BDE.

Na análise das condições suficientes para a "contribuição para o desenvolvimento" destaca-se um único determinante que excede os .90 de consistência: "aliados externos" (F). Todavia, encontramos outro factor muito próximo, de que já anteriormente demos conta: a "proactividade" (D). F produz sempre instituições desenvolvimentistas, mas cobre apenas um número limitado de casos. Esta situação suscita duas soluções possíveis:

Contribuição para o Desenvolvimento = F (consistência maior; cobertura menor)

ou

Contribuição para o Desenvolvimento = D

Ao considerarmos as condições necessárias identificadas previamente, chegamos às soluções finais seguintes:

Contribuição para o Desenvolvimento = DE (VII)
ou
Contribuição para o Desenvolvimento = DEF (VIII)

A primeira solução estabelece que a combinação da "proactividade" com a "flexibilidade tecnológica" é necessária e suficiente para produzir uma instituição desenvolvimentista em quase todos os casos. A fórmula é, como se pode ver, idêntica àquela alcançada previamente (equação V). A segunda solução mostra que, ao acrescentar os "aliados externos", o resultado torna-se mais rigoroso. Em ambos os casos, o papel fundamental pertence a DE: embora a "imunidade à corrupção" (B) seja condição necessária para a adequação institucional das instituições, *nenhum* dos critérios internos de "weberianidade" é necessário ou suficiente para produzir organizações desenvolvimentistas. Este conjunto de resultados analíticos suscita uma série de reflexões.

Em primeiro lugar, a solução aqui encontrada para a "adequação institucional" difere da que foi identificada no estudo das vinte e três instituições latino-americanas: ABCE. Neste caso, todos os critérios internos de probidade participaram na produção daquele efeito (Portes e Smith, 2012: 174). No caso português, porém, as baixas classificações atribuídas no critério "meritocracia" (A) na maior parte das instituições públicas e as igualmente baixas avaliações obtidas na categoria relativa à ausência de "ilhas de poder" internas (C) não levantaram obstáculos à catalogação da maior parte dos casos estudados enquanto organizações cumpridoras dos manuais institucionais. Daí a omissão de A e C na fórmula de determinação causal.

A identificação de D como condição suficiente e de DE como combinação necessária e suficiente para a produção de uma instituição desenvolvimentista constitui uma confirmação independente de resultados obtidos no estudo realizado anteriormente na América Latina. Aí, a solução final encontrada foi:

Contribuição para o Desenvolvimento = D (A+C)

Nesta solução, a "proactividade" surge como condição necessária para o resultado e como causa suficiente, quando combinada com um ou outro indicador de qualidade organizacional interna. No caso português, o papel da "proactividade" é ainda mais interessante por ser, como já vimos, a única condição suficiente capaz de produzir o mesmo efeito.

Uma segunda reflexão aponta no sentido de o conjunto de resultados aqui obtidos corresponder ao argumento teórico de Evans segundo o qual, para uma instituição contribuir para o desenvolvimento nacional, não basta ter características weberianas (que seja meritocrática, imune à corrupção, etc.). Deve igualmente abrir-se ao seu meio envolvente e interagir com actores externos estratégicos, com vista a iniciar e a regular processos de expansão económica, melhorando ainda a qualidade da governança (Evans, 1995; Portes e Smith, 2012: Cap. 8).

Em terceiro lugar, no caso português, o significado crucial atribuído pelos estudos institucionais à "proactividade" e à "flexibilidade tecnológica" é o resultado de dois factores. Por um lado, a tolerância relativamente elevada em relação a defeitos e problemas que são óbvios e que foram identificados no estudo do funcionamento interno de diversas organizações da amostra. No caso do Hospital de Santa Maria, por exemplo, as baixas classificações atribuídas à organização nos critérios internos de "meritocracia", "imunidade à corrupção" e "ausência de 'ilhas de poder'", não impediram a investigadora a cargo do estudo de o qualificar como instituição desenvolvimentista. O mesmo ocorreu com o sistema postal. No caso da ASAE, a total ausência de meritocracia não constituiu obstáculo para o investigador atribuir o valor de topo na escala relativa ao contributo para o desenvolvimento. Aparentemente, a posição cultural dos portugueses perante aspectos ligados à falta de meritocracia ou à presença de cliques internas em instituições públicas é mais tolerante do que a que se observa em outros lugares.

Uma segunda razão para o papel do factor "proactividade" se ter revelado essencial nesta análise tem que ver com as avaliações atribuídas, nesta dimensão, em duas instituições, uma pública e outra privada. A Autoridade Tributária foi classificada como meritocrática, relativamente imune à corrupção e aberta à inovação tecnológica. Foi igualmente definida como uma instituição fechada, que pouco faz para interagir com o seu público mais importante (os cidadãos contribuintes), para educá-lo nas suas obrigações cívicas e para reduzir as grandes disparidades com que são tratados os contribuintes comuns e as elites económicas (Evans, 2013). Esta ausência relativa de "proactividade" determinou a exclusão da Autoridade Tributária da categoria das instituições verdadeiramente desenvolvimentistas. A Bolsa de Valores, por sua vez, foi avaliada mais severamente no seu contributo para o desenvolvimento, não pela falta de "proactividade" da instituição, mas pela incapacidade de atrair empresas portuguesas, não obstante os esforços nesse sentido. São estas avaliações negativas nas classificações relativas ao contributo para o desenvolvimento nestas duas instituições que atribuem à "proactividade" papel central na análise causal.

Resultados dos Inquéritos por Questionário Realizados na Instituições

A segunda parte da investigação consistiu na aplicação de um inquérito por questionário aos funcionários das instituições seleccionadas com o propósito de, em cada uma delas, averiguar como os trabalhadores as avaliam e conhecer as suas orientações em termos de valores gerais. Estes inquéritos permitem uma verificação independente das avaliações institucionais realizadas pelos investigadores. Ademais, um perfil dos valores dos funcionários que trabalham em instituições estratégicas como estas é tão ou, talvez até, mais relevante do que os perfis obtidos de forma rotineira através da auscultação da população em geral. Tanto quanto sabemos, esta é a primeira vez que uma análise institucional deste tipo, feita em termos comparativos, é levada a cabo num país europeu. O questionário usado para esta parte do estudo encontra-se no Anexo A.

Cinco das seis instituições deram o seu acordo para a participação no inquérito. A Autoridade Tributária não participou. As reacções da gestão de topo das outras organizações foram muito diversas: desde uma aceitação entusiástica e de grande prontidão por parte da EDP e da ASAE, até uma atitude mais cautelosa e acompanhada de longas negociações, especialmente no caso dos CTT e do Hospital de Santa Maria. Estas diferenças reflectiram-se nas respectivas taxas de resposta, como abaixo se indicará. Uma vez obtida a autorização para avançar com o inquérito, o membro da equipe responsável por esta tarefa do projecto avançou com a colocação *online* dos questionários, através de uma plataforma dedicada, ou procedeu ao seu envio por correio, normal ou electrónico; os destinatários eram os funcionários da instituição, de todos os níveis hierárquicos – desde o gestor de topo até ao trabalhador de execução. A carta introdutória deixava claro que o questionário seria de resposta voluntária e garantia total anonimato aos respondentes, já que nem os nomes nem outro tipo de informação susceptível de permitir a identificação eram solicitados. O anonimato era absolutamente necessário para obter respostas válidas às questões solicitando a avaliação da instituição na qual o respondente estava empregado, assim como às perguntas que visavam obter auto-avaliações acerca de um certo número de orientações de valor pessoais.

Os pormenores relativos à calendarização e à forma como os inquéritos foram conduzidos em cada instituição são apresentados no Anexo C. A maior parte dos questionários foi disponibilizada e as respostas recebidas através de uma plataforma on-line. A administração dos CTT insistiu nos questionários em formato papel, encaminhados por correio normal. As taxas de resposta variaram entre uns quase perfeitos 96 por cento da amostra aleatória providenciada pela administração da EDP e uns elevados 87 por cento do total do universo do pessoal da ASAE, até aproximadamente metade dos trabalhadores contactados na Bolsa de Valores e no Sistema Postal, e uns meros 3.6 por cento do total de funcionários no Hospital de Santa Maria. Estas diferenças devem ser tidas em consideração na análise dos resultados que se segue. Só os inquéritos realizados nas duas primeiras instituições podem ser considerados como estatisticamente representativos, os que foram feitos nas três restantes, não.

Não obstante esta limitação, a dimensão absoluta destas amostras – incluindo as obtidas nos CTT e no Hospital de Santa Maria – representa uma informação valiosa porquanto os questionários respondidos permitem uma visão das atitudes e das orientações de valor de uma componente significativa dos trabalhadores de cada instituição. Nas secções seguintes descrevem-se as estatísticas descritivas das amostras obtidas, bem como as análises da forma como os funcionários avaliam a qualidade da instituição em que trabalham.

Estatísticas Descritivas

Na Tabela 4 apresentam-se as estatísticas descritivas da amostra, organizadas por instituição e pelas características objectivas dos inquiridos, tais como: sexo, idade, instrução e ocupação profissional. Como referido, o inquérito resultou em amostras relativamente grandes em quatro das cinco instituições. A amostra mais reduzida na NYSE-Euronext Lisbon deve-se, em parte, à pequena dimensão da organização. Sessenta por cento dos inquiridos são do sexo masculino e perto da metade tinha atingido níveis de instrução elevados.

Tabela 4 Características Descritivas do Inquérito Institucional

Variável	Valores	N[1]	%
Instituição	Companhia de electricidade (EDP Energias de Potugal)	288	21
	Autoridade de Segurança Alimentar e Económica (ASAE)	256	19
	Hospital de Santa Maria (HSM - SNS)	231	17
	Sistema Postal (CTT - Correios)	559	42
	Bolsa de Valores (NYSE Euronext Lisbon)	12	1
	Total	**1.346**	**100**
Sexo	Masculino	782	60
	Feminino	526	40
	Total	**1.308**	**100**
Idade	43.12 (média)	1.346	
Instrução	Inferior ao secundário	266	20
	Secundário completo ou superior	419	32
	Primeiro ciclo do ensino superior ou mais	635	48
	Total	**1.320**	**100**
Duração do Emprego	Sete anos ou menos	496	38
	Oito a doze anos	195	15
	Treze anos ou mais	622	47
	Total	**1.313**	**100**
Ocupação	Administrativos e operários	366	28
	Profissionais de elevadas qualificações, técnicos	255	20
	Gestor intermédio	508	39
	Gestor de topo	170	13
	Total	**1.299**	**100**
Número de Promoções	Nenhuma	685	53
	Uma a três	360	28
	Quatro ou mais	252	19
	Total	**1.297**	**100**

1) Os valores omissos (missing data) foram excluídos.

Apenas um terço dos inquiridos ocupava posições subordinadas, como empregados administrativos, carteiros, ou trabalhadores manuais; os restantes eram profissionais e técnicos ou gestores de nível intermédio ou superior nas organizações. A distribuição do tempo de trabalho na organização é bi-modal, havendo aproximadamente 40 por cento dos funcionários que trabalham na instituição há menos de sete anos, mas quase metade que aí têm emprego estável há treze ou mais anos. A relativa juventude da ASAE (sete anos) pesa de forma significativa nestes resultados, uma vez que cem por cento dos inquiridos estavam na categoria mais baixa do quadro. Cerca de metade dos inquiridos nunca foi promovida dentro da organização, enquanto somente um quinto tinha tido quatro promoções ou mais. Como veremos abaixo, o número de promoções, assim como o estatuto dentro da organização, pesam bastante no modo como as percepções da qualidade institucional se distribuem na amostra.

Avaliações Gerais

Um conjunto de *items* de mensuração de atitudes foi construído com o objectivo explícito de reflectir as opiniões sobre cada um dos determinantes institucionais que nos interessam, acima descritos, e sobre os próprios resultados institucionais. Antes de avançarmos para a análise estatística destes dados, apresentamos um conjunto seleccionado de distribuições de frequência, agrupadas pelas cinco organizações participantes. Os dados estão organizados na Tabela 5.

Tabela 5 Distribuição de Frequências de *Items* Selecionados Relativos a Atitudes, por Instituição

Predictores	ASAE Autoridade de Segurança Alimentar e Económica	CTT Sistema Postal	EDP Companhia de Electricidade	HSM Hospital de Santa Maria	NYSE Euronext Lisbon Bolsa de Valores de Lisboa	Total
A. INTERNOS	%	%	%	%	%	%
Meritocracia:	"Se seguirem as regras e se fizerem o seu trabalho de modo competente, as pessoas são promovidas nesta organização"					
Discorda	39,4	62,2	0,0	70,2	36,4	**45,6**
Não concorda nem discorda[1]	42,9	26,7	64,7	29,8	27,3	**38,5**
Concorda	17,7	11,1	35,3	0,0	36,3	**15,9**
Imunidade à Corrupção:	"A maioria dos colaboradores desta instituição é imune ao suborno ou à corrupção"					
Discorda	1,6	12,6	0,0	42,9	0,0	**12,8**
Não concorda nem discorda[1]	38,2	35,9	26,6	57,1	25	**37,8**
Concorda	60,2	51,5	73,4	0,0	75	**49,4**

Predictores	ASAE Autoridade de Segurança Alimentar e Económica	CTT Sistema Postal	EDP Companhia de Electricidade	HSM Hospital de Santa Maria	NYSE Euronext Lisbon Bolsa de Valores de Lisboa	Total
A. Internos	%	%	%	%	%	%
Ausência de "Ilhas de Poder":	"Existem grupos no seio desta instituição que agem de acordo com interesses próprios, mesmo que estes prejudiquem os objectivos mais amplos da organização"					
Discorda	32,4	54,1	15,8	0,0	41,7	**32,4**
Não concorda nem discorda[1]	50,2	34,2	84,2	40,4	33,3	**49,1**
Concorda	17,4	11,7	0,0	59,6	25	**18,5**
B. Externos	%	%	%	%	%	%
Proactividade	"Os líderes desta instituição procuram activamente o *feedback* das pessoas que interagem com a instituição ou que usam os seus serviços"					
Discorda	24,3	30,5	0,0	57,5	16,7	27,2
Não concorda nem discorda[1]	56,2	38,2	34,4	42,5	16,7	41,3
Concorda	19,5	31,3	65,6	0,0	66,6	31,5
Flexibilidade Tecnológica	"De uma forma geral, esta instituição procura estar actualizada no que respeita ao uso de novas tecnologias e à actualização de procedimentos"					
Discorda	12,3	6,1	0,0	7,7	8,3	6,2
Não concorda nem discorda[1]	15,9	11,7	1,8	16,4	33,3	11,3
Concorda	71,8	82,2	98,2	75,9	58,4	82,5
Aliados Externos	"Há uma boa cooperação institucional entre esta instituição e os decisores de topo da administração pública e do Estado português"					
Discorda	20,0	17,0	0,0	11,4	8,3	12,9
Não concorda nem discorda[1]	57,4	49,8	64,7	63,0	16,7	44,9
Concorda	22,6	33,2	35,3	25,6	75,0	42,2

1) Inclui as respostas "não sabe".

O padrão de respostas acompanha, de uma forma geral, o que os estudos institucionais colocaram em evidência. O carácter problemático da "meritocracia" nas instituições portuguesas é visível na pequena minoria (16 por cento) que concordou com a afirmação de que "se seguirem as regras e se fizerem o seu trabalho de modo competente, as pessoas são promovidas nesta organização". Apenas nas duas entidades privadas (EDP e Bolsa de Valores) este valor atinge um terço da amostra. Por outro lado, três quartos dos inquiridos da EDP e da Bolsa de Valores e metade da amostra total acreditam que na instituição em que trabalham não existe corrupção. A ausência de perspectivas positivas na amostra do Hospital de Santa Maria puxa para baixo o valor agregado das amostras. A proporção de funcionários do Hospital inquiridos que acredita na ausência de corrupção na instituição é exactamente de zero[6].

Os resultados em relação à existência de "ilhas de poder" nas organizações estudadas são mistos, reflectindo algum cepticismo. Metade dos respondentes não concordou nem discordou quando questionados acerca da sua existência, valor que atingiu uns notáveis 84 por cento entre os funcionários da EDP. Já a maioria dos inquiridos dos CTT concordou que existem ilhas de poder no interior da organização (as "quintas", como são internamente conhecidas), em conformidade com o estudo qualitativo da mesma (Gomes Bezerra, 2013).

No que tange à orientação proactiva entre os dirigentes institucionais, verificou-se uma grande clivagem entre, por um lado, os funcionários das organizações privadas (EDP e Bolsa de Valores), em que dois terços acreditam que essa orientação, de facto, existe; e os trabalhadores das três instituições públicas, nas quais este valor cai a pique, atingindo um valor de exactamente zero no Hospital de Santa Maria. Este último resultado contraria parcialmente o estudo qualitativo e a ênfase com que a autora do mesmo frisa que, a despeito dos muitos problemas que o Hospital enfrenta, a instituição procura interagir activamente com os utentes e responder às suas queixas e preocupações.

Por outro lado, a abertura tecnológica e a flexibilidade nas instituições portuguesas –uma constante em todos os estudos institucionais – é confirmada no padrão de respostas a estas questões. Oitenta e dois por cento dos trabalhadores inquiridos têm uma visão positiva da situação no que toca à flexibilidade tecnológica, chegando a atingir o valor notável de 98 por cento na EDP. Em nenhum caso se verificou que este valor ficasse aquém de metade da respectiva amostra institucional.

Por fim, mais de 40 por cento dos respondentes dizem existir uma boa relação institucional entre a organização para a qual trabalham e as instâncias superiores do governo português; no caso da Bolsa de Valores chega aos 75 por cento. Os inquiridos da ASAE e do Hospital de Santa Maria são os mais reservados, um padrão que corresponde à caracterização feita nos relatórios qualitativos que as aponta como instituições "órfãs".

6 Dada a reduzida taxa de resposta nesta instituição e sendo possível uma maior representação de funcionários mais críticos na amostra, este resultado deve ser avaliado com cautela.

Os *items* usados para a mensuração das atitudes, associados *a priori* com os determinantes específicos dos resultados institucionais, foram de seguida submetidos a uma análise factorial com vista a identificar dimensões latentes, subjacentes às respostas obtidas às questões sobre as atitudes. Para o efeito, recorreu-se a uma rotina de análise factorial de natureza exploratória, que incluiu a rotação ortogonal dos factores principais. Os resultados desta análise, incluindo os factores latentes mais importantes, são apresentados na Tabela 6. São quatro os factores identificados desta forma, que, juntos, explicam 58 por cento da variância comum. O resultado do teste estatístico[7] deu um valor de qui-quadrado que é significativo ao nível de .0001.

Sem rotação, a matriz dos factores não é passível de interpretação. Para clarificar o seu significado, procedeu-se à rotação dos quatro factores. Os resultados desta rotina de rotação *varimax* são apresentados no segundo painel da Tabela 6, que inclui os *items* cuja contribuição factorial (*load*) é superior ou igual a .50. A expressão verbal dos *items* é importante para clarificar o significado das dimensões latentes subjacentes. Com base nestes resultados, designámos o primeiro factor, que é também o mais importante, de "meritocracia-proactividade", uma vez que os *items* que traduzem estes critérios apresentam uma contribuição elevada para o mesmo. Identificámos o segundo factor como "qualidade institucional em geral", o terceiro como "imunidade à corrupção" e o quarto como "universalismo-equidade".

Tabela 6 Análise Factorial das Percepções Individuais sobre as Características Institutionais

A. COMPONENTES PRINCIPAIS: EXTRACÇÃO DE FACTORES

Factor	*Eigenvalue* (Valores Próprios)	% Variância Comum	Acumulada
I	4,226	0,282	0,282
II	1,877	0,125	0,407
III	1,426	0,095	0,502
IV	1,102	0,073	0,575

7 O *likelihood ratio*.

B. Rotação Varimax: Contribuição para os Factores

Factor	*Item*	Contribuição
I. Meritocracia – Proactividade	16. A maioria dos gestores /administradores da (instituição) é composta por pessoas honestas e competentes.	0,715
	19. Há uma boa cooperação institucional entre (a instituição) e os decisores de topo da administração pública e do Estado português.	0,578
	22. Se seguirem as regras e se fizerem o seu trabalho de modo competente, as pessoas são promovidas na (instituição).	0,695
	23. Os líderes da (instituição) procuram activamente o *feed back* das pessoas que interagem com a instituição ou que usam os seus serviços.	0,610
II. Qualidade Institucional Geral	12. A (instituição) cumpre, de um modo geral, os propósitos para que foi criada.	0,636
	13. O funcionamento adequado da (instituição) é essencial para Portugal.	0,647
	17. De uma forma geral, a (instituição) procura estar actualizada no que respeita ao uso de novas tecnologias e à actualização de procedimentos.	0,670
	18. A (instituição) faz tudo o que está ao seu alcance para prestar um serviço que satisfaça os seus utentes/clientes.	0,535
III. Imunidade à Corrupção	20. Existem grupos no seio da (instituição) que agem de acordo com interesses próprios, mesmo que estes prejudiquem os objectivos mais amplos da organização.	-0,648
	21. A maioria dos colaboradores da (instituição) é imune ao suborno ou à corrupção.	0,684
	24. De uma forma geral, os colaboradores da (instituição) procuram em permanência aperfeiçoar os seus desempenhos e melhorar a qualidade dos serviços que prestam.	0,800
IV. Universalismo – Equidade	15. As promoções na (instituição) dependem, essencialmente, das relações pessoais	-0,749
	26. As mulheres são tratadas da mesma forma que os homens nesta organização; progredir ou não depende dos seus méritos.	0,694

Para cada uma destas dimensões latentes, é ainda possível construir índices, que têm uma média de aproximadamente 0, sendo o seu desvio-padrão de 1. Os valores negativos dos índices indicam que os funcionários atribuíram avaliações abaixo da média à instituição em que trabalham; as classificações positivas indicam o oposto. Os resultados mais relevantes são apresentados na Tabela 7. Para além dos quatro índices construídos com base na análise factorial atrás referida, esta tabela inclui ainda as classificações obtidas na escala de "confiança generalizada", elaborada a partir de três *items* usados para esse propósito no Inquérito Social Europeu e noutros inquéritos à população[8]. Para efeitos de comparação, esta escala foi também estandardizada, tendo valor médio de 0 e desvio-padrão de 1.

Tabela 7 Valores Médios por Instituição: Percepção das Características Institutionais e Confiança Generalizada

Instituição	Meritocracia – Proactividade	Qualidade Institucional Geral	Imunidade à Corrupção	Universalismo – Equidade	Confiança Generalizada
ASAE (Autoridade de Segurança Alimentar e Económica)	-0,1133	-0,3198	0,1759	-0,2265	0,535
CTT (Sistema Postal)	-0,2139	-0,0349	-0,0293	0,1329	-0,8197
EDP (Companhia de Electricidade)	0,8392	0,4891	0,3346	-0,0332	0,6733
HSM (Hospital de Santa Maria)	-0,4482	-0,1494	-0,584	-0,0317	0,6252
NYSE Euronext Lisbon (Bolsa de Valores de Lisboa)	0,5717	-0,2317	0,2762	0,2995	-0,2827
Total	**-0,002**	**0,000**	**-0,001**	**0,003**	**0,000**

Como se pode ver na tabela, as duas instituições privadas, a EDP e a Bolsa de Valores, têm uma vantagem considerável naquela que é uma dimensão fundamental: o índice "meritocracia-proactividade"; ao passo que as três instituições públicas estão abaixo da média. Nos três outros factores, observa-se o mesmo padrão geral. No caso da "imunidade à corrupção", a ASAE aproxima-se das entidades privadas, sendo avaliada positivamente pelos respectivos funcionários. O Hospital de Santa Maria tem o pior desempenho, neste caso, em consonância com o estudo qualitativo. No entanto, reitera-se o princípio

8 Os *items* são os seguintes:
a) "A maioria dos responsáveis na administração pública não se interessa pelos problemas das pessoas comuns"
b) "Nos dias que correm, não sabemos mesmo em quem podemos confiar"
c) "A maior parte das pessoas não liga ao que acontece ao seu próximo"
As respostas foram codificadas em três categorias:
Concorda; Nem concorda, nem discorda; Não sabe; e Discorda.
As pontuações foram estruturadas de modo a que a maior confiança se reflectisse em pontuações mais elevadas.

de cautela na interpretação do resultado estatístico, em virtude da taxa reduzida de respostas alcançada (Pires, 2013).

O padrão de respostas obtidas para "universalismo-equidade" é um tanto distinto. As melhores classificações, nesta dimensão, foram atribuídas à Bolsa de Valores, a EDP apresenta valores médios e a ASAE recebe a pior avaliação. De acordo com os seus funcionários, há uma grande dose de arbitrariedade e particularismo na aplicação das regras no interior da ASAE, um resultado imputável à autoridade hierárquica de tipo personalista que impera na organização, em conformidade com a descrição feita no estudo institucional (Contumélias, 2013). Em suma, a EDP surge no topo das avaliações atribuídas pelos funcionários na maioria das dimensões de qualidade institucional, seguida pela Bolsa de Valores, enquanto as entidades públicas surgem nos últimos lugares, em diferentes configurações. A entidade mais problemática é o Hospital de Santa Maria, avaliada negativamente pelos seus funcionários em todas as dimensões.

A dimensão "confiança generalizada" não surge da análise factorial anterior. Refere-se às opiniões individuais dos inquiridos, não às avaliações das suas respectivas organizações. Todavia, vale a pena considerar o padrão dos resultados obtidos neste caso. Os trabalhadores do sistema postal e da Bolsa de Valores sobressaem como os menos "confiantes", em contraste com os funcionários da ASAE, do Hospital de Santa Maria e, em particular, os da EDP. Os funcionários da empresa de electricidade sobressaem como os mais seguros e os mais confiantes no comportamento das outras pessoas. Não temos nenhuma explicação clara para estas distinções, mas tomamos nota das mesmas para uma análise futura.

Apresentamos, na Tabela 8, a distribuição das classificações dos índices em função do sexo e da educação, os dois principais predictores de natureza objectiva. Os resultados retêm a nossa atenção por diversos motivos. Em primeiro lugar, regista-se que os respondentes do sexo feminino tendem a ser mais críticos das organizações em que trabalham do que os seus colegas do sexo masculino, e isto de forma consistente. Por outro lado, são mais confiantes do que os homens. Em segundo lugar, os inquiridos com menor grau de instrução avaliam as instituições de forma mais crítica na dimensão fundamental da "meritocracia-proactividade", assim como nas dimensões da "qualidade institucional em geral" e da "imunidade à corrupção". Trata-se igualmente do grupo menos confiante – resultado que vai de encontro ao que, de acordo com a bibliografia da especialidade, é de esperar (Alesina e LaFerrara, 2002: Leigh, 2006). Já de forma contra-intuitiva, verifica-se que este grupo avalia de forma positiva a respectiva instituição no que ao "universalismo-equidade" diz respeito – resultado que volta a sublinhar que as quatro dimensões identificadas na análise factorial anterior são realmente distintas.

Tabela 8 Valores Médios dos Indicadores relativos às Características Institucionais Percepcionadas e à Confiança Generalizada, por Sexo e Nível de Instrução

Predictor	Meritocracia – Proactividade	Qualidade Institucional Geral	Imunidade à Corrupção	Universalismo – Equidade	Confiança Generalizada
Sexo					
Masculino	0,0874	0,0426	0,0586	0,0406	-0,0214
Feminino	-0,1395	-0,0575	-0,0899	-0,0422	0,0382
Nível de Instrução					
Inferior ao secundário	-0,1762	-0,098	-0,0334	0,1388	-0,5063
Secundário completo ou superior	0,0095	0,0461	0,1047	0,0066	-0,1073
Primeiro ciclo do ensino superior ou mais	0,0714	0,0159	0,0555	-0,0474	0,2822
Total	**0,002**	**0,003**	**0,000**	**0,006**	**0,000**

Por fim, debruçamo-nos sobre os factores que afectam as percepções dos trabalhadores inquiridos em relação à respectiva instituição. Para o efeito, usamos os quatro índices derivados da análise factorial, que acabámos de apresentar, como variáveis dependentes, e usamos as variáveis representando cada instituição e as dimensões objectivas acima descritas como predictores. Baseámos os modelos nas rotinas dos mínimos quadrados (OLS[9]), recorremos ao erro padrão e decidimos, sempre que se verificou ausência de um dado, eliminar a totalidade do registo[10] (Firebaugh, 2008). Seguimos um procedimento de análise gradual, incluindo unicamente os efeitos institucionais no primeiro modelo, sendo os restantes predictores adicionados no segundo[11].

9 Sigla da designação em língua inglesa: *Ordinary Least Squares.*

10 Rotina comum para tratamento de dados omissos, nos programas de tratamento automático de dados, e designada, em língua inglesa, como "*listwise deletion*".

11 Procedimento designado, em língua inglesa, como "*nested, step-wise procedure*".

Este tipo de modelização requer a exclusão de uma categoria, que se torna o ponto de referência para a análise dos outros efeitos. Neste caso, escolhemos excluir a ASAE, tornando-se esta a instituição de referência à qual os efeitos institucionais devem ser reportados para poderem ser interpretados. Em prol da simplicidade, resumimos aqui apenas os resultados mais relevantes. As regressões efectivamente calculadas estão registadas no Anexo D.

A EDP e a Bolsa de Valores – as duas entidades privadas – obtiveram avaliações significativamente melhores na "meritocracia-proactividade", em comparação com a ASAE, o ponto de referência; ao passo que o Hospital de Santa Maria foi contemplado com as piores avaliações. A introdução dos outros predictores objectivos não altera este resultado. Os únicos efeitos significativos que se registam são relativos ao estatuto ocupacional e ao número de promoções obtido no passado. O facto de serem os gestores de topo e os funcionários que tiveram uma ou mais promoções os mais inclinados a classificar positivamente a sua instituição nesta dimensão não causa estranheza. É de referir a boa adequação do modelo para explicar a variação neste primeiro factor, abrangendo 40 por cento da variância total. Tendo aplicado de forma independente o mesmo modelo em cada instituição, os resultados obtidos foram, no essencial, semelhantes ao acima obtido.

No caso da "qualidade institucional em geral", a ASAE aparece no fim, com avaliações relativas ao seu desempenho significativamente piores que as da EDP, dos CTT ou até mesmo do Hospital de Santa Maria. A EDP apresenta novamente o efeito positivo mais forte. E ao adicionar os outros predictores, estes efeitos institucionais permanecem inalterados. Uma vez mais, os inquiridos que beneficiaram de uma ou mais promoções e os gestores intermédios ou de topo têm uma visão mais positiva da organização. A variância explicada para este factor é mais fraca, caindo para menos de metade do nível registado para a "meritocracia-proactividade".

O padrão dos efeitos registados na terceira dimensão, "imunidade à corrupção", é muito distinto. Não se verificam diferenças significativas entre as avaliações da ASAE e da Bolsa de Valores, mas registam-se avaliações muito piores no caso dos CTT e, especialmente, do Hospital de Santa Maria. O único efeito positivo significativo está, mais uma vez, associado à EDP. Contudo, este torna-se insignificante quando adicionamos outros predictores na equação. A maior vulnerabilidade à corrupção no Hospital de Santa Maria é, mais uma vez, observada nestes resultados. O acrescento de outros predictores pouco altera estes efeitos. Neste caso, o único resultado significativo está associado aos profissionais de elevadas qualificações e aos técnicos, que tendem a atribuir melhores avaliações, nesta dimensão, às organizações em que trabalham, do que os seus superiores. As grandes diferenças que se verificam entre as instituições, na "imunidade à corrupção", são responsáveis pelo nível importante da variância explicada nesta terceira dimensão: 27 por cento.

O padrão dos efeitos no que tange ao "universalismo-equidade" é por sua vez único. O sistema postal, o hospital e a EDP são avaliados como instituições mais universalistas nas suas contratações e promoções e mais justas para com as mulheres, do que a ASAE. Este resultado pode ser atribuído, mais uma vez, a uma estrutura de autoridade hierárquica e na qual o sexo masculino domina, no caso da ASAE. De entre os outros predictores, apenas no número de promoções se regista um coeficiente significativo. Ter sido promovido uma ou mais vezes condiciona a percepção da instituição como mais universalista e equitativa. No seu conjunto, o modelo não alcança um nível de predicção que permita interpretar correctamente este factor, sendo responsável por menos de 6 por cento da variância total. Porém, a análise da interacção dos efeitos coloca em evidência diferenças significativas, entre instituições, no que respeita ao padrão dos efeitos sobre o factor "universalismo-equidade".

A influência, já assinalada, do número de promoções nas avaliações positivas das instituições está presente na maior parte das organizações. Os resultados obtidos separadamente para a EDP estão desalinhados em relação ao resto, registando-se vários efeitos significativos e inesperados. Na EDP, os homens têm tendência para avaliar a instituição como justa nas contratações e nas promoções, de modo mais expressivo. Os inquiridos com maiores níveis de instrução, especialmente os que têm um diploma de ensino superior, têm *menor* tendência para qualificar a organização como universalista; à semelhança, aliás, dos funcionários com maior número de anos de experiência laboral na organização. Estes resultados negativos são só parcialmente contrariados pelas avaliações mais positivas feitas pelos gestores de topo. Estes efeitos, positivos e negativos, ilustram de forma clara que, no que diz respeito à quarta dimensão da qualidade institucional, "universalismo-equidade", há pouco consenso entre os funcionários da EDP. Os resultados ganham peso adicional pelo facto de a amostra, neste caso, ser representativa dos efectivos da organização.

Valores

Os valores são as orientações gerais que admitimos que sustentam o sistema normativo das sociedades e dos comportamentos e preferências dos indivíduos. As pesquisas de opinião têm incidido nos valores individuais, havendo um conjunto de escalas construídas com o intuito de explorar essas orientações psico-sociais de base, em determinados países, ou numa perspectiva comparatista. Na maior parte dos casos, os inquéritos foram conduzidos com amostras de conveniência (por exemplo, junto de estudantes) ou com amostras aleatórias da população geral (Bardi e Schwartz, 2003; Inglehart, 1997). A utilidade e importância destes tipos de inquéritos é evidente, mas é de admitir que amostras de funcionários de instituições importantes num determinado país sejam mais estratégicas. Com efeito, estas pessoas ocupam posições relevantes, podendo algumas até desempenhar papéis importantes, que afectam toda a gente. Conhecer os valores das pessoas comuns é importante; contudo, medir os valores dos engenheiros e dos gestores de uma empresa do sector energético, ou do pessoal médico de um estabelecimento do serviço de saúde público é, para certos efeitos, mais significativo.

A Escala PVQ de Schwartz

O nosso inquérito institucional incluía 21 *items* do *Portrait Values Questionnaire* (PVQ) desenvolvido pelo sociólogo Shalom Schwartz e os seus colegas, com vista a explorar um conjunto de dez orientações de valores interrelacionadas entre si. O PVQ foi, por sua vez, incorporado no Inquérito Social Europeu (ESS[12]), o que proporciona um ponto de referência para os nossos resultados. Os valores medidos por este instrumento não são uma construção *ad hoc*; admite-se, antes, que possam representar um conjunto abrangente e válido, para a comparação, entre países, das principais crenças dos indivíduos. Numa série de estudos, conduzidos com amostras diversas, em muitos países distintos, esta premissa obteve confirmação. Schwartz e seus colegas sustentam que, em quase todos os casos, a mesma configuração de valores emerge, estando

12 ESS é o acrónimo da designação em língua inglesa (*European Social Survey*), e que, sendo de utilização comum, adoptaremos de seguida no texto.

consistentemente associada a características individuais como a idade, o género e o grau de instrução (Schwartz e Bilsky, 1987; Schwartz e Bardi, 2001).

Foi o amplo trabalho teórico e empírico dedicado à identificação de um conjunto abrangente de dimensões de valores e à criação de uma medida fiável das mesmas que incentivou os líderes do ESS a incorporá-lo nos seus inquéritos. Os valores e as suas definições são os seguintes:

1) **Poder**: Estatuto social e prestígio; controlo e domínio sobre pessoas e recursos.

2) **Realização**: Sucesso pessoal através da exibição de competências em conformidade com os padrões sociais.

3) **Hedonismo**: Prazer e gratificação sensual para si mesmo.

4) **Estimulação**: Excitação, novidade e desafios na vida.

5) **Auto-Centração**: Pensamento e acção independentes: escolher, criar e explorar.

6) **Universalismo**: Compreensão, apreço, tolerância e protecção para o bem-estar de todas as pessoas e da natureza.

7) **Benevolência**: Preservação e melhoria do bem-estar das pessoas com quem se está em contacto mais permanente.

8) **Tradição**: Respeito, compromisso e aceitação dos costumes e das ideias que a cultura tradicional ou a religião podem providenciar ao indivíduo.

9) **Conformidade**: Evitamento de acções, disposições, ou impulsos que possam perturbar ou prejudicar outros e violar as expectativas sociais ou as normas.

10) **Segurança**: Segurança, harmonia e estabilidade da sociedade, ou das relações, e do eu.

Estas dez dimensões avaliativas não são independentes, admite-se aliás que estejam relacionadas numa totalidade que forma um sistema, sendo que algumas estão conceptualmente mais próximas do que outras. A teoria de Schwartz estima que estas dimensões estejam organizadas ao longo de dois eixos: "abertura à mudança *versus* conservação" e "auto-transcendência versus auto-promoção". O esquema conceptual que daqui resulta está reproduzido na Figura 3. Em determinados contextos e amostras particulares, as dimensões valorativas mais próximas deste diagrama podem ser fundidas em indicadores compósitos. O Questionário aos Valores de Schwartz (QVS) foi concebido por forma a medir as dez orientações de modo fiável. Para poder atingir esse fim, porém, o QVS inclui um grande número de *items*, o que o torna impraticável para inquéritos que, à semelhança do ESS, visam múltiplos fins. Por este motivo, o autor idealizou o questionário PVQ, que contém 21 *items*, em que cada valor é medido por apenas dois ou, no máximo, três *items*. Cada *item* é um retrato[13] hipotético da pessoa e ao inquirido pergunta-se: "em que medida cada uma dessas pessoas é ou não parecida consigo". As respostas estão codificadas numa escala de seis valores, que vão desde "exactamente como eu" até "não tem nada a ver comigo". Ao perguntar aos inquiridos para compararem o retrato de valores a si próprios, em vez de lhes pedir que se comparem eles ao retrato, os *items* direccionam a atenção apenas para aspectos específicos do "outro" que está a ser descrito, e não distraem a atenção com múltiplos outros aspectos pessoais dos próprios inquiridos (Schwartz, 2003; Schwartz e Bardi, 2001).

13 *"Portrait"* no original em língua inglesa.

Figura 3

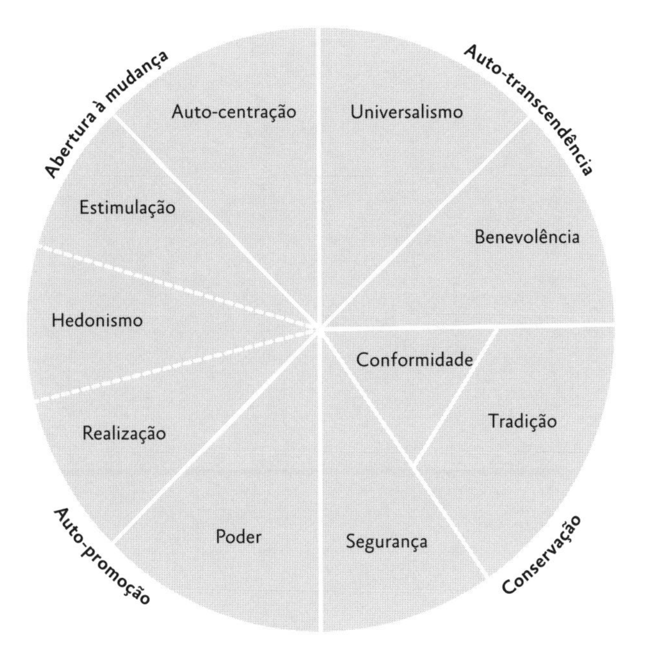

Na Tabela 9, elencam-se os vinte e um *items*; as suas médias e medianas; e as percentagens que as classificações extremas, codificadas como 1 e 6, respectivamente, obtiveram. Incluem-se, igualmente, de forma resumida, os resultados da análise factorial confirmatória, que testa se os *items* reflectem, de facto, a dimensão de valor latente que se admite hipoteticamente poder existir. Como se verifica na tabela, os coeficientes que relacionam as classificações latentes às medidas são, sem excepção, altamente significativos. Em princípio, a estrutura conceptual proposta por Schwartz e os seus colegas fica assim confirmada.

Tabela 9 Valores dos *Items* da Escala PVQ de Schwartz – Inquérito Institucional Português – 2013

Item[1]	Valor Relevante	Valor Médio	"Nada parecido comigo"	"Muito parecido comigo"	Coeficiente Análise Factorial Confirmatória	Média ESS – Portugal[3]	t[4]
		(1 – 6)	%	%	valor de Z[2]	(1 – 6)	
34. Um homem/mulher que dá muita importância a poder mostrar as suas capacidades. Quer que as pessoas admirem o que faz.	Realização	3,68	4,19	8,89	32.07***	4,20	11.62***
43. Um homem/mulher para quem é importante ter sucesso. Gosta de receber o reconhecimento dos outros	Realização	4,00	2,14	9,66	40.95***	3,97	3.97*
42. Um homem/mulher para quem é importante ajudar os que o/a rodeiam. Preocupa-se com o bem-estar dos outros	Benevolência	4,79	0,26	22,74	37.71***	4,51	13.89***
48.Um homem/mulher para quem é importante ser leal com os amigos. Dedica-se às pessoas que lhe são próximas	Benevolência	5,03	0,17	32,74	36.54***	4,70	16.29***
37. Um homem/mulher que acha que as pessoas devem fazer o que lhes mandam. Acha que as pessoas devem cumprir sempre as regras mesmo quando ninguém está a ver	Conformidade	3,88	4,19	10,51	20.10***	3,86	2.61*
46. Um homem/mulher para quem é importante portar-se sempre como deve ser. Evita fazer coisas que os outros digam que é errado	Conformidade	3,76	2,74	9,66	26.91***	4,01	5.62**
40. Um homem/mulher para quem é importante passar bons momentos. Gosta de tratar bem de si.	Hedonismo	4,30	1,20	12,14	31.55***	4,04	11.32***
51. Um homem/mulher que procura aproveitar todas as oportunidades para se divertir. É importante para ele/ela fazer coisas que lhe dão prazer	Hedonismo	4,10	1,45	11,37	29.95***	3,57	17.38***
32. Um homem/mulher para quem é importante ser rico/a. Quer ter muito dinheiro e coisas caras.	Poder	2,03	30,94	0,43	9.88**	2,80	17.90***
47. Um homem/mulher para quem é importante que os outros lhe tenham respeito. Quer que as pessoas façam o que ele/ela diz.	Poder	3,25	4,96	2,65	14.43**	4,09	20.73***

35. Um homem/mulher que dá muita importância a viver num sítio onde se sinta seguro/a. Evita tudo o que possa por a sua segurança em risco.	Segurança	3,99	2,22	13,16	24.34^{***}	4,64	15.68^{***}
44. Um homem/mulher para quem é importante que o Governo garanta a sua segurança, contra todas as ameaças. Quer que o estado seja forte, de modo a poder defender os cidadãos.	Segurança	4,36	1,54	18,8	22,73	4,61	4.85^{**}
31. Um homem/mulher que dá importância a ter novas ideias e ser criativo/a. Gosta de fazer as coisas à sua maneira.	Auto-Promoção	3,74	3,50	4,27	14.33^{**}	4,26	12.48^{***}
41. Um homem/mulher para quem é importante tomar as suas próprias decisões sobre o que faz. Gosta de ser livre e não estar dependente dos outros.	Auto-Promoção	4,39	0,60	14,7	17.89^{**}	4,51	0.74 n.s.[5]
36. Um homem/mulher que gosta de surpresas e está sempre à procura de coisas novas para fazer. Acha que é importante fazer muitas coisas diferentes na vida.	Estimulação	3,88	2,05	8,46	26.63^{***}	3,87	0.98 n.s[5]
37. Um homem/mulher que acha que as pessoas devem fazer o que lhes mandam. Acha que as pessoas devem cumprir sempre as regras mesmo quando ninguém está a ver.	Estimulação	3,10	6,24	2,74	27.86^{***}	2,79	2.96^{*}
39. Um homem/mulher para quem é importante ser humilde e modesto/a. Tenta não chamar as atenções sobre si.	Tradição	4,39	0,85	16,24	12.56^{**}	4,29	5.37^{**}
50. Um homem/mulher que dá importância à tradição. Faz tudo o que pode para agir de acordo com a sua religião e a sua família.	Tradição	3,62	4,53	8,89	11.64^{**}	4,18	11.56^{***}
33. Um homem/mulher que acha importante que todas as pessoas no mundo sejam tratadas igualmente. Acredita que todos devem ter as mesmas oportunidades na vida.	Universalism	4,94	0,51	33,50	26.29^{***}	4,81	7.28^{***}
28. A maioria dos responsáveis na administração pública não se interessa pelos problemas das pessoas comuns.	Universalism	4,56	0,60	16,15	22.18^{***}	4,18	15.68^{***}
49. Um homem/mulher que acredita seriamente que as pessoas devem proteger a natureza. Proteger o ambiente é importante para ele/ela.	Universalism	4,79	0,26	27,52	29.81^{***}	4,58	10.29^{***}
		N = 1170				2046	

1) Número do *item* no Questionário Institucional. 2) O nível de significância dos valores de Z está indicado com um asterisco. 3) Valores médios no ESS.
4) Teste t de diferença das médias. O nível de significância da diferença está indicado com asteriscos. 5) Estatisticamente não significativo. *p,.05 **p,.01 ***p,.001.

Em cada *item*, podemos interpretar as classificações obtidas acima de 3 como aprovações, uma vez que os inquiridos que se identificaram com o retrato ou valor correspondente foram mais numerosos do que os inquiridos que o rejeitaram. O oposto ocorre quando as classificações ficam abaixo de 3. Para efeitos comparativos, as classificações médias obtidas na amostra portuguesa, no último Inquérito Social Europeu disponível, são referidas na última coluna da Tabela 9. No geral, as classificações médias obtidas junto dos funcionários das instituições e as da amostra da população portuguesa usada no ESS são próximas, havendo todavia algumas diferenças notórias. Devido aos grandes tamanhos de quatro das amostras, quase todas as diferenças são estatisticamente significativas. No que tange ao tamanho absoluto dessas diferenças, os trabalhadores das instituições parecem mais preocupados com os outros do que o público em geral, verificando-se o endosso dos *items* correspondentes ("benevolência") por um número maior de respondentes no inquérito institucional. Por outro lado, "poder", "tradição" e "segurança" tendem a obter maior adesão por parte do público em geral. Por exemplo, há uma grande diferença entre as amostras no que diz respeito à importância atribuída ao facto de ser obedecido pelos outros (poder), que é menos comum entre os trabalhadores das instituições do que na população em geral. O mesmo se verifica em relação ao respeito pelos valores tradicionais (*item* n.º. 50), mais comum entre o público em geral. Contudo, para a maioria dos *items*, as classificações apresentam padrões semelhantes em ambas as amostras: menos inquiridos interessados no poder e em correr riscos, e mais inquiridos inclinados para a defesa da igualdade e da lealdade para com os amigos e para levar uma vida segura.

A nossa análise dos *items* não se limitou a confirmar a sua correspondência com as dimensões hipotéticas dos valores originalmente pensadas, tendo avançado para a exploração da estrutura latente, subjacente à matriz das correlações entre *items* da nossa amostra. As classificações empíricas obtidas foram, nesse sentido, submetidas a uma análise factorial exploratória, com rotação ortogonal dos factores principais. Os resultados obtidos são apresentados na Tabela 10; deles sobressaem cinco factores significativos[14]. Após rotação dos mesmos, vemos que emerge um padrão muito claro.

14 Isto é, factores com valores próprios (*eigenvalues*) maiores que 1 e que explicam 5 por cento ou mais da variância comum.

Tabela 10 Análise Factorial Exploratória dos *Items* Relativos aos Valores pertencentes ao PVQ – Inquérito Institucional Português, 2013

Factor	I	II	III	IV	V
Designação	**Universalismo-Benevolência**	**Realização – Poder**	**Conformismo – Tradição**	**Hedonismo**	**Estimulação**
Eigenvalue (Valor próprio)	5,386	2,111	1,852	1,122	1,011
Percentagem da Variância Comum[1]	0,256	0,100	0,088	0,053	0,048
Contribuição dos *items* para os factores:[2,3]					
V33	,663				
V38	,647				
V39	,532				
V42	,732				
V48	,681				
V49	,646				
V31		,524			
V32		,587			
V34		,718			
V43		,646			
V47		,597			
V37			,678		
V46			,732		
V50			,619		
V40				,689	
V51				,711	
V36					,749
V45					,790
	N = 1109				

1) Matriz factorial não rodada.
2) Apenas as contribuições com valores superiores a .50 foram aqui incluídas.
3) Consultar a identificação dos *items* relativos aos valores na tabela 9.

Na Tabela 10, faz-se a lista sequencial dos *items* correspondentes aos valores, incluindo aqueles que têm uma contribuição para os factores superior a .50. Estas ponderações factoriais definem, na realidade, o significado de cada dimensão latente. A expressão verbal de cada *item* específico e o valor que supostamente representa surgem na Tabela 9. O primeiro factor explica, por si só, um valor impressionante de 26 por cento da variância comum. Os *items* com uma ponderação factorial elevada neste factor são aqueles que, originalmente, no esquema teórico de Schwartz, representariam hipoteticamente o "universalismo" e a "benevolência". Designámos o factor de acordo com essa mesma intenção original.

O segundo factor dá conta de 10 por cento da variância comum e define-se essencialmente pelos *items* que expressam "realização" e "orientação para o poder". O terceiro factor, dando conta de 9 por cento da variância, reflecte sobretudo valores como "conformismo" e "tradição" (se bem que um dos *items*, que deveria definir a última dimensão, não esteja altamente correlacionado com ele). Os outros factores são relativamente menores, cada um dando conta de aproximadamente 5 por cento da variância comum. O quarto representa a orientação para o "hedonismo" e é claramente definido pelos dois *items* que constituem esta dimensão. De forma semelhante, o factor final é definido pelos dois *items* que incorporam a procura de "estimulação".

No cômputo geral, pode dizer-se que as conclusões deste exercício analítico vão de encontro às antecipadas pela teoria original, sendo que oito dos dez valores latentes hipoteticamente definidos estão presentes no nosso estudo. (Os factores ausentes reflectem as orientações para a "segurança" e para a "auto-determinação", se bem que um dos *items*, medindo o último factor, tenha uma ponderação significativa no factor "realização-poder".) Para além disto, os factores compósitos, que incorporam mais do que um valor, agregam dimensões que estão conceptualmente próximas no esquema teórico representado na Figura 3. Nesse sentido, pode dizer-se que eles também apoiam a formulação original.

A última tarefa desta análise consiste em explorar os determinantes de cada uma das cinco dimensões latentes agora identificadas. Construímos, para isso, índices para cada factor. Depois de estandardizados, somaram-se os *items* que apresentam elevadas ponderações em cada um desses factores, sendo esta soma depois dividida pelo número de *items*[15]. Procedeu-se, de seguida,

15 Estes índices foram construídos seguindo as recomendações metodológicas de Schwartz. Começou por se fazer a média das vinte e umas respostas dadas por cada indivíduo. Esta classificação média é, de seguida, subtraída a cada resposta dada aos *items*, com o objectivo de neutralizar as tendências individuais para classificações altas ou baixas. Os *items* assim recodificados foram de seguida adicionados e a soma foi dividida pelo número de *items* usados. Os índices que se obtêm através desta construção têm uma distribuição normal ou quase normal nas cinco dimensões derivadas da análise factorial.

a uma análise de regressão destes cinco índices, com recurso a uma série de predictores objectivos[16], que incluem uma variável que representa as cinco instituições (a ASAE volta a servir de categoria de referência), a idade, o género, o nível de instrução, o estatuto ocupacional, os anos ao serviço da instituição e o número de promoções obtidas na mesma. Começámos por incluir os predictores institucionais e adicionámos, de seguida, as restantes variáveis, num procedimento de exploração gradual dos modelos. A bem da parcimónia, resumimos os resultados nas próximas linhas, mas não apresentamos as tabelas de resultados efectivamente obtidos. Os leitores interessados podem consultar as mesmas no Anexo E.

Numa primeira conclusão geral, verificamos que o conjunto de predictores usados só fracamente dá conta das cinco dimensões de valores. Isto deve-se a duas razões: uma variação relativamente pequena que se observa na amostra como um todo, com respostas que tendem a aglomerar-se em torno da média, para os cinco índices empíricos; e pequena variação entre as cinco instituições, num padrão que contrasta com as diferenças significativas registadas no que respeita à percepção da qualidade institucional, discutida anteriormente.

Em comparação com os inquiridos da ASAE, as classificações no primeiro valor – "universalismo/benevolência" – entre os respondentes do sistema postal e da EDP eram significativamente menores. À parte esta diferença, o único efeito significativo que identificámos foi o da idade, verificando-se que a probabilidade de os inquiridos mais velhos estarem mais orientados para esse valor é maior. Este resultado acompanha os que encontramos na bibliografia especializada, obtidos em investigações anteriores (Schwartz, 2011). Há diferenças importantes entre as instituições no segundo factor latente – "realização/poder". Estes valores são mais comuns entre os trabalhadores de todas as outras organizações do que na instituição de referência (ASAE), sendo que, em três delas, de forma expressiva. Os trabalhadores da EDP são aparentemente os mais orientados para o valor da "realização"[17]. Uma leitura de alto a baixo dos valores padronizados revela, também, que é na ASAE que os trabalhadores revelam valores particularmente baixos na orientação para a "realização", o que merece mais atenção. Os respondentes mais velhos evi-

16 Utilizou-se a rotina dos mínimos quadrados (OLS) e os erros padrão, em virtude do carácter segmentado da amostra.

17 O efeito associado com a Bolsa de Valores de Lisboa é altamente positivo. Não é significativo em termos estatísticos em virtude da pequena dimensão da amostra.

denciam menor orientação para esse valor, enquanto que os gestores, a todos os níveis, estão significativamente mais inclinados para o mesmo.

O padrão dos determinantes do factor latente "conformismo/tradição" é mais complexo. Relativamente aos trabalhadores da ASAE, a probabilidade de os inquiridos de todas as outras instituições adoptarem esta orientação valorativa é menor, o que indicia uma atitude mais independente e menos tradicional do que a observada na ASAE. Três dos efeitos institucionais são altamente significativos: o conformismo é mais comum entre os homens e aumenta com os anos ao serviço na organização, sendo este efeito particularmente forte entre os que trabalham há 13 anos ou mais na mesma agência. A influência rigidificadora da burocracia sobre os trabalhadores que estão há largos anos na instituição, originalmente observada por Merton (1968a) e confirmada pela investigação subsequente, é claramente visível neste resultado. Em contrapartida, a probabilidade de os gestores estarem presos às normas tradicionais é menor; tendência que é ainda mais forte entre os funcionários de posição mais elevada dentro da instituição. Este dado é promissor, já que evidencia uma atitude mais moderna e independente entre os que desempenham funções de decisão nas instituições portuguesas. Está igualmente em linha com a teoria herdada, quando esta identifica a "personalidade burocrática" conformista como uma realidade mais comum entre os empregados administrativos e outro pessoal em posições subordinadas (Merton, 1968a: b).

Entre os empregados da ASAE, está pouco presente uma orientação hedonista, bastante mais comum entre os trabalhadores dos CTT, da EDP e do Hospital de Santa Maria. A ASAE é, antes de tudo, uma agência policial e a aparente orientação mais "estóica" do seu pessoal, bem assim como a sua adesão ao "conformismo" e à "tradição", são um espelho da sua composição. Para além disso, o hedonismo é explicado pela idade e pelo género: os inquiridos mais velhos e os homens mostraram menor adesão ao mesmo. Nenhum outro predictor afecta este valor. Desta forma, pelo menos nesta amostra, os homens aparentam inclinar-se mais perante as regras e em defesa da tradição e ter menor orientação para o prazer do que as suas colegas mulheres.

A estimulação (um compósito constituído pela aceitação do risco e a procura de novidade) é afectada negativamente pela idade, que exerce um efeito de atenuação, bem assim como pelos anos de serviço, estes de forma muito significativa. O gosto pelo risco e pelas experiências novas aparentemente esfuma-se com o tempo e à medida que se instala uma personalidade burocrática. Do lado positivo, encontramos, por parte dos gestores de topo, uma muito maior probabilidade de adesão a este valor. Por fim, a pequena amostra de funcionários da Bolsa de Valores de Lisboa também evidencia uma forte inclinação para correr riscos e procurar a inovação. Este efeito é um espelho perfeito das funções principais da instituição e da natureza das responsabilidades que são atribuídas aos seus funcionários, que estão relacionadas, justamente, com a gestão de investimentos e dos riscos de mercado.

Com vista a explorar a possibilidade de efeitos de interacção, replicámos a análise, individualmente, para cada uma das quatro instituições onde se obteve um número suficiente de casos. No Anexo E estão igualmente registados estes resultados. Há poucas diferenças institucionais que mereçam a nossa atenção e o padrão dos determinantes das cinco dimensões de valor reproduz, de forma geral, os resultados acima referidos.

No cômputo geral, a análise dos valores, explorados nos inquéritos por questionário conduzidos como parte deste estudo, mostra semelhanças entre o pessoal das instituições e a população portuguesa como um todo. Em ambos, as orientações dominantes são a segurança e a defesa da tradição, verificando-se pouco interesse em acumular bens ou correr riscos. Os trabalhadores das instituições estão ainda menos interessados em que haja outros que sigam as suas ordens. Vale a pena mencionar algumas diferenças entre instituições, como o maior conformismo e a menor orientação para a realização e o hedonismo entre o pessoal da ASAE, que se associa a uma atitude mais universalista. Entre os funcionários das outras organizações encontramos o oposto; em particular na EDP e nos CTT, onde prevalecem orientações menos benevolentes, mais interessadas na realização e no hedonismo. Estas diferenças não eram previsíveis no início do estudo e acrescentam informação relevante aos efeitos, mais previsíveis, da idade, do tempo de serviço e da diversidade no estatuto ocupacional. Estes efeitos estão conformes com a bibliografia relevante. Embora as diferenças nas orientações para os valores, entre as várias instituições, sejam mais ténues do que as diferenças registadas nas avaliações da qualidade institucional, como já referimos anteriormente, as que aqui destacámos são dignas de atenção, porquanto espelham a natureza distinta das diferentes organizações estudadas.

Conclusão

Os resultados apresentados neste estudo traçam um quadro geral do panorama institucional português que é mais pormenorizado do que qualquer outro realizado até à data. A metodologia adoptada no projecto tem limitações, nomeadamente, o número restrito de instituições estudadas e a representatividade limitada das amostras do pessoal ao serviço nas mesmas. Apesar disso, a informação recolhida no que diz respeito ao funcionamento e à qualidade das entidades públicas e privadas do país é mais pormenorizada e fiável do que a que já existia.

Embora as conclusões iniciais, obtidas através dos estudos etnográficos das instituições, fossem positivas e benignas, ficou claro que a realidade é mais complexa. Em claro contraste com a avaliação unânime das organizações estudadas como "institucionalmente adequadas" e da aceitação quase consensual das mesmas como instituições "desenvolvimentistas", a análise das avaliações que foi realizada através da teoria dos conjuntos difusos, bem assim como os inquéritos por questionário realizados ao pessoal ao serviço nas instituições, aconselham algum cepticismo. A quase ausência de meritocracia – realçada nos relatórios institucionais e nas classificações a que chegaram, e confirmada pelos resultados dos inquéritos – é uma primeira preocupação de relevo.

Enquanto os membros da equipa de investigação adoptaram uma atitude tendencialmente tolerante perante as práticas patrimonialistas e personalistas ainda dominantes em várias organizações, provavelmente espelhando os valores gerais da sociedade portuguesa, as respostas dos funcionários inquiridos são mais duras na avaliação negativa que fazem desta dimensão. Cumpre sublinhar que estas práticas são severamente condenadas e punidas noutros países avançados, aos quais Portugal se compara. Sendo qualquer conclusão especulativa, por força da ausência de dados comparáveis nesses países, é contudo de esperar que, nesses outros contextos nacionais, a ausência de meritocracia fosse encarada com maior preocupação. É razoável admitir que o actual contexto de crise económica seja largamente responsável pela ausência de recrutamento e promoção universalistas nas agências públicas; mas a situação não se pode arrastar, sob pena de ver Portugal regredir para condições próprias aos países menos desenvolvidos.

Quanto aos aspectos positivos, as instituições portuguesas estão unanimemente abertas à inovação tecnológica e são favoráveis à adopção das práticas mais recentes. De acordo com os relatórios etnográficos, esta orientação é a peça fundamental que permite às instituições cumprir os seus manuais institucionais. A maior parte das agências é ainda descrita como proactiva perante o seu ambiente institucional, e isto não obstante os seus problemas internos. Foi esta abertura perante o exterior que granjeou às instituições, nos estudos qualitativos, a avaliação de "desenvolvimentista". O perfil das instituições portuguesas não é muito diverso do encontrado nos países avançados da América Latina, como o Chile ou o México. Também nestes países se verificou que a flexibilidade tecnológica e a proactividade são factores fundamentais para o bom funcionamento das agências públicas e privadas (Portes, 2009; Portes e Smith, 2012). A única diferença que se identifica radica no facto de, na América Latina, para que uma instituição seja caracterizada como desenvolvimentista, a proactividade deve ser acompanhada de, pelo menos, um indicador de qualidade interna; enquanto, em Portugal, este requisito desaparece.

Por fim, importa considerar as grandes diferenças que existem entre as organizações estudadas. A despeito de algumas limitações e falhas, as duas instituições privadas, e em particular a EDP, surgem destacadas nos lugares de topo no que diz respeito à qualidade geral. Segue-se, no domínio público, a ASAE. O serviço de saúde público, representado pelo Hospital de Santa Maria, é o elemento mais fraco da amostra de instituições. Há também aqui, nesta ordenação, algumas semelhanças com as tendências identificadas no estudo anterior levado a cabo com instituições da América Latina. De forma idêntica, as bolsas de valores surgiam no topo, nos países latino-americanos, seguidas das autoridades tributárias. A agência tributária portuguesa não replica este resultado, por força da ausência de proactividade. Mas, em ambos os estudos, as instituições que operam na esfera económica têm precedência, de forma consistente, nas classificações, sobre as instituições cuja missão é servir o público em geral – como nos casos dos CTT ou do Hospital de Santa Maria.

O facto de as organizações privadas, a EDP e a Bolsa de Valores, terem as classificações mais altas nos determinantes da qualidade institucional pode ser usado como argumento para os defensores da privatização sem limites. A este respeito, alguma prudência é desejável, sendo de sublinhar que algumas entidades públicas são mais "privatizáveis" que outras. Uma coisa é transferir a empresa da electricidade ou a companhia aérea nacional para o mercado privado; outra coisa, completamente diferente, é proceder à mesma operação com um serviço público de saúde ou o sistema postal. Em outros países, as tentativas de privatização destes últimos tipos de instituições tiveram resultados extremamente questionáveis (Diaz, 2009; Rodriguez Garavito, 2012; Wormald e Brieba, 2012). Em Portugal, com a privatização recente dos CTT e a aparente conversão da ASAE de agência reguladora para uma agência "consultiva", teremos nova oportunidade para observar os efeitos, na realidade, da crença neoliberal inabalável nos mercados.

Alguns dos resultados da análise das orientações perante os valores nos cinco inquéritos institucionais são dignos de menção. Em primeiro lugar, a estrutura factorial latente que subjaz aos dados ajusta-se perfeitamente aos padrões encontrados na maioria dos outros países – desde a Europa do Norte até ao Próximo Oriente. Neste sentido, há uma boa correspondência entre o esquema dos valores reproduzido na Figura 3 e os resultados obtidos junto das instituições portuguesas. Em segundo lugar, o padrão de respostas às perguntas sobre as várias dimensões de valores revela diferenças significativas entre o pessoal ao serviço nas instituições, inquirido neste estudo, e o retrato que no Inquérito Social Europeu se faz do público português em geral. Este último surge como mais tradicional, orientado para a segurança e pouco dado a correr riscos. O lado positivo surge, em ambos os inquéritos, retratado na forte adesão aos valores de igualdade ("universalismo"), assim como na orientação benevolente em geral para com os outros.

Os determinantes destes valores básicos vão de encontro às hipóteses teóricas já enunciadas. A idade e os longos anos ao serviço da mesma organização levam ao declínio na disposição para correr riscos, à procura de realização e a maior ênfase na segurança e nos valores tradicionais. Do lado positivo, temos os gestores de topo da instituição, que contrariam esta tendência, revelando uma ambição mais forte, um maior gosto pela novidade e maior disposição para correr riscos. Estes valores vão declinando com a idade; as pessoas mais velhas parecem mais interessadas na equidade e no bem-estar dos outros. De sublinhar ainda que os homens surgem nestes resultados como significativamente mais avessos ao risco, mais tradicionais e menos hedonistas do que as mulheres, um resultado assaz surpreendente, já que não é referido noutros estudos, e que merece maior atenção.

Embora menos pronunciadas do que as avaliações da qualidade organizacional, as diferenças entre instituições revelam vários resultados com interesse. A ASAE, a única agência policial do estudo, caracteriza-se por ter uma baixa orientação para a realização e o hedonismo, e colocar maior ênfase na conformidade com com a autoridade e na defesa da tradição. Por outro lado, os empregados e gestores da EDP estão mais orientados para a realização e o poder, e revelam maior interesse por novas experiências. De forma análoga, o pequeno número de pessoas que trabalham na Bolsa de Valores é digno de nota pela sua extraordinária abertura a correr riscos e a não menos notável adesão à estimulação.

Na ausência de estudos comparáveis noutros países europeus, é-nos difícil situar as conclusões deste trabalho no contexto das nações desenvolvidas. Assinalámos as semelhanças gerais no comportamento dos determinantes da qualidade institucional observado junto das organizações seleccionadas para o presente estudo e junto de amostras similares usadas num estudo anterior levado a cabo em cinco países latino-americanos. A maior ênfase nos determinantes externos que se perfila em Portugal, nomeadamente na proactividade e na flexibilidade tecnológica, em detrimento dos critérios internos, também já foi aqui sublinhada.

Os seis determinantes de qualidade institucional e de contributo para o desenvolvimento examinados no decurso do presente estudo não exaurem os possíveis factores explicativos. É provável que os investigadores que realizaram as etnografias institucionais tivessem outras considerações adicionais em mente ao avaliarem positivamente os resultados organizacionais, não obstante a ausência de meritocracia ou os relatos de corrupção. A título de exemplo, a despeito dos problemas internos identificados no Hospital de Santa Maria, foi a capacidade que a instituição revelou para oferecer um leque alargado de serviços de saúde à população que lhe valeu classificações acima do que se poderia esperar, em ambos os resultados. Pode realmente ser esse o caso; contudo, a perpetuação de problemas organizacionais sérios nas instituições públicas pode conduzir à armadilha do equilíbrio de baixo nível, característica de países menos desenvolvidos. Acostumadas ao *statu quo*, as sociedades deste tipo têm sido incapazes de se deslocar para o nível do mundo próspero e avançado. Definitivamente, Portugal quer fazer parte deste mundo; por esta razão, os problemas que este estudo permitiu trazer à luz do dia merecem que mais atenção lhes seja consagrada.

Referências

ALESINA, Alberto e Eliana La Ferrara. 2002. "Who Trusts Others". *Journal of Public Economics.* 85, pp. 207-34.

BARDI, Anat e Shalom Schwartz. 2003. "Values and Behavior: Strength and Structure of Relations". *Personality and Social Psychology Bulletin* #29.

CERECEDA, Luz Eugenia. 2009. "Institucionalidad y desarrollo: El caso de Correos de Chile". in A. Portes (dir.). *Las instituciones en el desarrollo latinoamericano.* Cidade do México: Siglo XXI, pp. 210-237.

CONTUMÉLIAS, Mario. 2013. "A Autoridade de Segurança Alimentar e Económica-ASAE". Relatório final projecto VALID, Universidade de Princeton e Universidade Nova de Lisboa.

DIAZ, Luz Marina. 2009. "Vida, pasión y muerte de la Administración Postal Nacional Colombiana". in A. Portes (dir.). *Las instituciones en el desarrollo latinoamericano: Un estudio comparado.* Cidade do México: Siglo XXI, pp. 292-316.

EVANS, Ana Maria. 2013. "Relatório Intercalar: Estudo sobre Autoridade Tributária e Aduaneira". Relatório intercalar projecto VALID. Universidade de Princeton e Universidade Nova de Lisboa.

_____. 2014. "Autoridade Tributária e Aduaneira de Portugal". Relatório final projecto VALID, Universidade de Princeton e Universidade Nova de Lisboa.

EVANS, Peter. 1995. *Embedded Autonomy: States and Industrial Transformation.* Princeton, NJ: Princeton University Press.

_____. 2004. "The Challenges of the 'Institutional Turn': Interdisciplinary Opportunities in Development Theory". in V. Nee e R. Swedberg (dir.). *The Economic Sociology of Capitalism.* Princeton: Princeton University Press, pp. 90-116.

FIREBAUGH, Glenn. 2008. *Seven Rules for Social Research.* Princeton, NJ: Princeton University Press.

GOMES Bezerra, Roselane. 2013. "CTT Correios de Portugal, SA.". Relatório final projecto VALID, Universidade de Princeton e Universidade Nova de Lisboa.

GRIMSON, Alejandro, Ana Castellani e Alexandre Roig. 2012. "Institutional Change and Development in Argentina." in A. Portes e L.D. Smith (dir.). *Institutions Count: Their Role and Significance in Latin American Development.* Berkeley: University of California Press, pp. 39-59.

INGLEHART, Ronald. 1997. *Modernization and Postmodernization: Cultural, Economic, and Political Change in 43 Countries.* Princeton, N.J.: Princeton University Press.

LEIGH, A. 2006. "Trust, Inequality, and Ethnic Heterogeneity". *Economic Review.* 82, pp. 268-80.

MacLeod, Dag. 2004. *Downsizing the State: Privatization and the Limits of Neoliberal Reform in Mexico*. University Park, PA: Pennsylvania State University Press.

Merton, Robert K. 1968a. "Social Structure and Anomie". in R. K. Merton (dir.). *Social Theory and Social Structure*. Nova York: Free Press, pp. 175-214.

_____. 1968b. "Bureaucratic Structure and Personality". in R. K. Merton (dir.) *Social Theory and Social Structure*. Nova York: Free Press, Cap. 8.

Pires, Sonia. 2013a. "Estudo de caso Hospital de Santa Maria, EPE – Lisboa." Relatório Intercalar Projecto VALID. Universidade de Princeton e Universidade Nova de Lisboa.

_____. 2013b. "Estudo de Caso: Hospital de Santa Maria, EPE-Lisboa." Relatório final (versão preliminar).

_____. 2014. . "Estudo de Caso: Hospital de Santa Maria, EPE-Lisboa." Relatório final projecto VALID, Universidade de Princeton e Universidade Nova de Lisboa.

Pompeia, Miguel de. 2013a. "Relatório Intercalar: Estudo sobre a NYSE Euronext Lisbon." Relatório intermédio projecto VALID. Universidade de Princeton e Universidade Nova de Lisboa.

_____. 2013b. "NYSE Euronext Lisbon." Relatório final projecto VALID. Universidade de Princeton e Universidade Nova de Lisboa.

Portes, Alejandro e Lori D. Smith. 2012. *Institutions Count: Their Role and Significance in Latin American Development*. Berkeley, CA: University of California Press.

Portes, Alejandro (dir.). 2009. *Las instituciones en el desarrollo latinoamericano*. Cidade do México: Siglo XXI

Ragin, Charles. 1987. *The Comparative Method, Moving Beyond Quantitative and Qualitative Strategies*. Berkeley: University of California Press.

_____. 2000. *Fuzzy-Set Social Science*. Chicago: University of Chicago Press.

_____. 2008. *Redesigning Social Inquiry: Fuzzy Sets and Beyond*. Chicago: University of Chicago Press.

Rodriguez-Garavito, Cesar. 2012. "The Colombian Paradox: A Thick Institutional Analysis". in A. Portes e Lori D. Smith. *Institutions Count: Their Role and Significance in Latin American Development*. Berkeley, CA: University of California Press, pp. 85-112.

Schwartz, Shalom H. 2003. "Basic Human Values: Their Content and Structure across Countries" in A. Tamayo e J. Porto (org.). *Valores e Trabalho*. Brasília: Editora Universidade de Brasília.

Schwartz, Shalom H. E Anat Bardi. 2001. "Value Hierarchies across Cultures: Taking a Similarities Perspective". *Journal of Cross-cultural Psychology* 32, pp. 268-90.

Schwartz, Shalom H. E Wolfgang Bilsky. 1987. "Toward a Universal Psychological Structure of Human Values". *Journal of Personality and Social Psychology* 53, pp. 550-563.

Vaisey, Stephen. 2009. "The 'Ragin Revolution' Continues". *Contemporary Sociology*. 38, pp. 308- 12.

Vaz da Silva, Nuno. 2013. "EDP-Energias de Portugal." Relatório final para o Projecto VALID, Universidade de Princeton e Universidade Nova de Lisboa.

Wormald, Guillermo e Ana Cardenas. 2008. "Formacion y Desarrollo del Servicio de Impuestos Internos (SII) en Chile: Un Analisis Institucional". Final Report to the project *Latin American Institutions and Development: A Comparative Analysis*. Center for Migration and Development, Princeton University, http://www.princeton.edu/cmd/working-papers/idlac08/wp0805f.pdf

Wormald, Guillermo e Daniel Brieba. 2012. "Institutional Change and Development in Chilean Market Society" in A. Portes e Lori D. Smith (dir.) *Institutions Count: Their Role and Significance in Latin American Development*. Berkeley, CA: University of California Press, pp. 60-84.

Anexo A

Questionário às Instituições

2012

A Universidade Nova de Lisboa e a Universidade de Princeton têm em curso um estudo comparativo de instituições públicas e privadas no que respeita às características, crenças e orientações dos seus colaboradores. O estudo visa uma avaliação da governança institucional em Portugal e dos meios para a aperfeiçoar, procurando ainda explorar as perspectivas de quem dirige e trabalha nessas organizações. A informação recolhida no estudo será exclusivamente usada para fins científicos. Os resultados poderão ajudar a guiar as políticas públicas com vista a aperfeiçoar a qualidade da governança em Portugal.

O anonimato da sua participação, voluntária, no estudo será integralmente respeitado. Note que não pretendemos ficar com o registo do seu nome. Isto porque pretendemos obter de si respostas francas e sérias às perguntas. Uma vez concluídos, os questionários serão guardados em armários fechados, no gabinete do projecto, na Universidade Nova de Lisboa, não sendo de nenhum modo acessíveis aos gestores ou à administração da instituição a que pertence. Os resultados que virão a público no fim do estudo serão apresentados sob a forma de dados agregados sobre tendências gerais, sob a forma de tabelas e análises estatísticas.

A sua participação no estudo e a sua resposta franca e séria às perguntas que se seguem tem uma importância crucial para a qualidade dos resultados finais do projecto. Em nome da equipa responsável pela investigação, agradecemos o tempo e a atenção que aceitar dedicar a esta tarefa.

1. Que idade tem? ______

2. Onde nasceu? ______ **[Cidade]** ______ **[País]**

3. É: 1. Homem ______ **2. Mulher** ______

4. Qual foi o nível de instrução mais elevado que concluiu?

1. O 2.° Ciclo do Ensino Básico (5.° e 6.° anos) ______
2. O 3.° Ciclo do Ensino Básico (entre o 7.° e o 9.° anos) ______
3. Frequência do Ensino Secundário (entre o 10.° e o 12.° anos) ______
4. O Secundário completo ______
5. Frequência do ensino Superior ______
6. Bacharelato ______
7. Licenciatura ______
8. Ensino pós-graduado ______

5.1. Se tem um grau académico superior

5.1.a. Especifique pf qual: ______

6. Há quantos anos trabalha no/a (nome da organização)?

1. Menos de um ano ______
2. Entre um e três anos ______
3. Entre quatro e sete anos ______
4. Entre sete e doze anos ______
5. Treze ou mais anos ______

7. Quantas vezes foi promovido/a desde que começou a trabalhar no/a (nome da organização)?

1. Nenhuma vez ______ 2. Uma vez ______ 3. Duas ou três vezes ______
4. Quatro a cinco vezes ______ 5. Seis ou mais vezes ______

8. Qual das seguintes designações melhor corresponde à ocupação que actualmente tem?

1. Funcionário/a de segurança, trabalhador/a de apoio e manutenção ______
2. Operador/a de máquinas, técnico/a ______
3. Empregado/a de escritório /secretário/a ______
4. Técnico de qualificação intermédia ______
5. Director/gestor de nível intermédio ______
6. Funcionário/administrador/gestor de topo ______

9. E qual das seguintes categorias corresponde melhor à *primeira* ocupação que teve no/a (nome da organização)?

1. Funcionário/a de segurança, trabalhador/a de apoio e manutenção _____
2. Operador/a de máquinas, técnico/a _____
3. Empregado/a de escritório /secretário/a _____
4. Técnico de qualificação intermédia _____
5. Director/gestor de nível intermédio _____
6. Funcionário de topo/administrador/gestor de topo _____

10. Em termos gerais, qual o seu grau de satisfação com a sua ocupação actual?

1. Muito satisfeito/a _____ 2. Satisfeito/a _____ 3. Mais ou menos satisfeito/a _____

4. Insatisfeito/a _____ 5. Muito insatisfeito/a _____

11. O desempenho das funções exercidas no/a (nome da organização) tem contribuído para enriquecer e valorizar o seu percurso profissional?

1. Concorda em absoluto _____ 2. Concorda _____ 3. Não concorda nem discorda _____

4. Discorda _____ 5. Discorda em absoluto _____ 6. Não sabe _____

Indique por favor se concorda com as seguintes afirmações, ou se discorda das mesmas:

12. O/A (nome da organização) cumpre, de um modo geral, os propósitos para que foi criado/a.

1. Concorda em absoluto 2. Concorda 3. Não concorda nem discorda

4. Discorda 5. Discorda em absoluto 6. Não sabe

13. O funcionamento adequado do/a (nome da organização) é essencial para Portugal.

1. Concorda em absoluto 2. Concorda 3. Não concorda nem discorda

4. Discorda 5. Discorda em absoluto 6. Não sabe

14. A maioria dos colaboradores do/a (nome da organização) executam as suas tarefas de forma competente.

1. Concorda em absoluto 2. Concorda 3. Não concorda nem discorda

4. Discorda 5. Discorda em absoluto 6. Não sabe

15. As promoções no/a (nome da organização) dependem, essencialmente, das relações pessoais.

1. Concorda em absoluto 2. Concorda 3. Não concorda nem discorda
4. Discorda 5. Discorda em absoluto 6. Não sabe

16. A maioria dos gestores /administradores do/a (nome da organização) é composta por pessoas honestas e competentes.

1. Concorda em absoluto 2. Concorda 3. Não concorda nem discorda
4. Discorda 5. Discorda em absoluto 6. Não sabe

17. De uma forma geral, o/a (nome da organização) procura estar actualizado/a no que respeita ao uso de novas tecnologias e à actualização de procedimentos.

1. Concorda em absoluto 2. Concorda 3. Não concorda nem discorda
4. Discorda 5. Discorda em absoluto 6. Não sabe

18. O/A (nome da organização) faz tudo o que está ao seu alcance para prestar um serviço que satisfaça os seus utentes/clientes.

1. Concorda em absoluto 2. Concorda 3. Não concorda nem discorda
4. Discorda 5. Discorda em absoluto 6. Não sabe

19. Há uma boa cooperação institucional entre a/o (nome da organização) e os decisores de topo da administração pública e do Estado português.

1. Concorda em absoluto 2. Concorda 3. Não concorda nem discorda
4. Discorda 5. Discorda em absoluto 6. Não sabe

De acordo com a sua experiência, indique, por favor, se as afirmações que se seguem são verdadeiras ou falsas.

20. Existem grupos no seio do/a (nome da organização) que agem de acordo com interesses próprios, mesmo que estes prejudiquem os objectivos mais amplos da organização.

1. Verdadeira 2. Falsa 3. Nem uma nem outra 4. Não sabe

21. A maioria dos colaboradores do/a (nome da organização) é imune ao suborno ou à corrupção.

1. Verdadeira 2. Falsa 3. Nem uma nem outra 4. Não sabe

22. Se seguirem as regras e se fizerem o seu trabalho de modo competente, as pessoas são promovidas no/a (nome da organização).

1. Verdadeira 2. Falsa 3. Nem uma nem outra 4. Não sabe

23. Os líderes do/a (nome da organização) procuram activamente o *feedback* das pessoas que interagem com a instituição ou que usam os seus serviços.

1. Verdadeira 2. Falsa 3. Nem uma nem outra 4. Não sabe

24. De uma forma geral, os colaboradores do/a (nome da organização) procuram em permanência aperfeiçoar os seus desempenhos e melhorar a qualidade dos serviços que prestam.

1. Verdadeira 2. Falsa 3. Nem uma nem outra 4. Não sabe

25. O Luís e o Fernando são funcionários do/a (nome da organização) há muitos anos.

O Luís diz: □ Esta organização tem um modo de funcionamento muito específico. É pouco provável que as rotinas venham a ser mudadas. □

O Fernando diz: □ Esta organização incorpora novas tecnologias e tenta mudar as coisas no sentido de introduzir melhorias sempre que pode. □

Quem tem razão?

1. O Luís ______ 2. O Fernando ______ 3. Nenhum dos dois ______

26. A Ana e a Margarida também trabalham para a/o (nome da organização).

A Ana diz: □ As mulheres têm dificuldade em progredir nesta organização; são frequentemente preteridas em benefício dos homens. □

A Margarida diz: □ As mulheres são tratadas da mesma forma que os homens nesta organização; progredir ou não depende dos seus méritos. □

Quem tem razão?

1. A Ana ______ 2. A Margarida ______ 3. Nenhuma das duas ______

27. A Aline e o Milton são igualmente trabalhadores da/o (nome da organização).

A Aline diz: □ Dificilmente conseguirei exercer funções nesta organização compatíveis com a minha área de formação. □

O Milton diz: □ As pessoas, independentemente da cor da pele, são tratadas da mesma forma nesta organização. □

Quem tem razão?

1. A Aline _____ 2. O Milton _____ 3. Nenhum dos dois _____

Diga, por favor, se concorda com as seguintes afirmações:

28. A maioria dos responsáveis na administração pública não se interessa pelos problemas das pessoas comuns.

1. Concorda em absoluto	2. Concorda	3. Não concorda nem discorda
4. Discorda	5. Discorda em absoluto	6. Não sabe

29. Nos dias que correm, não sabemos mesmo em quem podemos confiar.

1. Concorda em absoluto	2. Concorda	3. Não concorda nem discorda
4. Discorda	5. Discorda em absoluto	6. Não sabe

30. A maior parte das pessoas não liga ao que acontece ao seu próximo.

1. Concorda em absoluto	2. Concorda	3. Não concorda nem discorda
4. Discorda	5. Discorda em absoluto	6. Não sabe

Finalmente, algumas perguntas sobre o/a Senhor/a enquanto pessoa.

Vou descrever-lhe pessoas com diferentes características e vou pedir-lhe que me diga em que medida cada uma dessas pessoas é ou não parecida consigo.

31. Um/a homem/mulher que dá importância a ter novas ideias e ser criativo/a. Gosta de fazer as coisas à sua maneira.

1. Exactamente como eu	2. Muito parecido comigo	3. Parecido comigo	4. Um bocadinho parecido comigo	5. Nada parecido comigo	6. Não tem nada a ver comigo

32. Um/a homem/mulher para quem é importante ser rico/a. Quer ter muito dinheiro e coisas caras.

1. Exactamente como eu	2. Muito parecido comigo	3. Parecido comigo	4. Um bocadinho parecido comigo	5. Nada parecido comigo	6. Não tem nada a ver comigo

33. Um/a homem/mulher que acha importante que todas as pessoas no mundo sejam tratadas igualmente. Acredita que todos devem ter as mesmas oportunidades na vida.

1. Exactamente como eu	2. Muito parecido comigo	3. Parecido comigo	4. Um bocadinho parecido comigo	5. Nada parecido comigo	6. Não tem nada a ver comigo

34. Um/a homem/mulher que dá muita importância a poder mostrar as suas capacidades. Quer que as pessoas admirem o que faz.

1. Exactamente como eu	2. Muito parecido comigo	3. Parecido comigo	4. Um bocadinho parecido comigo	5. Nada parecido comigo	6. Não tem nada a ver comigo

35. Um/a homem/mulher que dá muita importância a viver num sítio onde se sinta seguro/a. Evita tudo o que possa por a sua segurança em risco.

1. Exactamente como eu	2. Muito parecido comigo	3. Parecido comigo	4. Um bocadinho parecido comigo	5. Nada parecido comigo	6. Não tem nada a ver comigo

36. Um/a homem/mulher que gosta de surpresas e está sempre à procura de coisas novas para fazer. Acha que é importante fazer muitas coisas diferentes na vida.

1. Exactamente como eu	2. Muito parecido comigo	3. Parecido comigo	4. Um bocadinho parecido comigo	5. Nada parecido comigo	6. Não tem nada a ver comigo

37. Um/a homem/mulher que acha que as pessoas devem fazer o que lhes mandam. Acha que as pessoas devem cumprir sempre as regras mesmo quando ninguém está a ver.

1. Exactamente como eu	2. Muito parecido comigo	3. Parecido comigo	4. Um bocadinho parecido comigo	5. Nada parecido comigo	6. Não tem nada a ver comigo

38. Um/a homem/mulher para quem é importante ouvir pessoas diferentes de si. Mesmo quando discorda de alguém continua a querer compreender essa pessoa.

1. Exactamente como eu	2. Muito parecido comigo	3. Parecido comigo	4. Um bocadinho parecido comigo	5. Nada parecido comigo	6. Não tem nada a ver comigo

39. Um/a homem/mulher para quem é importante ser humilde e modesto/a. Tenta não chamar as atenções sobre si.

1. Exactamente como eu	2. Muito parecido comigo	3. Parecido comigo	4. Um bocadinho parecido comigo	5. Nada parecido comigo	6. Não tem nada a ver comigo

40. Um/a homem/mulher para quem é importante passar bons momentos. Gosta de tratar bem de si.

1. Exactamente como eu	2. Muito parecido comigo	3. Parecido comigo	4. Um bocadinho parecido comigo	5. Nada parecido comigo	6. Não tem nada a ver comigo

41. Um/a homem/mulher para quem é importante tomar as suas próprias decisões sobre o que faz. Gosta de ser livre e não estar dependente dos outros.

1. Exactamente como eu	2. Muito parecido comigo	3. Parecido comigo	4. Um bocadinho parecido comigo	5. Nada parecido comigo	6. Não tem nada a ver comigo

42. Um/a homem/mulher para quem é importante ajudar os que o/a rodeiam. Preocupa-se com o bem-estar dos outros.

1. Exactamente como eu	2. Muito parecido comigo	3. Parecido comigo	4. Um bocadinho parecido comigo	5. Nada parecido comigo	6. Não tem nada a ver comigo

43. Um/a homem/mulher para quem é importante ter sucesso. Gosta de receber o reconhecimento dos outros.

1. Exactamente como eu	2. Muito parecido comigo	3. Parecido comigo	4. Um bocadinho parecido comigo	5. Nada parecido comigo	6. Não tem nada a ver comigo

44. Um/a homem/mulher para quem é importante que o Governo garanta a sua segurança, contra todas as ameaças. Quer que o estado seja forte, de modo a poder defender os cidadãos.

1. Exactamente como eu	2. Muito parecido comigo	3. Parecido comigo	4. Um bocadinho parecido comigo	5. Nada parecido comigo	6. Não tem nada a ver comigo

45. Um/a homem/mulher que procura a aventura e gosta de correr riscos. Quer ter uma vida emocionante.

1. Exactamente como eu	2. Muito parecido comigo	3. Parecido comigo	4. Um bocadinho parecido comigo	5. Nada parecido comigo	6. Não tem nada a ver comigo

46. Um/a homem/mulher para quem é importante portar-se sempre como deve ser.

Evita fazer coisas que os outros digam que é errado.

1. Exactamente como eu	2. Muito parecido comigo	3. Parecido comigo	4. Um bocadinho parecido comigo	5. Nada parecido comigo	6. Não tem nada a ver comigo

47. Um/a homem/mulher para quem é importante que os outros lhe tenham respeito. Quer que as pessoas façam o que ele/ela diz.

1. Exactamente como eu	2. Muito parecido comigo	3. Parecido comigo	4. Um bocadinho parecido comigo	5. Nada parecido comigo	6. Não tem nada a ver comigo

48. Um/a homem/mulher para quem é importante ser leal com os amigos. Dedica-se às pessoas que lhe são próximas.

1. Exactamente como eu	2. Muito parecido comigo	3. Parecido comigo	4. Um bocadinho parecido comigo	5. Nada parecido comigo	6. Não tem nada a ver comigo

49. Um/a homem/mulher que acredita seriamente que as pessoas devem proteger a natureza. Proteger o ambiente é importante para ele/ela.

1. Exactamente como eu	2. Muito parecido comigo	3. Parecido comigo	4. Um bocadinho parecido comigo	5. Nada parecido comigo	6. Não tem nada a ver comigo

50. Um/a homem/mulher que dá importância à tradição. Faz tudo o que pode para agir de acordo com a sua religião e a sua família.

1. Exactamente como eu	2. Muito parecido comigo	3. Parecido comigo	4. Um bocadinho parecido comigo	5. Nada parecido comigo	6. Não tem nada a ver comigo

51. Um/a homem/mulher que procura aproveitar todas as oportunidades para se divertir. É importante para ele/ela fazer coisas que lhe dão prazer.

1. Exactamente como eu	2. Muito parecido comigo	3. Parecido comigo	4. Um bocadinho parecido comigo	5. Nada parecido comigo	6. Não tem nada a ver comigo

Obrigado pela sua colaboração!

Anexo B

Tabela 1 Análise dos Valores do Conjunto Difuso (I)

	Condições Necessárias $(Y < X) = \Sigma \ min\ (Xi)\ (Yi) / \Sigma\ Yi$	
	Adequação Institucional	**Contribuição para o Desenvolvimento**
A. Meritocracia	17.5/25.5 = .682	14.5/23.5 = .617
B. Imunidade à Corrupção	24/25.5 = .941	20.5/23.5 = .872
C. Ausência de "Ilhas de Poder"	20/25.5 = .784	16.5/23.5 = .702
D. Proactividade	24.0/25.5 = .941	22.5/23.5 = .957
E. Flexibilidade Tecnológica	24.5/25.5 = .961	21.5/23.5 = .915
F. Aliados Externos	19.0/25.5 = .745	17.5/23.5 = .745

	Consistência					**Cobertura**[1]		
Adequação Institucional =	B	+	D	+	E	B	D	E
	.941		.941		.961	1.00	.941	.961
BDE			,941				,941	
Contribuição para o Desenvolvimento =	D		+		E	D		E
	.957				.915	0.882		.843
DE			,915				,843	

1) A fórmula para a cobertura é da autoria de Ragin (2008). É, na verdade, idêntica à fórmula para a condição de suficiência, uma vez identificadas as condições necessárias.

Tabela 2 Análise dos Valores do Conjunto Difuso (II)

	Condições Suficientes	
	$(X < Y) = \Sigma \min (Xi)\ (Yi) / \Sigma Xi$	
	Adequação Institucional	Contribuição para o Desenvolvimento
A. Meritocracia	17.5/18 =.972	14.5/18 = .806
B. Imunidade à Corrupção	24.0/24.0 = 1.00	20.5/24 = .854
C. Ausência de "Ilhas de Poder"	20.0/20.0=1.00	16.5/20 = .825
D. Proactividade	24.0/25.5=.941	22.5/25.5 = .882
E. Flexibilidade Tecnológica	24.5/25.5 = .961	21.5/25.5 = .843
F. Aliados Externos	19.0/19.0 = 1.00	17.5/19.0 = .921

	Consistency			Coverage[1]		
Adequação Institucional =	B +	C +	F	B	C	F
	1.00	1.00	1.00	.941	.784	.745
					,745	
Contribuição para o Desenvolvimento =	D +		F	D		F
	.882		.921	.957		.745

1) A fórmula para a cobertura é da autoria de Ragin (2008). É, na verdade, idêntica à fórmula para a condição de necessidade, uma vez identificadas as condições suficientes.

Appendix C

Inquéritos Institucionais: Passos e Resultados

Cármen Maciel

Inquérito por questionário

	ASAE	Bolsa	CTT	EDP	HSM
Período em que decorreu o inquérito	De 04 a 18 Março de 2013	De 11 de Junho a 01 de Outubro de 2013	De 18 de Setembro a 31 de Outubro de 2013	De 21 de Março a 24 de Abril de 2013	De 01 de Agosto a 08 de Outubro de 2013
Contacto dentro da instituição	**Maria Natércia Sousa**; Chefe de divisão do Gabinete de Planeamento Estratégico, Qualidade e Auditoria (GPEQA); Inspectora de carreira.	**Paulo Pina Pires**; Manager EWC Relations & HR Director Portugal Global Human Resources	**Luís Paulo**; Diretor de Qualidade e Sustentabilidade dos CTT.	**Inês Ferreira Nunes**; Técnica do Departamento de Recursos Humanos.	**Carlos Manuel Morais da Costa**; Membro do Conselho de Administração do Centro Hospitalar Lisboa Norte, EPE. Professor da Escola Nacional de Saúde Pública - UNL

<table>
<tr><th></th><th>ASAE</th><th>Bolsa</th><th>CTT</th><th>EDP</th><th>HSM</th></tr>
<tr>
<td>Como foi feita a selecção da amostra em cada instituição</td>
<td>O questionário foi disponibilizado online a todos* os funcionários das diversas Unidades Orgânicas da ASAE, de acordo com o seguinte esquema:
<table>
<tr><th>UO</th><th>Data de resposta</th></tr>
<tr><td>Coimbra</td><td>04 /03</td></tr>
<tr><td>Castelo B.</td><td>04 /03</td></tr>
<tr><td>Mirandela</td><td>05/03</td></tr>
<tr><td>Porto</td><td>05/03</td></tr>
<tr><td>Faro</td><td>05/03</td></tr>
<tr><td>Sede (DAPI)</td><td>06 e 07/03</td></tr>
<tr><td>Sede (UNO)</td><td>08/03</td></tr>
<tr><td>Santarém</td><td>11/03</td></tr>
<tr><td>Lisboa</td><td>11 /03</td></tr>
<tr><td>Évora</td><td>11 /03</td></tr>
<tr><td>Sede (UCIF)</td><td>12 e 13/03</td></tr>
</table>
* Nota: Uma vez que os Administradores tinham sido entrevistados pessoalmente pelo membro da equipe de projecto (Mário Contumélias), a Direcção decidiu excluí-los do inquérito por questionário, aplicando o inquérito apenas a partir dos Dirigentes Intermédios, abrangendo todas as demais categorias ocupacionais da ASAE, até aos Assistentes Operacionais.</td>
<td>O questionário foi disponibilizado online a todos os funcionários da Sede em Lisboa.</td>
<td>Segundo a Administração da Empresa, é a seguinte a distribuição dos grupos ocupacionais da instituição:
• Quadros: 10%
• Carteiros: 60%
• Tratamento de correio: 10%
• Rede de Lojas: 20%
Excepto a categoria "Quadros" – concentrada na sede em Lisboa –, todos os demais grupos ocupacionais estão distribuídos pelo território nacional.
Em virtude da dificuldade esperada de acesso de algumas ocupações à internet (carteiros, etc.), a Administração dos CTT pediu que o inquérito fosse parcialmente distribuído em papel, para além da plataforma online.
A administração estabeleceu contacto com os serviços operacionais e os serviços centrais, informando sobre a feitura do inquérito e apelando à participação de todas as categorias ocupacionais no mesmo.</td>
<td>A EDP Distribuição foi escolhida para a feitura do inquérito.
A amostra foi determinada pela Administração da Empresa.
De acordo com critérios de representatividade estatística de cada um dos grupos ocupacionais da EDP Distribuição, foram contactados por email 300 colaboradores, de Norte a Sul do país.
("a amostra foi constituída aleatoriamente tendo em conta os seguintes critérios:
• Colaboradores de todas as idades
• Colaboradores de todos as Direcções/ Gabinetes
• Colaboradores de todas as funções.
O questionário foi enviado para 300 colaboradores, 10% da população ao serviço da EDP Distribuição.")
A Direção decidiu inquirir apenas funcionários, excluindo da amostra os contratados.</td>
<td>O questionário foi disponibilizado online a todos os funcionários do Hospital de Santa Maria, em Lisboa.</td>
</tr>
</table>

	ASAE	Bolsa	CTT	EDP	HSM
Qual a percentagem de respostas recebidas (ou, em alternativa, qual a percentagem de não-resposta) – em relação à amostra potencial definida acima	**256 respostas** obtidas num universo de 294 (que corresponde ao total de funcionários da ASAE) *Taxa de resposta: 87% do total de funcionários.*	**12 respostas** obtidas num universo de 26 (que corresponde ao total de funcionários da Bolsa em Lisboa) Taxa de resposta: *46% do total de funcionários.*	**559 respostas** obtidas num universo de 1300 contactos directos (1000 em papel e 300 *online*). Estes contactos foram estabelecidos pela Administração dos CTT. (Segundo o Relatório e Contas de 2012, o total de trabalhadores ao serviço dos CTT era de 11911 no primeiro semestre do ano.) Taxa de resposta: 43% da amostra seleccionada; esta correspondeu por sua vez a *11% dos trabalhadores ao serviço dos CTT.* 392 respostas **RSF** obtidas num universo de 1000 contactos Taxa de resposta: 39% 167 respostas obtidas *online* num universo de 300 contactos Taxa de resposta: 56 %	**288 respostas** obtidas num total de 300 contactos directos. Estes contactos foram estabelecidos pela administração da EDP Distribuição. (Em 2012, a EDP Distribuição tinha cerca de 3500 trabalhadores; a EDP Grupo, mais de 12 mil.) Taxa de resposta: *96% da amostra seleccionada*; esta correspondeu por sua vez a *8,6% da população ao serviço da EDP Distribuição.*	**231 respostas** obtidas num universo de 6.400 funcionários (que corresponde ao total de funcionários do HST) Taxa de resposta: *3,6% do total de funcionários.*
Qual a percentagem de respostas recebida via plataforma *online*, por correio electrónico ou em suporte papel em cada instituição	100% de respostas (256) obtidas através da plataforma *online.*	100% de respostas (12) obtidas através da plataforma *online.*	70% de respostas (392) obtidas através de RSF; 30% (167) de respostas obtidas através da plataforma *online.*	100% de respostas (288) obtidas através da plataforma *online.*	100% de respostas (231) obtidas através da plataforma *online.*

	ASAE	Bolsa	CTT	EDP	HSM
Outras informações relevantes quanto à condução do inquérito em cada organização	O *link* do questionário foi enviado pela Administração da empresa a todos os funcionários através de mensagem de *email* (o questionário estava disponível numa plataforma *online*). Todos os funcionários das Unidades Orgânicas receberam esse *email* da Administração, e, tendo um dia específico para responderem, foram localmente incentivados a colaborar. Houve uma monitorização diária do número de respostas a fim de saber se havia necessidade de reforço no pedido de colaboração. A pessoa de contacto facilitou muito todo o processo – que foi célere e eficaz.	A mediação com esta instituição foi exclusivamente efectuada pelo membro da equipe de projecto (Miguel de Pompeia). O *link* do questionário foi enviado pela Administração da empresa, a todos os funcionários, através de mensagem de *email* (o questionário estava disponível numa plataforma *online*). Houve uma monitorização do processo, ao longo das semanas, mas nem sempre foi fácil obter *feedback* quanto à possibilidade de reforçar o pedido de colaboração. O processo foi moroso.	A administração dos CTT optou por aplicar o questionário através de duas formas: 1. «Os questionários em papel foram já enviados para a ... rede operacional [dos CTT] e [abrangem] uma amostra de cerca de 1000 trabalhadores, segmentados por 40 unidades operacionais (Centros de Distribuição, Lojas e um Centro de Operações). Instruímos as chefias no sentido de entregarem os inquéritos às equipas a partir de 30 de Setembro, motivando-as para a participação, com prazo limite de resposta de uma semana (envelope RSF enviado diretamente pelo trabalhador, por correio).» 2. «Quanto aos questionários *online* estarão igualmente disponíveis aos trabalhadores dos serviços centrais aproximadamente nessa altura, precedidos do envio de uma mensagem de apelo à participação.» A direcção da empresa enviou uma mensagem de *email* a 300 funcionários dos serviços centrais. Os questionários preenchidos em papel foram remetidos via RSF para o Gabinete do projecto. Houve uma monitorização semanal do número de respostas a fim de saber se havia necessidade de reforço no pedido de colaboração. O processo foi moroso por causa de indisponibilidades institucionais e pela burocracia exigida para tratar das RSF.	O *link* do questionário foi enviado pela Administração da empresa aos 300 funcionários contactados através de mensagem de *email* (o questionário estava disponível numa plataforma *online*). Houve uma monitorização semanal do número de respostas a fim de saber se havia necessidade de reforço no pedido de colaboração. A pessoa de contacto facilitou o processo de forma eficaz e relativamente rápida.	O *link* do questionário foi enviado pela Administração da empresa a todos os funcionários através de mensagem de *email* (o questionário estava disponível numa plataforma *online*). Houve uma monitorização semanal do número de respostas a fim de saber se havia necessidade de reforço no pedido de colaboração. A pessoa de contacto recebeu os membros da equipe de projecto (Cármen Maciel e Sónia Pires) uma vez e delegou o processo num técnico do Departamento de informática (João Louro). Devido às mudanças internas na Administração, o processo foi difícil e moroso.

Anexo D

Tabela 1 Determinantes de "Meritocracia-Proactividade" em Portugal, 2013

Predictor:		I	II
Instituição[1]	Sistema Postal (CTT – Correios)	-0,101	-0,126
	Companhia de Electricidade (EDP)	0,952***	0,770***
	Hospital de Santa Maria (HSM)	-0,335***	-0,362***
	Bolsa de Valores (Euronext Lisbon)	0,685***	0,579**
Outros predictores:			
Idade			-0,001
Masculino			-0,007
Instrução[2]	Superior ou igual ao secundário completo		0,012
	Superior ou igual a primeiro ciclo universitário		-0,103
Duração do Emprego[3]	Entre 7 e 12 anos		0,075
	Treze anos ou mais		-0,107
Ocupação[4]	Professionais de elevadas qualificações, técnicos		0,013
	Gestão intermédia		0,052
	Gestão de topo		0,209**
Número de Promoções[5]	Uma a três		0,134**
	Quatro ou mais		0,358***
constante		-0,113	-0,070
N		1281	1192
R^2		0,371	0,398
TMSE		0,597	0,582

1) A ASAE (Autoridade de Segurança Alimentar e Económica) é a categoria de referência.
2) A categoria inferior ao secundário é usada como referência.
3) A categoria menos de 7 anos é usada como referência.
4) A categoria de referência é o grupo Administrativos e Operários.
5) A ausência de promoções é a categoria de referência.
* p< .05
** p< .01
*** p< .001

Tabela 2 Determinantes de "Qualidade Institucional em Geral" em Portugal, 2013

Predictor:		I	II
Instituição[1]	Sistema Postal (CTT - Correios)	0,285***	0,309***
	Companhia de Electricidade (EDP)	0,809***	0,797***
	Hospital de Santa Maria (HSM)	0,57*	0,217*
	Bolsa de Valores (Euronext Lisbon)	0,088	0,100
Outros predictores:			
Idade			-0,002
Masculino			-0,071
Instrução[2]	Superior ou igual ao secundário completo		0,073
	Superior ou igual a primeiro ciclo universitário		-0,138
Duração do Emprego[3]	Entre 7 e 12 anos		0,054
	Treze anos ou mais		-0,034
Ocupação[4]	Professionais de elevadas qualificações, técnicos		-0,034
	Gestão intermédia		0,164
	Gestão de topo		0,237
Número de Promoções[5]	Uma a três		0,102
	Quatro ou mais		0,184
constante		-0,320	-0,279
N		1291	1200
R^2		0,144	0,169
TMSE		0,670	0,656

1) A ASAE (Autoridade de Segurança Alimentar e Económica) é a categoria de referência.
2) A categoria inferior ao secundário é usada como referência.
3) A categoria menos de 7 anos é usada como referência.
4) A categoria de referência é o grupo Administrativos e Operários.
5) A ausência de promoções é a categoria de referência.
* p< .05
** p< .01
*** p< .001

Tabela 3 Determinantes de "Imunidade à Corrupção" em Portugal, 2013

Predictor:		I	II
Instituição[1]	Sistema Postal (CTT – Correios)	-0,205***	-0,262***
	Companhia de Electricidade (EDP)	0,159***	0,085
	Hospital de Santa Maria (HSM)	-0,760***	-0,815***
	Bolsa de Valores (Euronext Lisbon)	0,100	0,099
Outros predictores:			
Idade			0,001
Masculino			-0,041
Instrução[2]	Superior ou igual ao secundário completo		0,059
	Superior ou igual a primeiro ciclo universitário		-0,063
Duração do Emprego[3]	Entre 7 e 12 anos		0,007
	Treze anos ou mais		0,020
Ocupação[4]	Professionais de elevadas qualificações, técnicos		0,121*
	Gestão intermédia		0,035
	Gestão de topo		0,064
Número de Promoções[5]	Uma a três		-0,027
	Quatro ou mais		0,101
constante		0,176	0,162
N		1280	1192
R^2		0,251	0,274
TMSE		0,516	0,513

1) A ASAE (Autoridade de Segurança Alimentar e Económica) é a categoria de referência.
2) A categoria inferior ao secundário é usada como referência.
3) A categoria menos de 7 anos é usada como referência.
4) A categoria de referência é o grupo Administrativos e Operários.
5) A ausência de promoções é a categoria de referência.
* p< .05
** p< .01
*** p< .001

Tabela 4 Determinantes de "Universalismo – Equidade" em Portugal, 2013

Predictor:		I	II
Instituição[1]	Sistema Postal (CTT – Correios)	0,359	0,273
	Companhia de Electricidade (EDP)	0,193	-0,001
	Hospital de Santa Maria (HSM)	0,195	0,217
	Bolsa de Valores (Euronext Lisbon)	0,526	0,469
Outros predictores:			
Idade			0,002
Masculino			0,041
Instrução[2]	Superior ou igual ao secundário completo		-0,078
	Superior ou igual a primeiro ciclo universitário		-0,167
Duração do Emprego[3]	Entre 7 e 12 anos		0,025
	Treze anos ou mais		-0,038
Ocupação[4]	Professionais de elevadas qualificações, técnicos		-0,103
	Gestão intermédia		-0,006
	Gestão de topo		0,149
Número de Promoções[5]	Uma a três		0,115
	Quatro ou mais		0,381
constante		-0,227	-0,214
N		1289	1198
R^2		0,030	0,067
TMSE		0,771	0,749

1) A ASAE (Autoridade de Segurança Alimentar e Económica) é a categoria de referência.
2) A categoria inferior ao secundário é usada como referência.
3) A categoria menos de 7 anos é usada como referência.
4) A categoria de referência é o grupo Administrativos e Operários.
5) A ausência de promoções é a categoria de referência.
* p< .05
** p< .01
*** p< .001

Tabela 5 Determinantes de "Universalismo – Equidade" por Instituição[1]

Predictores		ASAE	CTT	EDP	HSM
Idade					
Masculino				0,320*	
Instrução[2]	Superior ou igual ao secundário completo			-0,289*	
	Superior ou igual a primeiro ciclo universitário			-0,432*	
Ocupação[2]	Professionais de elevadas qualificações, técnicos				
	Gestão intermédia				
	Gestão de topo			0,446*	
Duração do Emprego[2]	Entre 7 e 12 anos				
	Treze anos ou mais			-0,489*	
Número de Promoções[2]	Uma a três				
	Quatro ou mais		.254*	0,478**	.719*
constant		-0,530	0,199	-0,122	0,355
N		230	510	255	197
R^2		0,024	0,045	0,174	0,098
TMSE		0,863	0,698	0,659	0,828

1) Só os efeitos estatisticamente significativos são apresentados.
2) Vejam-se as categorias de referência nas tabelas anteriores.
* p< .05
** p< .01

Anexo E

Tabela 1 Média e Desvio-Padrão das Dez Dimensões de Valores Humanos, por Instituição

	Amostra Completa		ASAE		CTT		EDP		HSM		Euronext Lisbon	
Valores	**Média**	**Desv.-Padr.**	**Média**	**Desv.-Padr.**	**Média**	**Desv.-Padr.**	**Média**	**Desv.-Padr.**	**Média**	**Desv.-Padr.**	**Média**	**Desv.-Padr.**
Poder	-1.387	0.750	-1.463	0.780	-1.410	0.783	-1.277	0.671	-1.378	0.720	-1.491	0.696
Realização	-0.184	0.837	-0.402	0.860	-0.190	0.853	-0.017	0.793	-0.132	0.768	-0.264	0.875
Hedonismo	0.174	0.719	0.007	0.736	0.269	0.697	0.171	0.728	0.124	0.720	0.0996	0.554
Estimulação	0.539	0.825	-0.392	0.818	-0.567	0.856	-0.487	0.7469	-0.741	0.807	0.100	0.634
Auto-centração	0.038	0.718	0.055	0.715	0.007	0.724	0.057	0.685	0.063	0.752	0.236	0.637
Universalismo	0.734	0.558	0.825	0.601	0.663	0.552	0.714	0.513	0.827	0.558	1.009	0.448
Benevolência	0.884	0.573	0.989	0.624	0.834	0.553	0.771	0.539	1.045	0.564	0.827	0.441
Tradição	-0.021	0.765	0.101	0.705	-0.010	0.777	-0.043	0.784	-0.169	0.748	0.145	0.868
Conformidade	-0.210	0.876	-0.207	0.870	-0.137	0.883	-0.309	0.848	-0.259	0.900	-0.446	0.701
Segurança	0.144	0.770	0.076	0.726	0.210	0.767	0.061	0.792	0.206	0.757	-0.719	0.858

Tabela 2 Determinantes de "Universalismo-Benevolência" em Portugal, 2013

Predictor:		I[1]	II[2]
Instituição[3]	Sistema Postal (CTT – Correios)	-0.165***	-0.118**
		(0.036)	(0.050)
	Companhia de Electricidade (EDP)	-0.169***	-0.124*
		(0.042)	(0.065)
	Hospital de Santa Maria (HSM)	-0.022	-0.008
		(0.045)	0.060)
	Bolsa de Valores (Euronext Lisbon)	0.055	0.053
		(0.139)	(0.143)
Outros predictores:			
Idade			0.010***
			(0.002)
Masculino			-0.017
			(0.031)
Instrução[4]	Superior ou igual ao secundário completo		0.022
			(0.041)
	Superior ou igual a primeiro ciclo universitário		0.080
			(0.051)
Duração do Emprego[5]	Entre 7 e 12 anos		-0.011
			(0.051)
	Treze anos ou mais		-0.023
			(0.043)
Ocupação[6]	Profissionais de elevadas qualificações, técnicos		0.067
			(0.045)
	Gestão intermédia		-0.032
			(0.045)
	Gestão de topo		0.001
			(0.059)
Número de Promoções[7]	Uma a três		-0.032
			(0.035)
	Quatro ou mais		-0.026
Constante		0.832***	0.364***
		(0.030)	(0.100)
N		1,170	1,092
R^2		0.028	0.069
F Statistic		8.480*** (df=4; 1165)	5.310*** (df=15; 1076)

1) Só as instituições incluídas como predictores.
2) Inclui as instituições e outros predictores.
3) A ASAE (Autoridade de Segurança Alimentar e Económica) é a categoria de referência.
4) A categoria inferior ao secundário é usada como referência.
5) A categoria menos de 7 anos é usada como referência.
6) A categoria de referência é o grupo Administrativos e Operários.
7) A ausência de promoções é a categoria de referência.
* $p < .05$, ** $p < .01$, *** $p < .001$

Tabela 3 Determinantes de "Realização-Poder" em Portugal, 2013

Predictor:		I[1]	II[2]
Instituição[3]	Sistema Postal (CTT - Correios)	0.067	0.200***
		(0.043)	(0.059)
	Companhia de Electricidade (EDP)	0.220***	0.266***
		(0.049)	(0.077)
	Hospital de Santa Maria (HSM)	0.146***	0.219***
		(0.053)	(0.072)
	Bolsa de Valores (Euronext Lisbon)	0.068	0.094
		(0.165)	(0.171)
Outros predictores:			
Idade			-0.006**
			(0.002)
Masculino			-0.003
			(0.037)
Instrução[4]	Superior ou igual ao secundário completo		0.046
			(0.049)
	Superior ou igual a primeiro ciclo universitário		0.056
			(0.060)
Duração do Emprego[5]	Entre 7 e 12 anos		-0.027
			(0.061)
	Treze anos ou mais		-0.043
			(0.051
Ocupação[6]	Profissionais de elevadas qualificações, técnicos		-0.030
			(0.053)
	Gestão intermédia		0.131**
			(0.054)
	Gestão de topo		0.242***
			(0.070)
Número de Promoções[7]	Uma a três		0.012
			(0.042)
	Quatro ou mais		0.032
			(0.058)
Constante		-0.786***	-0.721***
		(0.036)	(0.120)
N		1,170	1,092
R^2		0.020	0.062
F Statistic		5.908* (df=4; 1165)	4.764*** (df=15; 1076)

1) Só as instituições incluídas como predictores.
2) Inclui as instituições e outros predictores.
3) A ASAE (Autoridade de Segurança Alimentar e Económica) é a categoria de referência.
4) A categoria inferior ao secundário é usada como referência.
5) A categoria menos de 7 anos é usada como referência.
6) A categoria de referência é o grupo Administrativos e Operários.
7) A ausência de promoções é a categoria de referência.
* p< .05, ** p< .01, *** p< .001

Table 4 Determinantes de "Conformidade-Tradição" em Portugal, 2013

Predictor:		I[1]	II[2]
Instituição[3]	Sistema Postal (CTT - Correios)	0.039	-0.275***
		(0.061)	(0.081)
	Companhia de Electricidade (EDP)	-0.081	-0.297***
		(0.069)	(0.105)
	Hospital de Santa Maria (HSM)	-0.131*	-0.330***
		(0.074)	(0.098)
	Bolsa de Valores (Euronext Lisbon)	-0.164	-0.322
		(0.231)	(0.233)
Outros predictores:			
Idade			0.003
			(0.003)
Masculino			0.120**
			(0.051)
Instrução[4]	Superior ou igual ao secundário completo		-0.079
			(0.067)
	Superior ou igual a primeiro ciclo universitário		-0.099
			(0.082)
Duração do Emprego[5]	Entre 7 e 12 anos		0.139*
			(0.083)
	Treze anos ou mais		0.182***
			(0.070)
Ocupação[6]	Profissionais de elevadas qualificações, técnicos		-0.114
			(0.073)
	Gestão intermédia		-0.218***
			(0.074)
	Gestão de topo		-0.432***
			(0.096)
Número de Promoções[7]	Uma a três		0.075
			(0.057)
	Quatro ou mais		-0.013
			(0.080)
Constante		-0.252***	-0.121
		(0.051)	(0.164)
N		1,170	1,092
R^2		0.008	0.078
F Statistic		2.367 (df=4; 1165)	6.101*** (df=15; 1076)

1) Só as instituições incluídas como predictores.
2) Inclui as instituições e outros predictores.
3) A ASAE (Autoridade de Segurança Alimentar e Económica) é a categoria de referência.
4) A categoria inferior ao secundário é usada como referência.
5) A categoria menos de 7 anos é usada como referência.
6) A categoria de referência é o grupo Administrativos e Operários.
7) A ausência de promoções é a categoria de referência.
* p< .05, ** p< .01, *** p< .001

Tabela 5 Determinantes de "Hedonismo" em Portugal, 2013

Predictor:		I[1]	II[2]
Instituição[3]	Sistema Postal (CTT – Correios)	0.262***	0.273***
		(0.058)	(0.079)
	Companhia de Electricidade (EDP)	0.164**	0.195**
		(0.066)	(0.104)
	Hospital de Santa Maria (HSM)	0.117*	0.135
		(0.071)	(0.097)
	Bolsa de Valores (Euronext Lisbon)	0.092	0.190
		(0.221)	(0.230)
Outros predictores:			
Idade			-0.015***
			(0.003)
Masculino			-0.091*
			(0.050)
Instrução[4]	Superior ou igual ao secundário completo		0.090
			(0.066)
	Superior ou igual a primeiro ciclo universitário		-0.097
			(0.081)
Duração do Emprego[5]	Entre 7 e 12 anos		-0.099
			(0.082)
	Treze anos ou mais		-0.001
			(0.069)
Ocupação[6]	Profissionais de elevadas qualificações, técnicos		-0.043
			(0.072)
	Gestão intermédia		0.065
			(0.072)
	Gestão de topo		0.053
			(0.095)
Número de Promoções[7]	Uma a três		-0.063
			(0.057)
	Quatro ou mais		0.025
			(0.079)
Constante		0.007	0.749***
		(0.048)	(0.161)
N		1,170	1,092
R^2		0.018	0.052
F Statistic		5.477*** (df=4; 1165)	3.944*** (df=15; 1076)

1) Só as instituições incluídas como predictores.
2) Inclui as instituições e outros predictores.
3) A ASAE (Autoridade de Segurança Alimentar e Económica) é a categoria de referência.
4) A categoria inferior ao secundário é usada como referência.
5) A categoria menos de 7 anos é usada como referência.
6) A categoria de referência é o grupo Administrativos e Operários.
7) A ausência de promoções é a categoria de referência.
* p< .05, ** p< .01. *** p< .001

Tabela 6 Determinantes "Estimulação" em Portugal, 2013

Predictor:		I[1]	II[2]
Instituição[3]	Sistema Postal (CTT – Correios)	-0.175***	0.042
		(0.066)	(0.090)
	Companhia de Electricidade (EDP)	-0.094	0.080
		(0.076)	(01.117)
	Hospital de Santa Maria (HSM)	-0.348***	-0.222**
		(0.081)	0.109)
	Bolsa de Valores (Euronext Lisbon)	0.492*	0.615**
		(0.252)	(0.259)
Outros predictores:			
Idade			-00.012***
			(0.003)
Masculino			0.068
			(0.057)
Instrução[4]	Superior ou igual ao secundário completo		-0.020
			(0.075)
	Superior ou igual a primeiro ciclo universitário		-0.038
			(0.092)
Duração do Emprego[5]	Entre 7 e 12 anos		-0.032
			(0.093)
	Treze anos ou mais		-0.204***
			(0.078)
Ocupação[6]	Profissionais de elevadas qualificações, técnicos		0.091
			(0.081)
	Gestão intermédia		0.123
			(0.082)
	Gestão de topo		0.289***
			(0.107)
Número de Promoções[7]	Uma a três		0.004
			(0.064)
	Quatro ou mais		-0.073
			(0.089)
Constante		-0.392***	-0.039
		(0.055)	(0.182)
N		1,170	1,092
R^2		0.023	0.071
F Statistic		6.730*** (df=4; 1165)	5.491*** (df=15; 1076)

1) Só as instituições incluídas como predictores.
2) Inclui as instituições e outros predictores.
3) A ASAE (Autoridade de Segurança Alimentar e Económica) é a categoria de referência.
4) A categoria inferior ao secundário é usada como referência.
5) A categoria menos de 7 anos é usada como referência.
6) A categoria de referência é o grupo Administrativos e Operários.
7) A ausência de promoções é a categoria de referência.
* $p < .05$, ** $p < .01$, *** $p < .001$

Tabela 7 Determinantes da Orientação para os Valores por Instituição Inquérito às Instituições Portuguesas, 2013[1]

	Universalismo-Benevolência[3]				Realização – Poder[3]				Conformidade – Tradição[3]				Hedonismo[3]				Estimulação (Correr riscos)[3]			
Predictor[2]	ASAE	CTT	EDP	HSM	ASAE	CTT	EDP	HSM	ASAE	CTT	EDP	HSM	ASAE	CTT	EDP	HSM	ASAE	CTT	EDP	HSM
Idade	.013***	.007***	.014***		-.012**		-.011						-.024***	-.013***	-.016**		-.032***	-.013**		
Masculino										.161*	.223*									
Instrução																				
Superior ou igual ao secundário completo	.354**					-.124**							-.422*							
Superior ou igual a primeiro ciclo universitário	268*												-.424*							
Duração do Emprego																				
Entre 7 e 12 anos														-.287**						
Treze anos ou mais																				
Occupação																				
Profissionais de elevadas qualificações, técnicos		.125*									-.372**									
Gestão intermédia						.318***	.316**			-.417***							-.353*	.274*		
Gestão de topo						.384**				-.610***	-.583***								.397*	.708*
Número de Promoções																				
Uma a três											.333**		-.296*				-.317*			
Quatro ou mais											.298**									
Constante	.001	.373	.158	.429	-.250	-.793	.060	-.453	-.589	-.376	-.927	-.045	1.625	.933	.833	.835	1.378	.027	.123	-1.105
R^2	.052	.045	.083	.117	.074	.092	.087	.049	.064	.147	.125	.079	.090	.032	.057	.085	.131	.068	.068	.121
N	203	478	229	173	203	478	229	173	203	478	229	173	203	478	229	173	203	478	229	173

1) Ordinary least squares (OLS) regressions with robust standard errors; 2) Ver categorias de referência nas tabelas anteriores.; 3) O modelo inclui todos os predictores.
Os efeitos estatisticamente não significativos não são aqui apresentados; * $p< .05$; ** $p< .01$; *** $p< .001$